『神の愛について学ぶ　子どもの聖書物語』の出版目的について

本書『神の愛について学ぶ　子どもの聖書物語』には、一つ一つの聖書物語のあとに、解説文が用意されています。それは子どもたちが、神の約束と教えをより容易に理解できるように、またこの解説文を読むことによって、子どもたちが勇気づけられるようにするためです。

本書は、子どもたちにとって読みやすく、理解しやすいように、それぞれの聖書物語が、聖書に基づいて書き改められています。そしてまた、それぞれの聖書物語の中心的なメッセージが解説文の中に短くまとめられています。

それぞれの聖書物語のタイトルの下には聖書の引用箇所が記されています。また解説文の中にも関連する聖書の箇所が記されているため、その聖書の箇所を開いて読むことによって、神の約束と教えがより容易に理解できるように工夫されています。

聖書に登場する人びとにとって、神のみことばは常に生きているものでした。そしてその人びとに特別に語られたものでした。それは本書を読む子どもたちにとっても同様です。神のみことばは一人ひとりの子どもたちに特別に語りかけられているのです。

本書の解説文と聖書の引用箇所は、神について、聖書について語り合うためのきっかけにもなることと思います。神はそのみことばを通して、一人ひとりの子どもたちに語りかけておられるのです。

本書に解説文を加えた目的は、子どもたちや若者たちが、神に心を開いて神のみことばに耳を傾け、それを学べるようにするためです。神は毎日、子どもたち、若者たちに語りかけておられます。

私たちの願いは、本書を読む子どもたちのうちに神が共にいてくださるように、ということです。そして神ご自身が、神の愛、神のいつくしみ、神そのもののうちに子どもたちを導いてくださるように、ということです。人間に対する神の愛は永遠に変わることがないのですから。

＊本書『神の愛について学ぶ　子どもの聖書物語』は、弊社より1996年に発行された『子どもの聖書物語』の改訂新版です。

さて、人々が幼子を連れてきて、イエスに手を触れていただこうとした。ところが、弟子たちはその人々をたしなめた。イエスはこれを見て憤り、弟子たちに仰せになった、

「そのままにしておきなさい。幼子たちがわたしのもとに来るのを止めてはならない。神の国はこのような者たちのものだからである。あなた方によく言っておく。幼子のように神の国を受け入れる者でなければ、決してそこに入ることはできない」。

そして、イエスは幼子たちを抱き寄せ、彼らの上に両手を置いて祝福された。

マルコ 10 : 13 ～ 16（フランシスコ会聖書研究所訳注）

Drejervej 15, 3., DK-2400 Copenhagen NV, Denmark
info@sph.as
www.sph.as

Conceived, designed and produced by
Scandinavia Publishing House

Devotional text by Alice Larsen
Translated by Scandinavia Publishing House
Edited by Vanessa Carroll & Alice Larsen
Cover design by Gao Hanyu
Book layout by Luo Huawen & Gao Hanyu

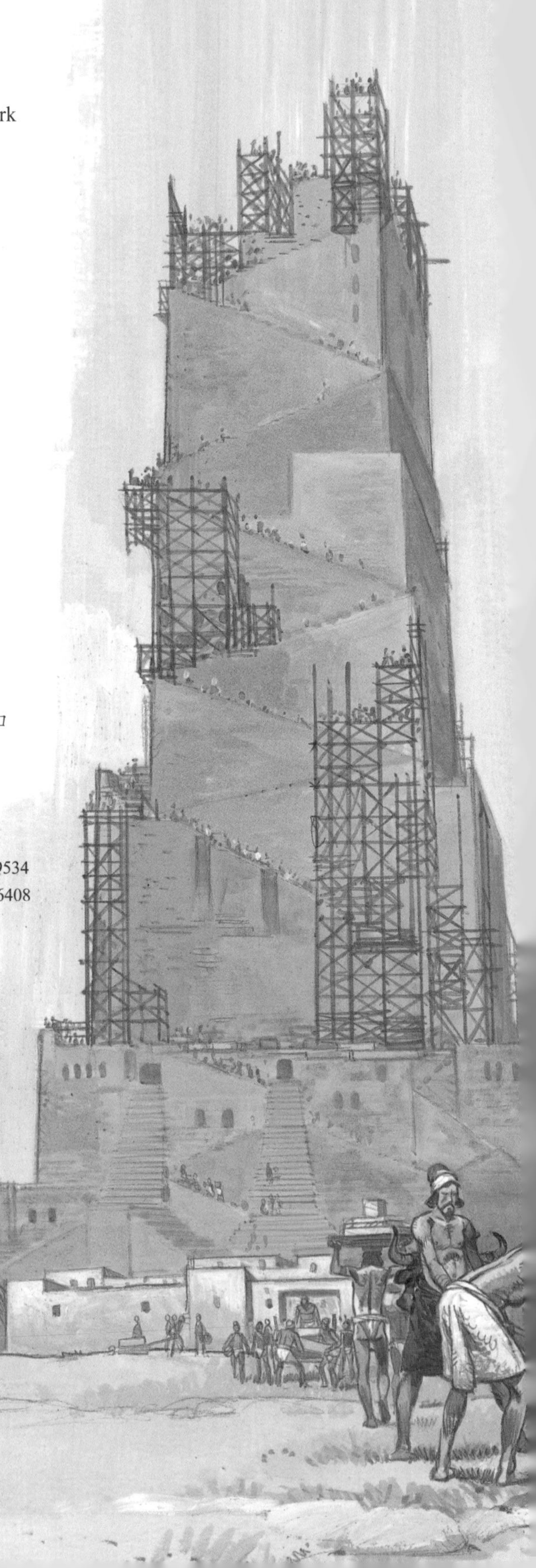

神の愛について学ぶ

子どもの聖書物語

文 ／アンネ･デ･グラーフ　絵／ホセ･ペレス･モンテロ
解説／アリス･ラーセン　　訳／竹中　弥生

発行所　サンパウロ

〒160-0011　東京都新宿区若葉1-16-12
宣教推進部（版元）　Tel. (03) 3359-0451　Fax (03) 3351-9534
宣教企画編集部　　Tel. (03) 3357-6498　Fax (03) 3357-6408

2022 年 4 月 1 日　初版発行

ISBN978-4-8056-3264-2 C0016（日キ販）
落丁･乱丁はおとりかえいたします。

＿＿＿＿＿＿＿＿＿＿＿＿へ

＿＿＿＿＿＿＿＿＿＿＿＿からの

プレゼントです

年　　月　　日

わたしの家族

わたしの名前

父

父の両親

母

母の両親

兄弟、姉妹

神の愛について学ぶ

子どもの聖書物語

文／アンネ・デ・グラーフ　　絵／ホセ・ペレス・モンテロ
解説／アリス・ラーセン　　訳／竹中　弥生

目　次

◇旧約聖書

◇新約聖書

旧約聖書

神はすべてを造られた

創世記 1 : 1～19

ずっと昔のことです。この世の中は、真っ暗でした。何もないということを想像するのは難しいことですが、何もなかったのです……神のほかには。

はじめに、神は光を造られました。こうして、ただの暗やみのかわりに、夜と昼ができたのです。

それから、神は地球を造られ、海といくつかの陸とに分けられました。また、神はすべての草や木を造り、陸の上に生えさせました。

空には星や惑星を造られました。夜のあとにはいつも昼が来るように、太陽と月を造られました。

神の恐ろしいほどの力について考えてみましょう。神がたった一言、言われただけで、宇宙と光と生命が生まれました。神を信じない人もいます。私たち人間にとって、私たちが想像できるより、はるかに多くのことを神ができるということを理解するのは難しいことです。神は、私たちが褒め称える価値のある方です。そしてこの偉大な神は、あなたのことも私のことも愛しておられるのです。

詩編 14:1、33:6-9、ヘブライ 11:3、黙示録 4:11

すばらしい世界

創世記 1 : 20〜25、2 : 3〜6

神は、地球をおおっている水を見て、大きな魚と小さな魚を造られました。

空には、いろいろな色をした、大小の鳥を造られました。鳥の色は、あざやかな青、濃い緑、茶、むらさき、赤、黒、白などでした。

神が陸のほうを見られると、草が風にゆれ、よく熟した果物が木からぶらさがっていました。神は、動物が住むのによい所だと思いました。そこで神は、小さなハチや大きなゾウ、ワニ、羊、ライオン、そしていろいろな種類の動物を造られました。でも、そのときはまだ、「ゾウ」とか「ワニ」といった名前はついていませんでした。そこでは、ちょうどよいだけの数の動物が、ちょうどよい広さの場所で暮らしていました。そして、食べ物も水も、豊かにありました。

神は、この地球を人間や動物が最も良い環境で住むことができる平和で美しい場所にしました。神は、鳥がひなのために安全で居心地の良い巣を作るように、神が造ることにしていた人間のために庭を造られました。この偉大な神はご自分の造られたものを大変大切に思っておられます。神は、あなたと私を大切に思っておられるのです。

ヨブ 38:39-41、詩編 8:3-4、一ペトロ 5:7

最初の男と女

創世記 1 : 26〜31、2 : 1〜7 ; 18〜23

そのころはまだ、地球上に人間はいませんでした。ご自分に似たものを造ろうと思われた神は、土の中に手を入れて、ひとつかみの土を拾い上げると、それに息を吹きかけました。こうして、最初の人間を造られたのです。

神は、いろいろな種類の動物をアダムのところに連れてきて、「好きな名前を付けなさい」と言われました。アダムは、「カバ」や「チョウ」などと、名前を付けていきました。アダムが名前を付け終わっても、神は、どの動物もアダムの特別な友達にはなれない、と思われました。

そこで神は、アダムが眠っている間にアダムの体の一部を取り、それを使って、少し違った人間を造りました。これが最初の女の人です。目を覚ましたとき、アダムはとても幸せでした。そして、「わたしの友人になれる人ができた」と、アダムは言いました。でも、女の人にはまだ名前は付いていませんでした。

神は、アダムと女の人を造り終わると、たいへん満足されました。そして、一日休まれました。神は、ご自分が造ったものすべてを祝福されました。

神は、アダムが庭を見回っているのを眺めて楽しんでおられました。神は、アダムに植物と動物を大事にするように教えられました。神は、初めから男の人には妻が必要だとわかっておられました。それで、神は、アダムが眠っている間に女の人を造られました。アダムが目を覚ました時、何という思いがけない贈り物だったでしょう。神は、私たちにも素晴らしい、思いがけない贈り物を用意してくださいます。

エフェソ 4:26-27、ヘブライ 11:4、ヤコブ 4:10

エデンの園

創世記 2 : 8〜17 ; 24〜25

神は、地球上のいちばん美しい土地を選んでアダムと女の人に与えました。それは、エデンという園でした。

アダムと女の人は、神をとても愛していました。二人は、裸で園を歩き回っていました。二人とも、「はずかしい」ということを知らなかったからです。二人は、エデンの園のまぶしいほど美しい花や高い木、すばらしい香りなどよりも、もっとすばらしいことを知っていました。それは、「神に愛されている」ということでした。

神は、アダムと女の人に、「あなたたちがしたいことは何でもしてよい」と言われましたが、ただ一つだけ、「この庭のどの木の実を取って食べてもよいが、善悪の知識の木からだけは、取ってはいけない」と言われました。二人は、言われたことがよくわかりました。

神は、休息をとり、ご自分が造られたものを楽しむための時間を作られました。夕方、神は、庭を散歩し、アダムとエバと話されました。神は、二人にも体を休め、神とお互いと一緒に過ごすことを、ただ楽しんでほしいと思っておられました。神は、二人にとって一番重要な存在でありたいと願っておられました。神は、私たちにも同じことを望んでおられます。

詩編 27:4、37:7、65:4

たった一つの果物のせいで

創世記 3 : 1〜19

エデンでは、ヘビがほかの動物よりも、いちばんずるがしこくて、抜け目がありませんでした。ある日、ヘビは女の人にこっそり近寄って言いました。「神さまの言うことなんか聞かなくてもいいんだよ。園のあの木の実を食べてもいいんだよ。死にはしないよ。」

そこで、女の人は木のある所へ行きました。そして、木の実を取って一口食べました。それから、アダムのところに持って行き、食べるようにすすめました。食べたとたん、二人は、まるで急に雲に包まれてしまったようになり、日の光を冷たく感じました。このとき、二人は、はじめて恐れを知りました。

二人は悪いことをしたのです。神は、とても悲しみました。ご自分の子どもたちに罰を与えなければならないからです。

神は二人を愛しておられたので、罰を与えられたのです。神は、アダムと女の人に自分たちが選んだことには責任を持たなければならないことを知ってほしかったのでした。何を選ぶかによって、良い結果にも、また苦しい結果にもなるのです。

アダムとエバは、ある声を聴きました。その声は、神が二人をそれから守りたいと思っていた物そのものを欲しがるようにさせました。二人は、もしかしたら神は、一番良いものを二人が手に入れないようにしているのではないかと思い始めました。二人は神よりも自分たちの気持ちを信じたのです。私たちも、時々、神よりも自分たちのほうが賢いと思うことがありませんか？

詩編 21:2-4;84:11、箴言 28:26、ヤコブ 1:13-15

エデンを出て

創世記 3 : 20〜24

神は、アダムと女の人に、エデンの園から出ていくように命じました。「さもなければ、二人はまた命令に逆らい、もう一つの禁断の木、命の木の実を食べてしまうだろうから」と、神は言われました。

アダムと女の人は、おたがいを見ました。これから先、何が待っているのかと恐ろしくなったのです。エデンを出たら、食べ物を見つけるために働かなければなりません。

このとき、アダムは女の人に名前を付けました。それはエバという名で、「生きる」という意味です。

アダムとエバは、とても悲しくなりました。神が二人に愛を示し続けてくださることはわかっていました。でも、いちばん悲しかったのは、もう、神さまに逆らう前のように、神さまと親しくできないだろう、ということでした。

選んだことには結果が伴います。アダムとエバは、従順でなかったために、恐れ始めました。神が怖くなりました。けれど、神は、まだ二人を愛しておられました。神は、初めから二人が言いつけに従わないであろうことはご存じでした。ですから、神は、どのようにして二人を神のもとに取り戻すかを計画しておられました。その時が来たら、神は、救い主を遣わされます。二人のためだけではなく、私たちみんなのために。

創世記 3:14-15、出エジプト 34:6-7、ヨハネ 3:17-18、ローマ 5:8-10

二人の兄弟

創世記 4 : 1〜2

アダムとエバは、エデンを出てから、おたがいを大切にしました。やがて、最初の子どもが生まれました。二人は、その子をカインと名づけました。その後、二人目の男の子が生まれ、アベルと名づけました。

カインとアベルは、エデンの外の世界で生活している両親の手助けをしました。みんなが十分に食べられるよう、いっしょうけんめい働きました。

カインは、作物を作って、家族を助けました。彼は、雨が降るよう望んでいました。自分がまいた種に、水を与えてくれるからです。こうして育てた穀物からは、パンを作ることができました。また、野菜や果物も集めました。

アベルは、羊やヤギを育てて、助けました。ヤギからミルクをとり、ときには肉も食べました。

アダムとエバは、生きのびるために懸命に働かなければなりませんでした。二人の子どもたちも、毎日、手伝わなければいけませんでした。彼らはエデンでの良い暮らしを失い、神の近くにいられなくなったことを寂しく思いました。神に従順でなかったために多くのお恵みを逃してしまいました。二人の罪の結果は子孫にまで及びました。けれど、神は、愛をもって、私たちを罪から救うためにイエスを送られました。

箴言 21:3、ヨハネ 3:16、ローマ 5:18-19

最初の殺人

創世記 4：3〜16

ある日、カインは育てた作物を集めて、神にささげました。アベルも同じように、太った羊の中でも最高のものをささげました。神は、二人のささげものを見ましたが、カインのものよりもアベルのものを喜ばれました。

このことが、カインを怒らせました。カインは、神は公平ではないと思いました。そこでカインは、ある計画を立てました。アベルを野原に呼び出して、そこで殺してしまったのです。

神は、カインに呼びかけました。「おまえの弟のアベルは、どこにいるのか。」カインは頭を振りました。

神は言われました。「おまえは悪いことをした。罰として、これからは、おまえの作る作物は、もう育つことはないだろう。わたしは、おまえを遠いところへ行かせる。」こうして、カインは「さまよう」という意味のノドの地に住まなければならなくなりました。

カインは神に怒っていました。神が、カインの捧げものを受け入れなかったことがカインの自尊心を傷つけたのです。カインは神が、最初に生まれた自分より弟のアベルを気に入っているのは不当だ、と思いました。それで、カインはアベルに怒りを向けることを選びました。自尊心と怒りは危険な感情です。神は、お願いすれば、私たちが怒りを処理するのを助けてくださいます。

詩編 21:2-4;84:11、箴言 28:26、ヤコブ 1:13-15

ノアのはこ船

創世記 6 : 5〜22

何年もの年月が流れ、地球上に住んでいる人びとのほとんどは、もう神のことなど考えなくなりました。神に感謝することを、子どもたちに教えることもなくなりました。繰り返し、繰り返し、人びとは傷つけ合い、うそをつき、悪いことをしていました。

神は人びとを見て、悲しみました。地球上のほかの動物といっしょに人間を造らなければよかったと考え、自分で造った地球上の生命あるものをなくしてしまおうと決心されました。

しかし、この中に一人だけ、神を信じている人がいました。この人は、ノアといいました。ノアは神の声に耳を傾け、そのことばに従っていました。このことは、神を喜ばせました。

神は、ノアに言いました。「わたしは人間をほろぼすことにした。大きな洪水を起こし、一人残らずほろぼしてしまう。しかし、おまえとおまえの愛している者は助けよう。大きな箱の形をした船を造りなさい。そして、すべての動物を、二匹ずつ乗せなさい。それから、食べ物も乗せなさい。そうすれば安全だ。」

ノアは、神を信じていました。神は、はこ船の造り方を、ノアに教えました。

ノアと息子たちが、海に出ることもできない、奇妙な船を野原の真ん中に造るのに、何年も何年もかかりました。しかし、洪水が来ると、準備ができていました。ノアが神を信じ、神に従ったので、ノアの家族と全ての動物たちは救われたのです。神は、神を信じて従う全ての人を救います。

エゼキエル 14:12-20、ローマ 10:11、ヘブライ 11:7

はこ船の旅

創世記 7 : 1〜16

はこ船ができあがると、ノアの家族は船に乗り込み、とびらを開けておきました。やがて、動物と鳥と地をはうすべての生き物が、ノアのはこ船にやって来ました。なんという光景でしょう！　そして、そのうるさいことといったら、ノアの周りの人びとを振り向かせ、心配させるのに十分でした。

ライオンはほえ、さるはキャッキャとさわぎ、鳥はさえずり、羊はメエメエ鳴いていました。すべての動物が、二匹ずつ、はこ船に乗りました。小さな虫はくねくねし、馬は足でけり、うさぎはピョンピョンはねました。

動物がぜんぶ船に乗り終わると、神は船のとびらを閉め、だれも落ちないように、かぎをかけました。そのすぐあと、雨が降り始めました。雨は、いつまでも、いつまでも、降り続きました。

神は、人々が変わるのを忍耐強く待ちました。けれど、人々は雨が降り始めるその日まで、悪いことをし続けました。神は、神に背き続ける人に罰を与えます。けれどそれよりも、神は、人々が神のもとに戻り、許されることをはるかに望んでおられます。神は、私たちを愛しておられます。そして神にはいつでも私たちを救い、許す用意があります。

マタイ 24:37-39、ローマ 10:10、一ペトロ 3:20

神が救われる

創世記 7 : 17〜8 : 1

空からは、どしゃぶりの雨が降り注いでいました。雨は、四十日間、降り続きました。ノアのはこ船は、だんだん高く上がって行きました。水は、船を、山よりも高く持ち上げました。

洪水のために、地球上の生き物はすべて、水の中に沈んでしまいました。人間も動物も、みな死にました。住むことのできるかわいた場所は、どこにもありませんでした。

何日も、何週間も、ノアとその家族は閉じこめられたままでした。黒い雲は太陽をさえぎり、光を通しませんでした。

神は、ノアとの約束を忘れていたわけではありませんでした。四十日が過ぎると、神は地球上に風を吹かせました。

暗くて、どこへ向かっているのか、そしていつたどりつくのかもわからない時でも、ノアは神を信じていました。神が、ノアへの約束を覚えておられたように、神は、私たちとの約束も覚えておられます。暗闇の中に居て、どうしていいのかわからない時でも、神が、私たちを導いてくださることを信じてよいのです。

民数 23:19、詩編 61:2-3、マタイ 28:20b、歴代下 1:20

あらしの終わり

創世記 8 : 2〜9 : 17

ノアが目を覚ますと、真っ暗でした。でも、何かが違っていました。ノアは、はこ船に波が打ちつける音を聞いたのです。それまでは、いつも雨の音ばかりでした。とうとう、雨がやんだのです。

ノアは、はこ船の中を走り回り、みんなを起こしました。「終わったぞ！　洪水は終わった！　さあ、神さまにあらしを静めてくださったお礼をしよう！」

けれども、動物たちを船から出せるほど地面がかわくまでには、まだ数か月かかりました。船を降りるとき、動物たちは、乗ったときよりも、もっとさわぎました。キイキイと声を上げ、鼻を鳴らしたり、モーモー、ミャーミャー鳴いたりしながら、二匹ずつ板をかけ降り、陸地に散らばっていきました。

ノアの家族は、神が守ってくださったことに、感謝の祈りをささげました。

神は祈りを聞かれると、もう二度と生き物をほろぼすようなことはしない、と約束されました。それから神は、見つけられるかぎりの色を集め、虹を造りました。「『二度と地球を洪水にしない』という約束のしるしとして、わたしは虹をかけた。」

虹を見たときはいつでも神のご親切に感謝しましょう。神は、私たちの罪のせいで洪水を起こすことは二度としないと約束されました。イエスは全世界の罪に対する罰を一身に引き受けられました。それには、あなたの罪と私の罪も含まれています。

ローマ 3:22-24

町を造る人びと

創世記 10 : 1 ～ 11 : 4

ノアの息子たちには、たくさんの子どもが生まれ、その子たちにもまた、たくさんの子どもが生まれました。家族は国じゅうに広がっていきました。そして、畑をたがやし、動物をかい、大きな町を造ることを覚えました。

みな、同じ家族だったので、同じことばを話していました。

何人かの人びとが、ある計画を立てました。「有名になれるように、今までにない、いちばん大きくて、りっぱな町を造ろう。わたしたちは、もうさまよいたくないし、ここに家を建てよう。」

彼らは、賢い人びとでした。石を使うかわりにレンガを作り、モルタルではなくアスファルトで、れんがをつなぎました。彼らの造った壁は、今までになかったほど高くて、じょうぶでした。彼らはたいへん得意になり、神に感謝することを忘れました。

神は、人々が世界中に広がり、世界を支配するように命令されました。けれど、人々は一つの場所に、一緒に居たいと思いました。神の名を崇めるよりも自分たちの名前を有名にしたいと思いました。私たちも時々同じように行動することはありませんか？　それでも、神は、私たちを愛し、神の指示に従えば私たちを祝福してくださいます。

創世記 1:28、9:1、箴言 16:20

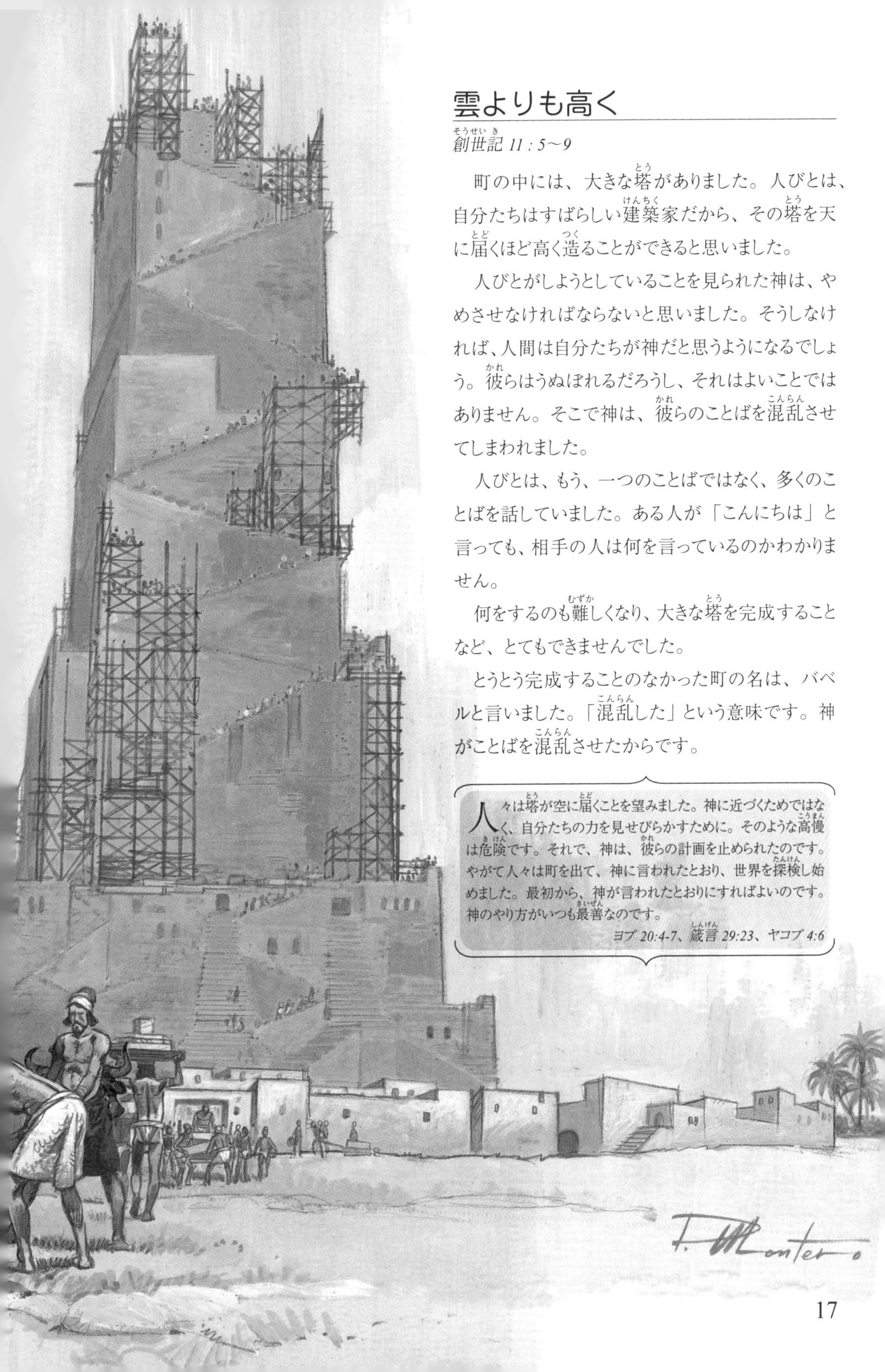

雲よりも高く

創世記 11 : 5〜9

町の中には、大きな塔がありました。人びとは、自分たちはすばらしい建築家だから、その塔を天に届くほど高く造ることができると思いました。

人びとがしようとしていることを見られた神は、やめさせなければならないと思いました。そうしなければ、人間は自分たちが神だと思うようになるでしょう。彼らはうぬぼれるだろうし、それはよいことではありません。そこで神は、彼らのことばを混乱させてしまわれました。

人びとは、もう、一つのことばではなく、多くのことばを話していました。ある人が「こんにちは」と言っても、相手の人は何を言っているのかわかりません。

何をするのも難しくなり、大きな塔を完成することなど、とてもできませんでした。

とうとう完成することのなかった町の名は、バベルと言いました。「混乱した」という意味です。神がことばを混乱させたからです。

人々は塔が空に届くことを望みました。神に近づくためではなく、自分たちの力を見せびらかすために。そのような高慢は危険です。それで、神は、彼らの計画を止められたのです。やがて人々は町を出て、神に言われたとおり、世界を探検し始めました。最初から、神が言われたとおりにすればよいのです。神のやり方がいつも最善なのです。

ヨブ 20:4-7、箴言 29:23、ヤコブ 4:6

神はアブラハムを選ばれる

創世記 12 : 1〜9

それからずっとあとに、アブラムとその妻のサライという人がいました。二人は、たった一つのことを除けば、とても幸せでした。彼らは、とてもとても赤ちゃんがほしかったのですが、何年たっても生まれませんでした。

ある夜、アブラムは神の声を聞きました。「わたしは、おまえの家族を大きくしよう。おまえのおかげで、あらゆる人が祝福されるようにしよう。」

神は、アブラムに、家を離れなさいと言われました。アブラムは、神がどこへ導いてくれるのかわかりませんでしたが、言いつけのとおりにしました。

アブラムが、起こったことをサライに話すと、サライも神を信じました。そして、召し使いたちに、テントをラクダに乗せるように言いました。

「でも、どこに行くのですか」と召し使いたちはたずねました。

サライは、ほほえみながら「わかりません」と答えました。アブラムが、神がどこへ行くのか教えてくれるまで待つつもりなら、サライも待つつもりでした。

アブラムは、どことも知らずに家を出て行くように神から命じられた時、従いました。アブラムは神を信頼していました。これを信仰によって生きると言います。そして神は、アブラムの従順に対してご褒美を与えられました。神は、全ての神の子たちにアブラムのように神を信じてほしいと思っておられます。アブラムは、神の友人と呼ばれました。神は、あなたとも友人になりたいと望んでおられます。

ヨハネ15:15、歴代下5:7、ヘブライ11:8

神の約束

創世記 13 : 14〜18、15 : 1〜21、17 : 1〜27

神は、アブラムとサライ、ラクダ、羊、ヤギも、みな、カナンの地まで連れていき、「この土地を、おまえの子孫に与えよう」と言われました。しかし、神はまだ、アブラムがカナンにとどまることを許されませんでした。

アブラムとサライは、テントを、ヘブロンのマムレに移しました。二人はいつも、子どもをほしがっていましたが、とうとうサライは子どもを産むには年をとりすぎてしまいました。

ある夜、アブラムは「見上げて星を数えなさい」という神の声を聞きました。星が空一面に輝いているのが見えました。「いつの日か、おまえの家族は空の星ほどになる」と、神は言われたのでした。

それから神は、アブラムには「たくさんの者の父親」という意味のアブラハム、サライには「王女」という意味のサラという新しい名前を付けました。

アブラムとサライは神の約束が果たされるまで、何年も待ちました。神は、二人を励ますため、二人に新しい名前を与えられました。二人はお互いを新しい名前で呼ぶ度に、神の約束を思い出しました。まるで「神は、約束を守られます！」と言っているみたいでした。神は、誠実です。いつでも頼りになります。

イザヤ56:4-5、62:2-5、12、マルコ3:16

ソドムへの道

創世記（そうせいき） 18 : 1〜33

ある日、アブラハムのところに、三人の人が訪（たず）ねてきました。アブラハムは、その中の一人が神だということを知っていました。アブラハムは、三人といっしょに丘（おか）に登りました。そこからは、ソドムの町が見下ろせました。

神は、「ソドムの住人がどんなに悪い人びとか聞いている。もしそれがほんとうなら、わたしはあの町をほろぼそう」と言われました。

神といっしょに旅をしていた二人は、天使でした。二人は、ソドムへ出かけていきました。

アブラハムは、勇気をもって、神にたずねました。
「もしソドムに正しい人が五十人いたら、どうするのですか。その人たちは、どうなるのですか。」

「もしあの町に正しい人が五十人いるなら、わたしはあの町に危害（きがい）を加えない。」

アブラハムは、次から次に質問をしました。そのたびに、数を減らしていきました。正しい人が四十五人いれば町を救われるのですか。四十人だったら、三十人、二十人、そして十人だったら。そのたびに神は、「危害を加えない」と答えられました。

アブラハムは、友人と話すように、神と話しました。アブラハムはソドムに住む数少ない良い人々のことを心配していました。特にロトのことです。それでアブラハムは神に町を救い、ロトを助けるように強く頼みました。町は救われませんでしたが神は、アブラハムの祈りに応えられました。私たちの祈りも神に届きます。神は、私たちの祈りに神のやり方でその時が来たら応えてくださるでしょう。

ルカ 11:5-10、18:2-7、ヨハネ 15:7、一テモテ 2:1-4

ロトを救われる

創世記 19：1〜29

ソドムには、正しい人は十人もいませんでしたが、四人だけいました。ロトという名前の人と、その家族でした。ロトは、アブラハムのおいで、妻と二人の娘といっしょにソドムに住んでいました。

ロトは、二人の人間に変装した天使に会いました。「わたしの家においでください。そうすれば安全です。」

でも、ソドムの悪い人びとは、天使たちをひどいめにあわせようとしました。天使たちはロトに言いました。「わたしたちといっしょに来なさい。神は、このひどい場所にはがまんできない。この町をほろぼされる。逃げる手助けをするが、うしろを振り向いてはいけない。」

数時間後、神はソドムに火の雨を降らせました。ロトの家族は助かりましたが、ロトの妻は振り返って町を見ようとした瞬間、石の柱になってしまいました。

神は、アブラハムとの約束を守って、ソドムの正しい人びとを助けられたのです。

神は、アブラハムが祈ったので神の天使を送り、ロトとその家族を救い出されました。持っていたもの全てを置いて逃げ出すことはとてもつらいことでした。けれど、そうしなければ救われませんでした。ときとして、私たちは、より良いものを得るために大切にしているものを手放さなければなりません。神のやり方はいつでも私たちのやり方よりも良いのです。

マタイ 19:29、詩編 32:7、91:11

イサクの誕生

創世記 21 : 1〜6

神が、サラとアブラハムに子どもを約束されたのですから、サラは心配する必要はなかったのです。三人の旅人がサラとアブラハムを訪れたとき、神は一年のうちに子どもが生まれるだろうと約束されました。たしかに、一年もたたないうちに、子どもを産むには年をとりすぎているはずのサラに、男の子が生まれたのです。そのとき、アブラハムは百歳でした。二人はとても喜び、神が祈りを聞いてくださったことに感謝して、喜びのあまり泣きました。アブラハムは、その男の子を見るたびに、ほほえみました。サラもいつもほほえんでいました。子どもは二人をとても幸せにしたので、二人は、よく一緒に笑いました。そして二人は赤ちゃんをイサクと名付けました。「彼は笑う」という意味です。

やっとサラとアブラハムに男の子が生まれました。それは奇跡でした。そして二人は笑顔になりました。神は約束を守り、二人にこの贈り物を与えられたのです！　神にとって不可能なことはありません。神は、私たちの人生にも奇跡を起こすことができます！　神は、あなたへの約束を守られます。もし今あなたが悲しくても、神は、あなたをまた笑顔になさるでしょう。

ヨブ 8:21、エレミヤ 31:13、ヘブライ 11:11

アブラハムとイサク

創世記 22 : 1〜2

ある日、神は「アブラハム!」と呼ばれました。「おまえの一人息子イサクを連れてきなさい。おまえがどれほどあの子を愛しているか、わかっている。だからおまえに命じるのだ。イサクをわたしのところに返してほしい。」

アブラハムは何も言いませんでした。アブラハムには、わかっていたのです。アブラハムがイサクを殺すことなど、神が望むはずがありません。神はイサクに多くの子どもを与えると約束されました。もしイサクが死んだら、どうなるでしょう。

アブラハムの態度は、だれかが自分の行きさきを見ることができないとき、友達の手をつかんでいるのに似ていました。友達が「あなたは深い穴のほうに向かっていて、その中に落ちるかもしれない」と言っても、あなたは、その友達の手につかまり続けるでしょう。なぜなら、友達の手だけが信頼できる道しるべだからです。友達は、あなたを突き落とすことはしないでしょう。あなたは、一歩一歩、彼についていくのです。

アブラハムは、神を信頼しないという方法を選ぶこともできました。いやだと言って逃げ出し、隠れることもできたのです。でも、だれが神から隠れることができるでしょうか。アブラハムは、神を信頼することを選びました。神の計画は、最初に思ったより、良いことなのかもしれません。

神は、アブラハムの人生にとって一番大事な存在でありたいと思われました。神は、アブラハムに、神を信頼していいのだと示したいと思われたのです。私たちは、神から与えられたものを神に返すとき、神を信じていることを示します。そして、神に求められたことを行えば、私たちは信頼できる、と神に伝えることができます。神は、ご自分の息子を私たちに与えてくださったのです。

ヨハネ 3:16、ローマ 5:8

ほんとうの信頼

創世記 22 : 3～8

翌日の朝早く、アブラハムは息子を起こしました。「イサク、おいで。旅に出かけよう。」

そのころは、イサクはもう大きくなっていたので、アブラハムは息子にまきを運ばせました。そして、神にいけにえをささげると言って、ナイフを持ちました。

イサクは前にも神にいけにえをささげたことがありましたが、今回は何か違っていました。

「お父さん」と、イサクはたずねました。「何だね？」「まきはありますが、いけにえにする小羊は、どこにあるのですか」「神さまが用意してくださる」と、アブラハムは答えました。

> 時々私たちは、未来に何が起こるか知りたいと思います。この世はどうなるのでしょう？　気候変動はどうなるのでしょう？　親に尋ねます。けれど親にもわかりません。ただ一つ確かな答えは、神には良い計画があり、それを実行するために必要なことをなさるということです。
>
> *エレミヤ 29:11、ローマ 4:20-22、歴代下 5:7*

イサクは父を見ました。アブラハムの目は、息子への愛情にあふれていました。イサクは体を横たえながら、神に、守ってくださいと祈りました。

アブラハムはナイフを振り上げ、イサクにおおいかぶさるように立ちました。まさに息子を殺そうとしたとき、「アブラハム、アブラハム！」と、天使が言いました。アブラハムは手を止めました。「子どもを傷つけてはいけない。おまえは大切な息子の命をささげるほど、神を信じているということを、よく示してくれた。」

アブラハムが見回すと、近くのやぶに、つのをとられた雄羊がいました。これが、神が用意してくださったいけにえでした。天使が、ふたたび空から呼びかけました。「アブラハム、神はこのように言っておられます。『よく信頼してくれた。おまえの子どもたちが星の数ほどに栄えるようにしよう。世界じゅうの国々が、おまえのおかげで祝福されるだろう。』」

イサクとアブラハムは抱き合いました。二人とも、いっしょにいるだけで幸せでした。

救われたイサク

創世記 22:9～18

三日間、旅をしたあと、アブラハムは十分遠くまで来たと言いました。それから、イサクに祭壇に上るように言いつけました。

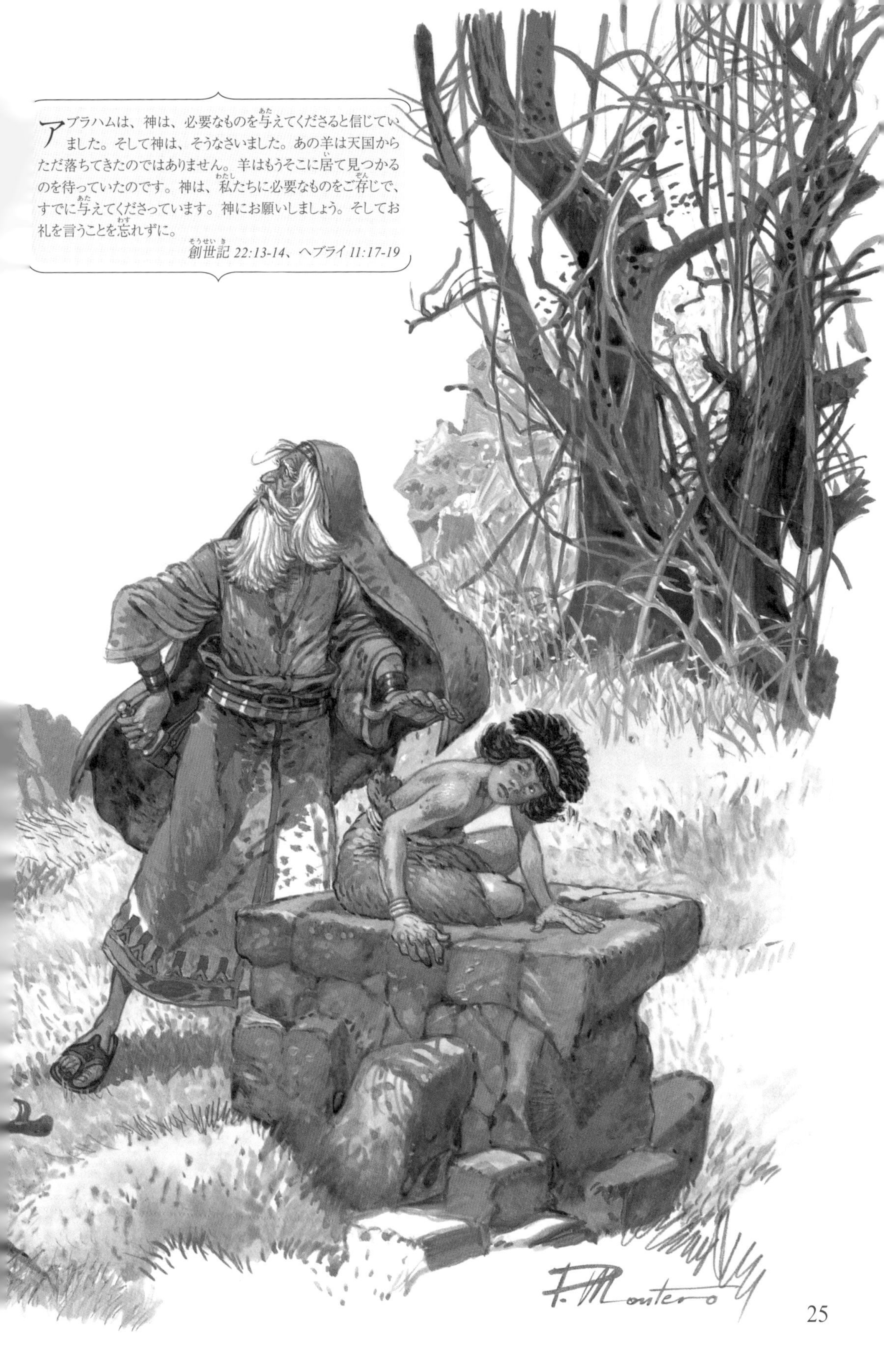

アブラハムは、神は、必要なものを与えてくださると信じていました。そして神は、そうなさいました。あの羊は天国からただ落ちてきたのではありません。羊はもうそこに居て見つかるのを待っていたのです。神は、私たちに必要なものをご存じで、すでに与えてくださっています。神にお願いしましょう。そしてお礼を言うことを忘れずに。

創世記 22:13-14、ヘブライ 11:17-19

不可能な任務

創世記 24：1〜61

　何年もたってからのことです。アブラハムは召し使いに言いました。「わたしの故郷に行って、イサクのお嫁さんを探してきてくれ。」

　これは、とても難しい仕事でした。あまりにも多くの女の人がいたからです。召し使いは、旅の間、神に祈り続けました。そして、アブラハムが前に住んでいた場所に着きました。

　召し使いは、神に祈りました。「神よ、イサクによい人を選んでください。その人がだれか、わたしに示してください。わたしがその人に水がほしいと頼んだら、その人が『どうぞ、お飲みください。わたしはあなたのラクダに水をやりましょう』と言うようにしてください。そうすればわかります。」

　やがて召し使いは、若い女の人たちがやって来るのに出会いました。そして、その中の一人に頼みました。「どうぞ、あなたのつぼに入っている水を少し分けてください。」

　その人は答えました。

「どうぞ、お飲みください。わたしはあなたのラクダに水をやりましょう。」

　召し使いは興奮しました。そこで、自分の任務について説明しました。

　その人は、リベカという名でした。やがてリベカは、イサクの妻になるために出発しました。

アブラハムの召し使いは正しいことをしました。あちこち良い娘を探して回って、時間や労力を無駄にしませんでした。彼は神にそのことを話しました。すると、神は、ぴったりの娘を彼のところに連れて来られました。どうしてよいかわからないときは神に助けを求めましょう。神にできないことはありません。

詩編 46:1、イザヤ 30:21、65:24、エレミヤ 33:3

リベカ

創世記 24：62〜67

召し使いとリベカが到着した日、イサクは畑で考えごとをしていました。見上げると、ラクダが近づいてくるのが見えました。「あの美しい女の人はだれだろう」と、イサクは不思議に思いました。

同時に、リベカもイサクを見て、「あのりっぱな人はだれですか」と、召し使いにたずねました。

「あれはイサクです。」リベカはすぐに顔をベールで隠しました。けれど、イサクがラクダを止めると、リベカの目がかがやきました。一目で好きになったのです。

神は、イサクにはだれがいちばんふさわしいか、また、リベカにはだれがいちばんふさわしいかを、ご存じだったのです。

リベカは神がどのようにアブラハムの召し使いの祈りに応えられたかを聞き、神が、彼女をイサクの妻として選ばれたのだと気づきました。他の人々が、どのようにして、神に助けられたか、という話を聞くと、私たちの神に対する信仰はさらに強くなります。そうすると、私たちも神に助けを求めるように、と励まされます。

詩編 121:1-2、ヨナ 2:2、ヘブライ 13:6

ふた子の兄弟

創世記 25：22～26

イサクとリベカは結婚し、幸せに暮らしていました。しかし、年月が過ぎても、子どもができませんでした。リベカとイサクは、長い間、祈りながら待ちました。すると神は、この祈りに意外な方法でこたえてくださいました。リベカのおなかには、赤ちゃんが一人ではなく二人！ そう、ふた子だったのです！ 赤ちゃんは、日に日に大きくなりました。リベカは、小さな足がおなかの中から押すのを感じました。ある夜、リベカはとつぜん目を覚ましました。赤ちゃんたちが、たたいたり、けったりして、おなかが痛かったのです。リベカは、神に祈りました。「だいじょうぶでしょうか。赤ちゃんたちが押し合っています。わたしが痛いのですから、赤ちゃんたちも痛いはずです。」

神は、「おなかの二人の男の子は、いつの日か、国々の父となる。一方の国のほうが、もうひとつの国より強くなる。そして、兄は弟の言うことを聞くようになる」と、答えられました。

そして、赤ちゃんが生まれました。最初に出てきた兄は、体じゅうが毛でおおわれていました。それで、「毛深い」という意味のエサウと名づけられました。そのあとすぐに、弟が生まれました。小さな手は、エサウの足をしっかりとつかんでいました。それで両親は、「かかとをつかむ」という意味のヤコブと名づけました。

イサクとリベカは神に子どもを下さい、と頼みました。神は、子どもを二人下さいました！ 男の子たちはふた子でしたが、全然似ていませんでした。二人とも幾つかの悪い選択をし、大変なことになりました。その上、エサウはイサクのお気に入りで、リベカのお気に入りはヤコブでした。神にはお気に入りはいません。神は、神の子たちみんなを彼らが受け入れる限り、愛しておられます。

出エジプト 20:6、34:6、使徒言行録 10:34-35

高価な食事

創世記 25 : 27～34

何年かが過ぎ、子どもたちは大きくなりました。ヤコブはもの静かで、よく両親の手伝いをしていました。エサウは狩りがじょうずで、野性の動物をつかまえてきました。

ある日、ヤコブがにものを作っているとき、エサウが狩りから帰ってきました。まる一日何も食べていなかったので、とてもおなかがすいていました。

エサウは「はやく、そのにものをぼくにくれよ！」と言い、ヤコブと火をはさんで座りました。

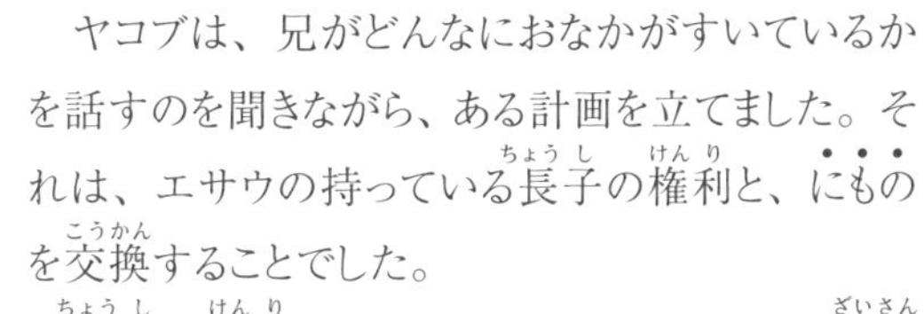

ヤコブは、兄がどんなにおなかがすいているかを話すのを聞きながら、ある計画を立てました。それは、エサウの持っている長子の権利と、にものを交換することでした。

長子の権利とは、イサクが死ねば父親の財産はすべて長男であるエサウがもらう、という権利でした。それで、ヤコブはエサウと取り引きをしました。「ほんとうにおなかがすいているのなら、ぼくに兄さんの長子の権利をゆずってください。そうしたら、にものをあげます。」

エサウは、弟が何をブツブツ言っているのか、ほとんど聞こえませんでした。エサウはおなかがすいてたまらなかったのです。何をすればいいかなど、どうでもよく、ただ食べ物がほしかったのです。

「いいよ、何でもいいよ。早くにものをくれよ。」

「その前に、約束してください」と、ヤコブは言いました。エサウは、長子の権利をヤコブにゆずることを約束しました。

エサウは父親の持っている物をすべてもらうはずでした。けれど、エサウはこの特権を何とも思っていませんでした。ヤコブは、それをとても欲しいと思い、豆スープ一皿でお兄さんから買いました。神は、感謝すべきものをたくさん下さっています。それを当然と思わないようにしましょう。そして、私たちよりもたくさん持っているように見える人をうらやましいと思わないようにしましょう。

申命記 8:18、ヘブライ 12:16-17

リベカのたくらみ

創世記 27 : 1〜40

二人の兄弟が大きくなるにしたがって、ヤコブがリベカのお気に入りの子になりました。リベカは、エサウのことも愛していましたが、ヤコブには最高のものを望みました。

イサクは、年をとって、目が見えなくなりました。ある日、イサクは、エサウに言いました。「おまえは長男だからわたしの祝福を与えたい。しかし、まず狩りに行き、おいしい肉を料理してくれ。そのあとで祝福を与えよう。」

リベカは、イサクがエサウに言ったことを立ち聞きしていました。エサウが出かけると、リベカはヤコブに「お父さんはエサウを祝福しようとしています。わたしはあなたに祝福を受けてほしい。いちばんよいヤギを二匹殺しておいで。わたしは、その肉をイサクのために料理しましょう。あなたがそれをお父さんに持っていけば、兄さんのかわりに祝福を受けられるでしょう」と言いました。

ヤコブは、言われたとおりにしました。料理ができると、リベカはヤギの毛をヤコブの首と腕と手にはりつけ、エサウの毛深いはだに似せました。ヤコブは、父親の部屋に行きました。

「どうしてこんなに早く、食事の支度ができたのかね」と、イサクはたずねました。「主が助けてくださいました。」イサクは「しかし、ヤコブの声のようだ。ここにおいで」と言って、さわって確かめました。「でも、エサウのようだな。」

それから、イサクはヤコブの持ってきた料理を食べました。そして、「おまえを祝福しよう」と言いました。

祝福とは、特別のことでした。イサクは、神に祈りました。イサクが祈り終わると、ヤコブは部屋を出ました。

ヤコブが去ってすぐ、エサウが狩りから帰ってきました。急いで父親の部屋に行くと、「なぜ戻ってきたのか」と、イサクがたずねました。エサウが「今、はじめて来たのですが」と答えると、イサク

はため息をついて、「それでは、さっき来たのはヤコブだったのだな。エサウ、おまえの弟がおまえの祝福を盗んでしまった」と言いました。

エサウは、とても怒りました。

神は、リベカに、先に生まれた息子エサウは、弟のヤコブに仕えるであろうと言われました。しかしリベカは、神にそんなことはおできにならないだろう、と神を信じませんでした。リベカはヤコブが父の祝福をもらえるように父をだますのを手伝うことにしました。私たちは神を「手伝おう」とすると、失敗します。神にお任せして、私たちのために行動していただくほうが良いのです。

創世記 25:23、*イザヤ 30:15*

ばらばらになった家族

創世記 27:41～46

エサウは、弟がまたも自分をだましたとは信じられませんでした。ヤコブは長子の権利、イサクがエサウに残すはずだった、財産のすべてを奪ってしまい、エサウが受けるはずだった祝福、将来神からいただくお恵みまでも盗んだのでした。エサウはとても怒り、弟を殺そうと決めました。

リベカはエサウの計画を知り、ヤコブに注意するように言ったあとで、「わたしの家族のところに行って住むのがいいわ」と勧めました。ヤコブは荷作りをし、大急ぎで別れを言い、荒れ野の中に消えて行きました。

エサウがこのことを知ったときには、ヤコブはもういなくなっていました。それで、エサウは両親のもとにとどまり、年とった二人の世話をしました。

エサウは父親の祝福ももらえず、長子の権利も奪われてしまったのですが、年とった両親の世話ができるのは幸せなことだと思い、ヤコブが戻るまで家族をしっかり守ろうと思いました。

神のお恵みが盗まれることはありません。神は、ご自分が祝福なさりたい人を祝福なさいます。ヤコブが父親とお兄さんをだましたのは悪いことでした。けれどエサウの怒りはもっと大きな問題でした。怒りは危険で、霊も、魂も、体も壊してしまいます。腹が立った時は、神に任せましょう。神に何とかしてもらいましょう。

ローマ 12:19-21、*エフェソ 4:26*、*ヤコブ 1:19-20*

闘いとヤコブの新しい名前

創世記 32 : 1〜31

母親の国で二十年過ごしたあと、ヤコブは故郷に帰るべきだと思いました。ヤコブには、二人の妻と子どもたち、そして何百頭もの羊とヤギがいました。

家が近づくにつれて、ヤコブは不安になりました。エサウはまだ怒っているでしょうか。

エサウに会うはずの日の前の晩、ヤコブは自分がとても小さく感じられました。しかし、この夜は、ヤコブが決して忘れたことがない、驚きに満ちた夜になりました。

ヤコブが星の下で祈っていると、荒れ野のほうから一人の男の人がやって来ました。暗くて、ヤコブにはその人がどんな人か見えませんでした。エサウではありませんでしたが、その人はヤコブに闘いをいどみました。

二人は夜の間じゅう、砂の中を転がったり、つかみあったりしながら闘いました。二人は同じぐらいの強さで、勝負がつきそうにありませんでした。すると、その人はヤコブの腰に手をやり、骨を一つはずしました。そして、その人は「離してくれ。もうすぐ夜明けだ」と言いました。それでヤコブは「この人は人間ではない」と思いました「天使か、でなければ……そんなことがあるだろうか。神ご自身だ。」

「おまえの名は何と言うのか」と、その方はたずねました。

「ヤコブです。」

「いや、もうヤコブではない。おまえの新しい名はイスラエルだ。それは、おまえが神と、そして人びととも闘って勝ったからだ」と、その方は言いました。

そこでヤコブは、「あなたのお名前は?」とたずねました。

その方は答えずに、ヤコブを祝福されました。すると突然、その方は見えなくなってしまいました。それでヤコブは、神と向き合っていたことが、はっきりわかりました。

ヤコブが足をひきずりながら野営に戻るとき、空はピンクと金色にかがやいていました。

ヤコブは、父も、兄も、叔父もだましました。このようなだますことはやめなければなりません！　神は、ヤコブに新しい名前と腰のけがを与えました。このけがでヤコブは足を引きずり、神と直接出会ったことと自分が変えられたことを思い出させられました。こうして神はヤコブに罰を与えたのです。私たちは大切なことを学ぶために、時として少し苦しまなければなりません。

創世記 32:28、イザヤ 62:2-5、マルコ 3:16

家の中での争い

創世記 37：1～4

ヤコブはようやく家に帰り着き、エサウにゆるしてもらいました。ヤコブは、父親が亡くなる直前に、やっと父の顔を見ることができたのでした。エサウはそのあと、自分で生活を立てるため、家を出ました。

ところで、長い旅の間に、ヤコブのお気に入りの妻ラケルが死に、息子のヨセフとベニヤミンが残されました。そして、そのほかにも、ヤコブのほかの妻たちの子どもが 10 人いました。

ヤコブは両親の家で 12 人の息子たちを育てましたが、ヨセフとベニヤミンはラケルの子どもだったので、ヤコブのお気に入りでした。そのため、ほかの息子たちは、やきもちを焼きました。

ある日、ヤコブは、ヨセフのために美しい服を作り、ヨセフを呼んで、「これはおまえのものだよ」と言いました。

ヨセフは新しい服をもらって喜びましたが、でも、どうしてこんなにすばらしい服を自分だけがもらえるのでしょう。こんなに美しい服ははじめてでした。

「ぼくは、こんなに美しい服をもらう理由がありません。」

「そんなことを言ってはいけない。これは贈り物だ。わたしがあげたいから、あげるのだよ。」

ヨセフは、それを受け取りました。でも兄たちは、この贈り物を見るともっとくやしくなり、「なぜ、おれたちには贈り物がないのだ」と、不平を言いました。

ヤコブは二番目の妻ラケルとその子どもたちを他の妻たちとその子どもたちより愛していました。もちろんこのことは嫉妬のもとになりました。神にはお気に入りはいません。神が私を同じようには扱わないことはあります。でも神は、私たち神の子全てを私たちが神を受け入れる限り、愛しておられます。ですから、嫉妬を抱いても意味がありません。

エゼキエル 35:11、マタイ 20:15、歴代下 13:4

ヨセフの夢

創世記 37：5～11

ある朝、ヨセフは驚いて目を覚ましました。とても不思議な夢を見たので、だれかに話さずにはいられませんでした。

ヨセフは兄たちを探しました。やっと見つけると「夕べ、ぼくがどんな夢を見たと思う？」と言いました。兄さんたちはいやな顔をしていましたが、ヨセフは夢のことで夢中になっていて、気がつきませんでした。「不思議な夢を見たのです。ぼくたちは畑でわらをたばねていました。すると突然、ぼくのわらたばがまっすぐに立って、お兄さんたちのわらたばは、ぼくの周りに輪になって、おじぎをしたんです。」

これを聞いた兄たちは、とても怒りました。「何をえらそうに。おまえは王さまじゃないんだぞ！　おれたちのだれかがおまえにおじぎをするなんてことが、あるわけないじゃないか。」

何日かして、ヨセフはまた夢を見ました。そして、また兄たちに言いました。「聞いてください。また夢を見たんです。今度は、太陽と月と11個の星が、ぼくにおじぎをしたんです。」これで、兄たちはさらに怒りました。

ヨセフが夢のことを父親に話すと、ヤコブはきびしく言いました。「ヨセフ、あまり得意になってはいけないよ。」

ほとんどの夢はその日起きたことのただの巻き戻しでしょう。けれど意味のある夢もあります。神は、時々夢で私たちに何かを伝えることがあります。聖書の中ではそのような経験をした人が大勢出てきます。神からの夢を見た人々と、私たちの夢について話すのは良いことです。神からの夢を見たことのない人には理解するのは難しいかもしれません。

創世記 28:12-13、コヘレト 5:2a、ヨエル 2:28

井戸の中で

創世記 37：12～24

ヨセフは地面に座って、ベニヤミンとボールで遊んでいました。ヤコブは二人を見つけると、「ヨセフ、兄さんたちが羊を連れていった野原に行って、どうしているか見てきてほしい。そして、帰ってから、見たことをわたしに話しておくれ」と言いました。

ヨセフはすぐに立ち上がり、お父さんに別れを言い、出発しました。それから、ヨセフは長いこと歩き続けました。しばらくすると、兄たちのテントが見えてきました。

兄たちは、ヨセフを見ると、「いやになるな、あの夢見る男がやって来るぞ。そうだ、あいつに二度と会わないでいい方法がある。近くにある井戸にほうり込でしまおう。お父さんには、野獣に殺されてしまったと言えばいい。あいつの夢も、死んでしまえば実現はしないさ。」

「いや、待て。」一番上の兄のルベンが言いました。「井戸の中に投げ込むのはいいが、殺さないでおこう。」ルベンは、ヨセフを井戸の中から助け出せば父親にほめてもらえると考えたのです。

ヨセフは、兄たちに向かってほほえみかけましたが、兄たちの顔つきを見ると、ほほえむのをやめました。

兄たちは、ヨセフを取り囲みました。逃げようとしても、もう逃げられませんでした。何が起こったのかわからないうちに、みんながヨセフに飛びかかりました。兄たちは、ヨセフの美しい服を引きちぎり暗くてかわいた井戸に投げ込んでしまいました。

ヨセフはいっしょうけんめい叫びましたが、何の役にも立ちません。ヨセフは「ドスン」と、かわいた土の上に落ちました。見上げると、砂を投げ落としながら笑っている兄たちの顔が見えました。ヨセフは手で顔をおおい、井戸の壁に寄りかかりました。それからしばらくして兄たちが行ってしまうと、ヨセフは泣き出しました。そして、父と弟のいる家に帰りたいと心から思いました。

ヨセフがいくら甘やかされて傲慢だったとしても、兄たちが弟にしたことはひどいことでした。ヨセフは井戸の中に座っていた時、自分のことに気づいたかもしれません。少し離れてみると、考えさせられるということはよくあることです。けれども神は、井戸の暗闇の中でヨセフと共におられました。神は、ヨセフに関わる計画を立てておられました。神は、同じように、あなたにも、私にも計画を立てておられます。

エレミヤ 29:11、ローマ 8:28、エフェソ 1:11、ヘブライ 11:30

エジプトへの道

創世記 37：25〜35

同じ日のことです。ヨセフを井戸に投げ込んでしばらくたってから、ヨセフの兄のユダが恐ろしいことを思いつきました。ユダは、商隊を指さしながら言いました。「おい見ろよ、奴隷商人じゃないか。あの人たちに、ヨセフを売りつけよう。」兄のルベンは、その場にいなかったので、ヨセフを助けることができませんでした。羊の番をしに行っていたのです。

奴隷商人が来ると、兄たちはヨセフを井戸から引き上げ、銀貨 20 枚で売ってしまいました。商人は、ヨセフを受け取ると、ロバにしばりつけて行ってしまいました。

ルベンは戻ってくると、井戸の中にささやきかけましたが、そこにあるのは静けさだけでした。

「何で、からっぽの井戸に話しかけているんだい？」ユダが笑いながら、ルベンに言いました。

「ヨセフはどこにいるんだ。」ルベンはユダをつかみ、ゆさぶりながら言いました。「弟をどうしたんだ。」

「落ち着きなよ」とユダは言いながら、「これが兄さんの分け前だ」と、銀貨を二枚差し出しました。

「奴隷として売ったのか？」

「そうだ。今ごろ、あのあまえんぼの弟は、エジプトに向かっているよ。」ユダはニヤリと笑いました

けれどルベンは、ヨセフが父親にとってどんなに大切かを知っていました。お父さんはどんなに悲しむことでしょう。

次の日、兄たちはヤギを一匹殺し、ヨセフの服に血を付けました。そして、家に戻り、ヤコブにそれを見せました。

「息子の服だ！　恐ろしい野獣が殺したのだ。ヨセフは死んでしまったのか！」と、ヤコブは叫びました。

兄たちの行動はヨセフを傷つけただけではありませんでした。彼らの父親も傷つけました。彼らは、もしかしたら、ヨセフをひいきしたので父親も傷つけたかったのかもしれません。彼らは、父親に何が起きたのか嘘をつきました。一つの悪いことはすぐに次の悪いことにつながり、どんどん悪くなります。遅かれ早かれ、償いをしなければなりません。私たちはその道を進まないように神の助けを求めましょう。

詩編 34:12-13、ローマ 6:23、ガラテヤ 6:7-8

勤勉なヨセフ

創世記 37 : 36、39 : 1～6

ヨセフは、奴隷商人に連れられ、長い旅をしました。暑い日ざしの下で、ヨセフは「神さま、わたしはこれから何が待っているかを知りません。エジプトで、ピラミッドを作るための石を運ばなければならないかもしれません。でも神さま、どこにいても、あなたが守ってくださることを知っています。どうか、わたしを助けてください」と祈りました。

夜、星をながめながら、ヨセフは家族のために祈りました。「わたしは、お兄さんたちがなぜあんなことをしたのか、わかります。わたしは得意になりすぎていました。神さま、おゆるしください。どうか、弟のベニヤミンのことをよろしくお願いします。そして、いつの日かまた、お父さんに会えますように。そのときまで、お父さんをお守りください。」

何日も旅をしたあと、商隊は大きな町にたどり着きました。そしてヨセフは、奴隷市場で売られました。新しい主人に出会ったとき、ヨセフは神さまが守ってくださっていると思いました。

ヨセフを買ったのは、ポティファルという人でした。その人はお金持ちでしたが、とても親切でした。ヨセフは、ポティファルの家で働くことになりました。

ヨセフは、ポティファルのためにいっしょうけんめいに働き、仕事をするときには、神さまが喜ばれるようにと、いつも気をつけていました。

ヨセフは家の掃除や畑の仕事、食事の支度などがきちんとできるように、気を配りました。やがて、ポティファルはヨセフにすべてを任せるようになりました。ポティファルは、毎晩、何が食べたいかを決めるだけでよくなりました。

ヨセフは神が助けてくださると信じなければなりませんでした。他にだれもいませんでした。ヨセフは自分に何が起きているのか理解できませんでした。けれども一生懸命に働き、最善を尽くし、正直に礼儀正しくしていました。ヨセフは、私たち全てが見習うべき良いお手本です。どのような状況にあっても神を信じ、正しいことをしましょう。

エフェソ 5:15-17、フィリピ 2:13-15、一テモテ 6:1、一ペトロ 2:18

牢獄の中で

創世記 39：7～20

ヨセフは、ポティファルのために働いているうちにりっぱな青年になり、どんな仕事もじょうずにこなしました。

ある日のこと、ポティファルの妻が、窓からヨセフを見て「たいへん美しい青年だ」と思い、ヨセフを恋人にしようとしました。そして、ヨセフに、自分の部屋に来るようにと言いました。

ヨセフが部屋に入ってくると、ポティファルの妻は、「ここに来て、キスしてちょうだい。あなたは美しくて、しかもたくましいわ。」

でもヨセフは、自分がポティファルに信頼されていることを知っていたので、彼を裏切ることはできませんでした。それに、そんなことをすれば、神は喜ばれないでしょう。

ヨセフは、ポティファルの妻に言いました。「あなたは、とても美しい方です。でも、それはいけないことです。」

ポティファルの妻は、奴隷のヨセフが自分の頼みをことわったので、たいへん傷つきました。そして、ポティファルが家に戻ると、うそをつきました。「ヨセフがわたしをおそったの！　あなたは、あの人を信頼できると思っていたでしょう！　何というひどい人を家に入れたのですか。」

ポティファルは妻を信じ、番人を呼んで、ヨセフを牢に入れるように命じました。そして、番人たちはヨセフを引きずって連れ去りました。

ヨセフが、ポティファルの妻の頼み事を断ったのは正しいことでした。ヨセフは神の名を汚したり、主人をだましたりしようとはしませんでした。ヨセフは信頼できる人間であると証明しました。それでも、嘘をつかれて牢屋に入れられました。私たちはいつも公正に扱われるとは限りません。けれど神は、神を愛するすべての人のために、常に働いておられます。

ローマ 8:28、エフェソ 5:10-11、コロサイ 3:23-24、一ペトロ 5:6-7

二人の男の人の夢

創世記 40 : 1〜23

ヨセフは、何日もの間、牢の中にいました。あ
日、二人の囚人がヨセフのところに来て、こう言
いました。「きのうの夜、恐ろしい夢を見たので
どんな意味があるのか、わかりますか。」

ヨセフは答えました。「わたしにはわかりません
が、神さまならわかります。」

最初の人は、ファラオの給仕だった人でした。その人は言いました。「夢に、ぶどうの木が出てきました。その木には三本の枝がありました。花が開くと、すぐにぶどうになりました。わたしは、ファラオのグラスを持っていたので、そのグラスにぶどうをしぼって入れ、ファラオにわたしました。」

ヨセフは静かに祈り、神に助けを求めました。すると、答えがわかったのです。「これが夢の意味です。三本の枝は三日の意味です。三日たったら、ファラオはあなたを釈放するでしょう。」「でも、お願いがあります」と、ヨセフはつけ加えました。「ファラオにわたしのことを話して、この牢から出られるようにしてください。」

もう一人は、ファラオの料理長だった人でした。「わたしの夢では、わたしの頭の上に、お菓子の入ったバスケットが三個ありました。いちばん上のバスケットにはファラオのためのお菓子が入っていましたが、鳥が止まってファラオのお菓子を食べてしまいました。」

ヨセフは深く息をつきました。神が夢の意味を教えてくれたのですが、よい夢ではなかったのです。「三個のバスケットは三日の意味です。三日たったら、ファラオはあなたの頭を切り取り、鳥があなたの体を食べるでしょう。」

三日後、ヨセフが預言したとおりになりました。

ヨセフは、牢獄でも信心深い人柄を証明し続けました。ヨセフに、気になる夢について話しても大丈夫だと他の囚人たちがわかっていたのはそのためです。ちょうど神が夢の中で私たちに話すことができるように、神は、夢の意味を私たちに示すこともできます。「夢を解釈することは神の仕事です」とヨセフはファラオの料理長と給仕人に言いました。ヨセフは神のものである名誉も称賛も横取りしませんでした。

レビ 25:43b、民数 27:14、サムエル上 2:30b

ファラオの夢

創世記 41：1～8

二年の月日が流れました。その間ずっと、ファラオの給仕人からは何の連絡もありませんでした。ヨセフは、他の囚人に食べ物を分け与えたり、牢の掃除をしたりしていました。来る日も来る日も、日光が格子の入った窓から差し込むのをながめるばかりでした。ヨセフは、「いつの日か自由になれるよう、助けてください」と、神に祈り続けました。

ある朝、宮廷で、ファラオは大声を上げ、目を覚ましました。「恐ろしい夢を見た！　きっと、たいへん重要な意味があるにちがいない。」そして、ファラオは召し使いたちを見回して、どなりました。「つっ立っていないで、夢の意味がわかる者を見つけてこい！」召し使いたちは、おどろいて飛び去りました。

そこで、すべての知恵者、魔法使いや魔術師がやって来ました。そして、ファラオが夢について話すのに耳をかたむけました。彼らは、表を見たり、巻紙に絵を描いたりしていましたが、みな、首を振りました。だれも夢の意味がわからなかったのです。

エジプト中の魔法使いや、魔術師、そして賢者も、誰も夢の意味をファラオに伝えることはできませんでした。けれども神は、すでにその仕事をする人を用意しておられました。ヨセフが、神が彼の人生のために用意された計画の次の段階を忍耐強く待っていたのです。私たちは、本当に簡単に忍耐をなくします。ほんの 2 年でも永遠のように感じられることがあります。「神様、どうにかしてください！」時が来れば、してくださいます。

詩編 5:3、13:1-2、27:14、33:10-11

太った牛とやせた牛

創世記 41 : 9〜32

ファラオの給仕人は、ファラオのそばに立って、グラスにいつもワインが入っているように気をつけていました。ファラオがひどく怒っているときは、それはたいへんな仕事でした。

そのとき突然、給仕人は、ヨセフとの約束を思い出しました。ヨセフのことをすっかり忘れていたのです。

「ファラオさま」と、給仕人は言いました。「わたしが牢にいたとき、わたしの夢の意味を教えてくれたユダヤ人がいました。その人のことを、ファラオさまにお話しするはずでございました。その者なら、今、お役に立てるはずでございます。」

ファラオはうなずきました。「そのユダヤ人を連れてきなさい。」

そこで、二人の番人が、急いでヨセフを連れに行きました。

ヨセフはひげをそり、新しい服を着て、ファラオのもとに行きました。ファラオは、「夢を見たのだがだれにもその意味がわからない。おまえはわかるか」と、たずねました。

「いいえ、わたしにはわかりません。でも、神さまならわかります」と、ヨセフは答えました。

ファラオは言いました。「わたしは夢の中で、ナイル河の岸辺に立っていた。すると、七頭の太った牛が河から出てきたのだ。そのあと、やせた牛が七頭出てきて、さっきの太った七頭の牛を食べてしまった。しかし、食べ終わったあとでも、前と同じようにやせていた。

しかし、この夢には続きがある。よく実った七本の麦の穂を見た。その穂は、一本の同じくきから出ていた。そのあと、ほかの七本の穂が出てきたが、それはしおれていて、風でひからびていた。ところが、ひょろひょろの麦は、よく実った麦を飲み込んでしまったのだ。だれもこの夢の意味を解くことができない。」

ヨセフは、地面を見つめて、祈りました。「神よ、教えてください。これにはどんな意味があるのでしょう。」すると、その意味がわかりました。

「ファラオさま、夢の意味はこうです。これから七年の間、飲み物も食べ物も豊富にあるでしょう。貧しい人びとも、十分に食べることができます。しかし、その七年が過ぎると、次の七年間は、作物は実りません。物がすっかりなくなり、人びとは、飢えに苦しむでしょう。」

やっと、給仕人がヨセフのことを思い出しました。ヨセフはファラオの前に連れてこられると、神に栄誉を渡すように、再び、気をつけました。ヨセフには夢が何を意味するか知る方法はありませんでしたが、神が夢の意味を明らかにしてくださったのです。私たちは問題に出合ったら、自分自身にも他の人にも、「私にはできないけれど神にはできる」と思い出させなければいけません。

ダニエル2:19-23、47、使徒言行録3:12-16

ヨセフ、ファラオを助ける

創世記 41 : 33〜42 : 3

ヨセフは、ファラオの前に立って言いました。「エジプトにある食物の管理をする人を決めるべきです。あまった食物をたくわえておくのです。不作のときに、保管してある食物を食べることができるようにするのです。そうすれば、飢えで苦しむこともありません。」

ファラオは宮廷顧問を集めました。顧問たちは
ツブツ言ったり、うなずき合ったりしていましたが、
がてファラオが話し始めると、うしろに下がりまし
。「おまえの神は、特別な方法でおまえを助けて
れるようだな。ほかの者にはわからないことを、お
えには示してくれる。おまえは信頼できるような気
がする。そこで、おまえに、わたしの家とわたしの
民、そして国じゅうの食物管理を任せよう。エジプ
では、わたしのほかにはおまえより偉い者はいな
という ことだ。」

ヨセフはよろめいて、一歩あとずさりしました。なにしろ、その日の朝は牢にいたのですから。ところが、今は、ファラオはヨセフに、エジプト人の名前まで与えてくれたのです。その名前の意味は「神は話す。神は生きている」でした。ファラオには、神がヨセフを通してお話しになったとわかったからです。

それからは、ヨセフが預言したとおりの年月が過ぎていきました。豊作が七年間続きました。ヨセフは、すべての倉庫をいっぱいにし、さらに新しい倉庫も造りました。

そのあと、七年の不作の期間が続いたときには、エジプトにだけ食べ物があり、ほかの国の人びとが食べ物を求めてエジプトにやって来るようになっていました。

食料不足は、カナンの地にも及びました。そこには、ヨセフの父親と兄弟たちも住んでいました。ヨセフの家族は、七年の豊作の間に金持ちになっていました。けれども、七年の不作の時期が始まると、すぐに食べ物がなくなりました。兄弟たちは、もうおとなになっていて、食べさせなければならない自分の家族がいました。しかし、食べ物がなく、家族のだれもがおなかをすかせていました。

ヨセフの兄弟たちは、「どうしたらいいのだろう。どこへ行ったら食べ物が見つかるだろうか」と、なげきました。

ヤコブは、エジプトには食べ物があることを知っていました。このあたりを旅する商人たちから、そのことを聞いていたのです。そこで、息子たちに、こう言いました。「飢え死にしたくなかったら、エジプトに行きなさい。お金を持って行って、わたしたちの食べ物も、買ってきておくれ。」

神は、余った食物の貯蔵庫を造るように、ファラオに忠告するという知恵もヨセフに与えられました。作物不足の時に多くの人を飢餓から救うのに役に立つよう、穀物を貯蔵するべきである、というのが神の計画でした。私たちが神の言うことを聞き、神に従えば、神は、多くの人々を救うために、あなたと私のことも使われるでしょう。

創世記 45:5、50:20、サムエル上 12:7、ヨブ 5:20a

兄たちの苦い体験

創世記 42:4〜38

兄弟たちは、ラクダやロバに荷物を乗せ、エジプトに向けて出発しました。けれども、ヤコブの息子ぜんぶが旅立ったわけではありません。ベニヤミンは、家に残りました。

ベニヤミンは、ヤコブのいちばん大切な息子でした。ヨセフを失ってからは、ヤコブは少しの間もこのラケルの最後の子どもから目を離しませんでした。ヤコブは、今でもヨセフが恋しくてなりませんでしたが、そのさびしさをベニヤミンがなぐさめてくれました。「だめだ。ベニヤミンは、わたしといっしょに、ここに残るのだ。もし、ラケルの長男と同じように二番目のこの子まで失ったりしたら、わたしはどうすればいいのだ？」

ベニヤミンとヤコブは、いっしょに 10 人の兄弟たちに向かって手を振り続けました。しばらくすると、砂けむりしか見えなくなってしまいました。それから、父親と息子は祈り始めました。10 人の兄弟が無事に旅を終え、早く家に帰ってくるようにと。

兄弟たちは、エジプトに着くとすぐ、穀物の販売責任者のところに行きました。その責任者は、ヨセフでした。でも、姿も、することも、すっかりエジプト人のようになっていたので、兄たちにはわかりませんでした。

しかし、ヨセフのほうは、すぐにわかりました。でも、そのことは言わないで、兄弟たちに向かって、わざと「密偵だ！」と言いました。

「わたしたちは、密偵ではありません。12 人の兄弟なのですが、一人はゆくえがわからなくなり、いちばん下の弟は父といっしょに家にいます」と、兄弟たちは答えました。

ヨセフは、「わたしは信じない」と言いました。そして、「もし、密偵ではないというのなら、その証拠として、家に戻っていちばん下の弟を連れてきなさい。その間、一人は囚人として、ここに残しておこう」と言いながら、シメオンを指さしました。

兄弟たちは、口を開けたまま立っていました。すると、ヨセフが言いました。「だが、まず三日間は、おまえたちみんなを牢に入れておく。」

三日後、9人の兄弟は家に向かいました。その途中で、穀物を買うために使ったお金が戻されているのに気がつきました。「たいへんだ。エジプト人は、おれたちが盗んだと思うだろう。」

家に帰り着くと、兄弟たちは何が起きたかをヤコブに話し、ベニヤミンをエジプトに連れていっていいかとたずねました。

「絶対にだめだ！ ベニヤミンはだれにもわたさないぞ。ベニヤミンは、ここにいるのだ。」ヤコブは、息子たちの言うことを聞こうとしませんでした。「ヨセフが死んでしまっただけでも、十分つらいことなのに、シメオンまでエジプトに置き去りにしてきたなんて！ ベニヤミンは、絶対にわたしてなるものか！」と、ヤコブは考えたのです。

ヨセフは父と弟に会いたくてしかたがありませんでした。ヨセフは兄たちに家族のことを話させ、ベニヤミンを連れてくるように命令できるように、彼らが密偵だと非難しました。その間、ヨセフは神がこの状況を扱うための良い方法を示してくださることを待っていました。神を待つことは賢いことです。

詩編 27:14、38:15、42:11

ベニヤミンの旅

創世記 43:1～34

エジプトから持ってきた穀物は、ゆっくりと、しかし確実に減っていきました。そして、ほとんどなくなってしまいました。ヤコブと息子たち、そしてその妻と子どもたちは、一日に三度の食事を二度に減らしました。でも、やがて、一日に一度しか食事ができなくなりました。

兄弟たちは、繰り返し繰り返し、ヤコブにエジプトに戻らせてほしいと頼みました。それに、シメオンが、まだエジプトにいるのです。そのたびに、ヤコブはことわりました。そうすると、ベニヤミンと別れなければならないとわかっていたからです。

しかし、結局は、家族のことを考えなければなりませんでした。それで、ベニヤミンを連れていくことを許しました。あの、ヨセフを奴隷として売ったユダは、特別にベニヤミンの世話をすることを約束し、「だいじょうぶですから」と言いました。

ヤコブは、「念のため、二倍のお金を持っていきなさい。そうすれば、この前の穀物のお金をエジプト人に返すことができるから。はちみつや香料、そしてピスタチオやアーモンドも持っていって贈り物にしなさい」と言いました。

兄弟たちは、エジプトに着くとすぐに、ヨセフのところに行きました。ヨセフは、ベニヤミンを見つめるばかりでした。美しい青年に成長していたからです。

ヨセフは、「さあ、わたしの家に行って、ごちそうを食べよう」と言いました。それから、シメオンを牢から出させました。兄弟たちは、ヨセフの家に着くと、執事に、家に帰る途中に見つけたお金のことを話しました。執事が心配することはないと言ったので、兄弟たちは家に入りました。

ヨセフは、「おまえたちのお父さんは元気なのか？」とたずねて、息を止めました。

「まだ生きていて、たいへん元気です」と、兄弟たちは答えました。

ヨセフは、またベニヤミンを見ました。手をのばして弟の頭の上にのせると、「神さまが、おまえにお恵みをくださいますように」と言いました。突然、ヨセフは顔をそむけました。ずっと以前、夢で見たのとまったく同じように、兄たちがおじぎをしていたからです。

いろいろなことを思い出すと、ヨセフはもうがまんできなくなり、部屋から走り出ました。そして一人になって泣きました。「神よ、あなたはわたしたちを、また巡り会わせてくださいました。わたしは、兄弟たちをとても愛しています。」

ヨセフは涙をふくと、兄弟たちのところへ戻りました。たいへん盛大な宴会が、夜遅くまで続きました。でも、ヨセフは、ほんとうは自分がだれなのか、兄弟たちにけっして言いませんでした。

神からの夢は真実になります。料理長と給仕人の夢はすでに実現していました。ファラオの夢は本当になりつつありました。ヨセフの夢の中では、兄弟がみんないました。それでヨセフはただ、ベニヤミンが来るのを待つだけでした。神からの夢は、時が来たら真実になるでしょう。

ヨエル 2:28、創世記 37:5-6、9、使徒言行録 2:16-17

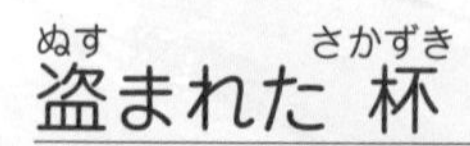

盗まれた杯

創世記 44:1〜34

　次の朝、兄弟たちは家に向けて旅立ちましみんな、とても幸せでした。シメオンを助け、家のために食べ物を買い、偉い人といっしょに食をしたのです。そして何よりも、ベニヤミンが無だったのです。

　兄弟たちは、ヨセフが何かをたくらんでいるなとは、考えもしませんでした。ヨセフは、召し使に言いつけて、ベニヤミンのバッグの中に銀の杯を隠しておいたのです。そしてすぐに、宮廷の番兵たちが追いかけてきました。

番兵たちは、兄弟たちと並んで馬を走らせながら、「ラクダやロバから降りなさい」と命じました。

ルベンは、「わたしたちが何をしたというのですか？」とたずねました。

「おまえたちの中のだれかが、ご主人の銀の杯を盗んだのだ。」

「どうして、わたしたちがそんなことをするでしょうか？」

番兵たちは、馬とロバを、次から次へと調べました。最後に、ベニヤミンのロバのところに来ました。そして、袋に手を入れると、すぐに叫び声を上げました。その番兵は、銀の杯を空中にかかげました。

兄弟たちは嘆きました。「これはたいへんなことになった。ベニヤミン、なんてことをしてくれたんだ。」

ベニヤミンは、あまりにびっくりして、ただ首を振るばかりでした。「ぼくは、盗んだりしていないよ。」

番兵たちは、兄弟たちに、ヨセフの家に戻るよう命じました。ヨセフの家に着くと、兄たちはヨセフに「わたしたちは、けっしてあなたの銀の杯を盗むつもりなどございませんでした。どうかお許しください」と頼みました。

「おまえたちは帰ってもよい。でも、盗んだ者は残らなければならない」とヨセフは言いました。

ユダが言いました。「ベニヤミンを連れて戻らなければ、父は死んでしまいます。父は、すでに息子を一人なくしています。この子もなくすことなど、耐えられないでしょう。

おねがいです。この子のかわりに、わたしを残してください。もしベニヤミンが帰れないようなことになったら、わたしたちは父に顔を合わせられません。」

こう言うと、ユダはひざまずきました。

ヨセフは兄たちが変わったか知りたいと思いました。兄たちがベニヤミンを心配し、特に父親に対する気遣いを見せたとき、ヨセフは彼らが変わったとわかりました。それで、ヨセフは彼らを許すことができました。もしだれかがあなたを失望させたら、その人たちを許すべきです。その人たちが許すに値しなくても、決して変わらないとしても。許さないと、実は相手よりもあなたが傷つくのです。

マタイ 6:14、18:21-35、エフェソ 4:32、コロサイ 3:13

現れた真実

創世記 45 : 1～24

ヨセフは、ひざまずいているユダを見つめました。ベニヤミンがどんなにこわがっているか、よくわかりました。ヨセフは、召し使いに言いました。「出て行ってくれ。わたしは、この人たちとわたしだけになりたいのだ。」

召し使いたちが部屋を出て行くと、ヨセフは、「わたしは、みなさんの弟のヨセフです」と言いました。けれど、みんなは信じませんでした。あまりにも恐ろしくて、何も見たり聞いたりできなかったのです。ヨセフは「目を開けてください」と言いながら、兄弟たちのそばに行きました。「わたしは、みなさんがエジプトに売ったヨセフですよ。」

ヨセフがこう言うと、兄弟たちはヨセフをよく見ました。それから、もっと恐ろしくなりました。もしこの人がヨセフなら、ひどいことをしたのですから、自分たちを殺すはずです。

「お兄さんたち、どうぞ、もうこわがらないでください。後悔しないでください。神さまが、わたしたちの家族に十分食べ物があるようにと、わたしをこの地にい遣わされたのです。」

兄たちは、ヨセフを見つめました。

「わかってください。わたしをここによこしたのみなさんではなくて神さまだったのです。神さまがたしを、ファラオ以外のすべての人の上に立つにしてくださいました。これはすべて、わたしたち家族のための、神さまの計画の一部なのです。あ、早くお父さんのところに戻ってください。そし急いで家族をエジプトに連れてくるよう、伝えてくさい。食べ物が十分にあるよう、わたしがお世しますから。」

ヨセフは、ベニヤミンを抱きしめると、泣き出しした。また会えたことが、ほんとうにうれしかったです。

ファラオは、妻や子どもたちをエジプトに連れてこられるよう、兄弟たちにたくさんの荷車を与えました。ファラオも喜んだのです。

ヨセフは、兄弟たちにたくさんの動物や美しい贈り物をわたし、「お父さんに持っていってください」と言いました。

ヨセフは仕返しをするのではなく、許しました。ヨセフにそれができたのは、全ては神の良い計画の一部であると知っていたからです。兄たちはヨセフを傷つけようとしました。けれど神は、その計画を良いことに変え、起きたことを通じて、大勢の人々の命を救いました。神の意図はいつも良いことばかりです。

創世記 50:20、マルコ 11:25-26、ルカ 23:34a、ローマ 8:28

舟の中の赤ちゃん

エジプト記1：1〜2：4、6:20

ヨセフの家族はエジプトに引っ越し、その後何
年にもわたって、エジプトに住みました。その間
、ヨセフの子孫は増え続け、イスラエル人または
ブライ人と呼ばれるようになりました。

ヨセフの家族がエジプトに来てから四百年後の
とです。そのころのエジプトは、意地の悪いファ
オが治めていました。このファラオは、イスラエル
人がきらいで、彼らを奴隷にしてしまいました。そし
あるとき、「イスラエル人の男の赤ちゃんは、み
な殺すように」という命令を出しました。

ちょうどそのころ、ある小さな男の子の母親は、
息子を生かしておくためなら、何でもしようと思って
いました。その子は、たいへん賢そうな目をした、
美しい赤ちゃんでした。母親は、三か月の間、そ
の子を隠しておくことに成功しましたが、もう隠し
続けることができないことに気づきました。

母親は、夫に「この子を救うために、わたした
ちにできることが何かあるはずです」と、泣きなが
ら言いました。二人は、毎晩、良い考えが浮かぶ
ようにと、神に祈り続けました。二人の子どものミリ
アムとアロンも、いっしょに祈っていました。

ある日のこと、この家族に良い考えが浮かびまし
た。母親は、あしでかごをあみました。かごは小さ
な舟になりました。それから、赤ちゃんをやわらか
い毛布にくるみ、かごの中に寝かせました。

ミリアムと母親は、かごを川まで運び、静かに水
に浮かべました。「ミリアム、見張っていなさい」と、
母親は娘に言いました。

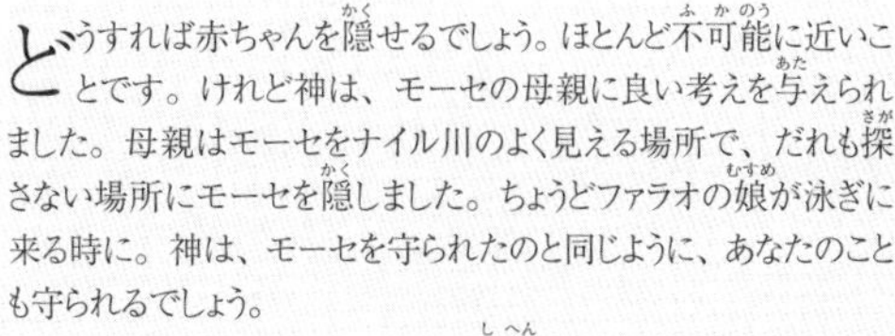
どうすれば赤ちゃんを隠せるでしょう。ほとんど不可能に近いことです。けれど神は、モーセの母親に良い考えを与えられました。母親はモーセをナイル川のよく見える場所で、だれも探さない場所にモーセを隠しました。ちょうどファラオの娘が泳ぎに来る時に。神は、モーセを守られたのと同じように、あなたのことも守られるでしょう。

詩編 32:7、34:8、ヨエル 2:32

王女に助けられて

出エジプト記 2：5〜9

神は、この赤ちゃんの家族の祈りを聞き届けられました。神は、この子については特別な計画を立てておられたのでした。赤ちゃんを入れたかごは、川を流れて行きました。ちょうどそのとき、ファラオの娘の王女が、泳ぎに行こうとしていました。

王女は水の中に立って、召し使いたちと笑っていました。太陽がかがやき、小鳥たちも王女といっしょに笑っているみたいでした。やがて娘たちは、クスクス笑ったり、追いかけたりしながら、水をかけ合いはじめました。

そのとき、召し使いの娘がかごを見つけました。「王女さま、川が運んできたものをごらんください！」と叫ぶと、かごを岸まで持っていき、砂の上に置きました。

「まあ……」と、娘たちはためいきをつきました。かごの中には、美しい赤ちゃんがいたのです。赤ちゃんは、毛布をけとばして泣いていました。

「ヘブライ人の子どもにちがいない」と、王女が言いました。王女は、ヘブライ人の子どもに対するファラオの命令を知っていました。それで、かえってこの子が大切に感じられました。「おなかをすかしているみたい。何かあげるものはないかしら？」

ミリアムは、祈りながら見張っていましたが、王女に弟を助けてもらいたいと思い、走り出て、「お乳をあげられるヘブライ人を知っています。連れてまいりましょうか？」と言いました。

「ええ、そうしてちょうだい。」

そして、ミリアムが連れてきた女の人に、「一人で食事ができるようになったら、またわたしのところに連れてきなさい」と言って、その子をわたしました。

こうして、赤ちゃんは家族のもとに帰ってきました。両親と兄弟たちはその子をかわいがり、よく世話をしました。神が祈りを聞き届けてくださったことに、みんなで感謝しました。

モーセの母親は、神にモーセを託しました。そして神は、モーセを母親に返しました。モーセの母親が、どんなにうれしかったか、想像してみてください。自分の赤ちゃんを育てること、そして人生で一番大切な、神を信じることや神が祈りに応えられること、神には私たち一人ひとりのための計画があることなどを教えることが許されたのです。

詩編 27:10、103:13、147:11、一ペトロ 5:7

自由のための一撃

出エジプト記 2 : 10〜14

その子は、三歳ぐらいになると、王女のところに戻されました。王女は、子どもにほほえみかけて言いました。「この子は、わたしの子どもです。」

その子は、モーセと名づけられました。モーセは、大きくなるにつれ、自分がエジプト人ではなくヘブライ人であることを知りました。それで、ヘブライ人が奴隷のようにあつかわれるのを見るたびに、腹が立ちました。そして、「まちがっている!」と、王女に向かって叫びました。

しかし、王女の答えは、「ファラオがすることには反対できません。王さまなのですから」というものでした。

月日が流れ、モーセはおとなになりました。ある日のこと、道を歩いていると、エジプト人がヘブライ人の奴隷をたたいているのに出会いました。

「やめろ!」とモーセは叫ぶと、エジプト人の頭を壁に押さえつけ、なぐりつけました。とうとうモーセはエジプト人を殺してしまいました。それでモーセは、死んで倒れているエジプト人を砂の中にうめました。

次の日、モーセは、二人のヘブライ人がけんかをしているのに出会いました。「やめなさい。」そう言ってから、モーセは、「どうしてその人をなぐるのですか?」と、一人にたずねました。

二人のヘブライ人は、モーセの高価な服を見て、「けんかをやめろだって？　あなただって、きのうエジプト人を殺したばかりじゃないですか」と、笑いながら言いました。二人は、きのうモーセがしたことをファラオに知られたら、モーセはすぐに殺されるとわかっていたのです。

モーセは恐ろしくなりました。「あのヘブライ人の奴隷たちが、わたしがエジプト人を殺したことを知っているのだから、ほかにも知っている人がいるはずだ。急いでエジプトから逃げ出さなければいけない。」

イスラエル人の扱われ方は正しいものではありませんでした。モーセは彼らを助けたいと思いましたが、神が何をどのようにすれば良いのかを教えてくださるまで待ちませんでした。モーセは自分の衝動と考えで行動し、怒りに任せて行動しました。怒っていると、神があなたに、してほしいと思われている良いことは何もできません。

詩編 27:14、37:5、エフェソ 4:26-27、ヤコブ 1:19-20

燃えるしば

出エジプト記 2 : 15～3:10

ファラオは、モーセがエジプト人を殺したことを知りました。番兵たちがモーセを荒れ野まで追いかけましたが、見つけることはできませんでした。モーセは、荒れ野の中でエテロという名の賢い人に出会い、その人の娘の一人と結婚しました。それからは、四十年の間、荒れ野の中で家族と暮らしました。

ある日、モーセは、エテロの羊の番をしているとき、不思議なものを見つけました。山のふもとでしばが燃えているのですが、火は広がりませんし、しばも燃え尽きません。

そのとき、「モーセ、モーセ」と呼ぶ声が聞こえました。モーセが「ここにおります」と答えると、その声は「それ以上、近づいてはいけない」と言いました。「はきものをぬぎなさい。おまえは神聖な地に立っているのだ。わたしは、おまえの父親の神、アブラハムの神、イサクの神、そしてヤコブの神である。」

このことばを聞くと、モーセは地面にひれふしま
た。神を直接見るのが恐ろしかったのです。

神は言われました。「わたしは、エジプト人がわ
たしの民にひどい仕打ちをしていることを知ってい
る。その民を救う時が来た。前にアブラハムとイサ
クに約束した地に、おまえたちを連れていこう。そ
こは美しい土地で、作物のための水も十分にある

さあ、モーセよ、行きなさい。わたしの民イスラ
エル人をエジプトから連れ出させるために、おまえ
をファラオのところに行かせよう。」

四十年間、荒れ野の中で羊の世話をして、モーセは我慢することを学びました。それから神は、モーセに彼の人生の任務に向かわせました。それは神の民をエジプトでの奴隷生活から連れ出すことでした。その仕事には信じられないほどの忍耐と粘り強さが必要でした。私たちはみんな、神が望まれるように生きるためには忍耐と辛抱強さが必要です。

ガラテヤ 5:22-23、ヘブライ 10:35-36

たくさんの言い訳

出エジプト記 3 : 11〜4 : 9

モーセは、「わたしが何者だと言われるのですか？　ファラオに向かって、『わたしの民をエジプトから出させてください』などと言えるほどの人物ではありません」と言いました。

しかし、神の答えは簡単でした。「わたしがおまえについている。」

モーセは、さらに言いました。「でもわたしがあなたのかわりに話しているとは、だれも信じないでしょう。どうすれば、あなたがどなたかをわかってもらえるでしょうか？」

神は言われました。「わたしは〔わたし〕だ。それがわたしの名前だ。そう伝えなさい。『あなたたちを特別な民として選んだ神が、わたしを遣わしたのだ』と言いなさい。」

モーセは、それでもまだ、心の準備ができませんでした。「わたしが、あなたがどなたかを伝えても、人びとは信じてくれないでしょう。」

神は、「長老たちや指導者たちは、おまえを信じるだろう」と言われました。「わたしがおまえといっしょにいるという証拠を見せよう。ファラオに、三日間、人びとを荒れ野の旅に連れて行かせてほしい、祈るために三日ほしいと頼みなさい。ファラオが『だめだ』と言ったら、わたしは奇跡を起こして、エジプト人を打ちのめそう。」

モーセが、「もし、それでも言うことを聞いてくれなかったら？」と言うと、神は「おまえが手に持っているつえを、地面に投げなさい」と言われました。そうすると、つえはヘビに変わり、モーセは逃げ出しました。神は、「それを拾いなさい」と言われました。モーセはヘビをつかまえました。するとすぐに、ヘビはつえに戻りました。

「わたしは、わたしの民をエジプト人から救い出す。そして彼らを導くためにお前を遣わすのだ」と神は、言われました。――わたしにはできません」とモーセは反対しました。「わたしがついている」と神は、答えられました。神は、仕事を与えるとき、それをやり遂げるための方法も私たちに与えられます。神は、私たちを送り出すとき、神も一緒に行かれます。

出エジプト 33:14、申命 31:6、マタイ 28:18

ファラオの拒否

出エジプト記 4：10～5：2

モーセは、思いつくかぎりの言い訳をしまし
話すのがへただと言うと、神は「話は、兄のアロ
がする」と答えました。とうとう、モーセはほかに言い訳ができなくなり、うなだれてしまいました。モーセは神によって選ばれた人となりました。

しばの火が消えると、モーセは家族に別れを告げ、エジプトに向かいました。途中で、アロンに出会いました。

モーセとアロンは、エジプトに着くと、ファラオのところに行き、「わたしたちの主、イスラエルの神が『わたしの民がわたしを礼拝することができるように、三日の間、国を出してほしい』と言っています」と伝えました。

するとファラオは、「だめだ。なぜわたしがその神の言うことを聞かなければいけないのか。イスラエル人たちは行かせない」と答えました。

> 神は、ファラオが断ることをご存じでした。これは、神が奇跡を行い、エジプト人たちに神を恐れさせるために神の力を見せつける、良い機会となるでしょう。他方、イスラエル人は、神を信じることを学び、神は、彼らを約束の地に導くことができるでしょう。私たちはイスラエル人のように、神を信じることを学ぶ必要があります。
>
> *申命 10:17、箴言 3:5、28:25b-26a、ローマ 9:33b*

神は行動を約束される

出エジプト記 5 : 22〜7 : 16

モーセはファラオに会ったあと、神に祈りました。「わたしは、どうしたらよいのか、わからなくなりました。」

神は言われました。「ファラオがわたしのことばを聞かないなら、わたしは行動を起こそう。」

ファラオは、イスラエルの神など知らないと言いました。しかし、やがて、神がどなたかを思い知らされることになるのです。それはすべて、神の計画の一部でした。

ふたたび神は、「もう一度ファラオのところに行き、わたしの民をこの国から出すように頼みなさい」と、モーセに言われました。

モーセとアロンは、また、ファラオのところに行きました。そして、二人が神のことばを伝えている証拠を示すためにつえを地面に投げると、つえはヘビになりました。それを見たファラオは、魔法使いたちを呼び集めました。魔法使いたちがつえを投げると、そのつえもまた、ヘビになりました。しかし、モーセのヘビが、魔法使いたちのヘビを食べてしまいました。それでもまだ、ファラオは言うことを聞きませんでした。それで神は、いよいよご自分の力を示す時が来たことを、モーセに伝えました。

もしファラオが神を知っていたなら、神に逆らうのは良い考えではないと気づいたはずです。神が、神の良い計画を実行することをだれも止めることはできません。ファラオは奇跡を見ましたが傲慢な心をますます強くしました。私たちは傲慢にならないよう、そして、神やほかの人々に対して心を閉ざしたりしないよう、気をつけましょう。

箴言 3:34、ヘブライ 10:31、ヤコブ 4:6

恐ろしい災害

出エジプト記 7 : 17〜10 : 29

ファラオがイスラエル人に国から出ることを許さなかったので、神は、エジプト人に罰を与えるため、10 の災害を起こしました。災害とは、自然の悪い出来事が一か所に集中して起こることを言います。災害が起きると、ファラオは魔法使いや賢人たちにそれを止めさせようとしましたが、だれもできませんでした。モーセが神に祈ったときにだけ、災害は治まりました。

最初の災害では、水が血に変わりました。モーセがつえをナイル川の上にかざすと、川は血の流れになりました。小川も、運河も、池も、水たまりも、血でいっぱいになりました。魚は死に、川はくさくなりました。

一週間後、神はモーセに、「ふたたびファラオのところに行き、イスラエル人たちを行かせるように頼みなさい」と言われました。また、「『もし従わなければ、ナイルをカエルでいっぱいにしてしまう』とファラオに伝えなさい」とも言われました。

ファラオが断ると、何千匹ものカエルが現れました。カエルは、川や小川、運河などから出てきて、エジプトじゅうにあふれました。そして、家の中にも入りこみました。人びとは、ゲロゲロという声が耳の中で聞こえて、目を覚ましました。

ファラオはモーセに、カエルがいなくなるようにしてくれと頼みました。モーセが祈ると、カエルはぜんぶ死んでしまいました。しかし、カエルがいなくなってしまうと、ファラオは神の民を国の外に出そとはしませんでした。

こんどは、神はブヨを送りこみました。この、人をさす小さな虫がどこにでも飛んでいて、話すとはいつも口をおおわなければなりませんでした。そしなければ、小さな虫がのどにひっかかってしまのです。そのあと、神はアブを送りこみました。

さらに神は、家畜を病気にする災いを起こしました。人や動物のひふが赤くなり、かゆくなりました

また神は、雷雨とひょうを降らせました。強い風が吹き、雲のようなイナゴの大群がおそいました。イナゴは、緑の葉をすべて食いつくしました。しばらくすると、エジプトには葉のない枝ばかりが残りました。

最後に神は、三日の間、太陽の光を消してしまいました。夜のあとに朝は来ませんでした。夜ばかりが続きました。

神は、ファラオに、考えを変える機会を何度も与えましたが、ファラオはがんこで、神にさからい続けました。神が太陽を暗くしたあとでは、たいへん怒って、モーセにどなりました。「わたしの目の前から消えろ！」

> 神は、ファラオに、考えを変えなければ恐ろしいことになると何度も注意しました。どの災害も警告であり、悔い改めるようにとの呼びかけでした。神は、人々に罰を与えたいとは望んでおられません。神は、神が私たちを祝福できるように、私たちが神を頼り、救われることを願っておられます。神は、私たちにとって一番良いことを望んでおられるのです。
>
> *エレミヤ 18:8*、*ヨナ 3:10*、*ルカ 15:7*

最後の災害

出エジプト記 11：1〜10

これでもまだ、ファラオは神の言うことを聞きませんでした。神は、ファラオに、モーセを通して、最後の災害の警告をされました。この最後の、十番目の災害のあと、ファラオはとうとう、イスラエルの民にエジプトから出ることを許すことになります。

モーセは、ファラオに「エジプト人の最初の子どもは、奴隷の子でも、自由人の子でも、死ぬだろう。しかし、ヘブライ人の子どもは無事である。神は、あなたの民とご自分の民とを区別していることを示すために、そうされるのだ」と伝えました。

ファラオは、そんなことが起こるなどとは、とても信じられませんでした。ファラオの長男も、新しく生まれる子牛や、ヤギや、羊も死ぬというのです。ファラオは、このように国王をおどすとは、このヘブライ人はなんという男だと思い、怒りに身をふるわせました。

ファラオは、神の力を信じないことにしました。心をせまくして、「そんなことが起きるはずがない」と、自分に言い聞かせました。

ファラオは「出て行け、ここから出て行け！」と、モーセに向かって叫びました。モーセは、ファラオのもとを去りました。

とうとう、ファラオは逆戻りできないところまで来てしまっていました。ファラオは、神を信じないと決めていました。神は、神が造られ、祝福なさりたかった人々を罰しなければならないと、いつでもとても悲しまれます。けれど、神は、私たちに自由意思を与えられました。そして、私たちが誤った、悲惨なことを選んでも、私たちが決めたことを尊重なさいます。

歴代下 7:14、イザヤ 45:22、エゼキエル 33:11

神の過越

出エジプト記 12：1〜42

イスラエルの民は恐れました。神がこれから行われることを聞くと、「わたしたちは無事でいられるのだろうか？」と、心配になりました。

モーセは、イスラエルの民に、神が定められた特別の規則のことを伝えました。その晩、その規則に従えば、神が守ってくださるというのです。

最後の災害の夜は、神がイスラエルの民を「過ぎ越し」て通られたので、「過越」と呼びます。神は、イスラエルの人びとを守られました。モーセは、人びとに、この過越の夜のことをいつまでも覚えておくようにと言いました。そして、その夜の出来事を、子どもに、そしてその子どもにも、またその子どもにも、何世代にもわたって伝え続けるように命じました。

過越の夜、イスラエルの人びとは、小羊とパンを食べました。食事の前にはその羊の血で、家のとびらの外を赤く塗っておきました。そうしておけば、神がエジプトを通られるとき、イスラエル人の住む家がどれか、どの家を守ればよいのか、わかるからでした。

エジプト人の家では、子どもが死んでいるのが次々に見つかり、エジプトじゅうに悲しみの泣き声がひびきわたりました。その晩、エジプト人の親は一人残らず泣くことになりました。それに対して、イスラエルの人びとは、神が通り過ぎるのを待ちました。神に選ばれた民なので、安全だということを知っていたからです。

ファラオは、自分の長男が死んでいるのを見つけ、責任を感じました。もしアロンとモーセの言うことを聞いていたら、こんなことにはならなかったはずだったからです。

その夜、ファラオはモーセとアロンを呼び出し「出て行け！　おまえたちも、おまえたちの仲間も動物たちも！」と言いました。

イスラエル人の家のとびらが、次から次へとたたかれました。「さあ、時は来た。」人びとは荷物をかつぎ、赤ちゃんをおんぶしました。身の回りのものをまとめ、牛や馬、羊も連れて、エジプトを出発しました。そして、神が約束された地に向かいました。

死を避けるために子羊の血を扉の柱に塗る、というのは不思議なことと思えるかもしれません。けれど、それは、その家の人々が、神は彼らを救うと信じていることを表していました。そして、神は、人々を救ったのです。これは神を信じていれば、私たちを救ってくださる神の子羊、イエスの血の絵です。

ヨハネ *1:29*、ローマ *3:23-25a*、*5:9-10*、ヘブライ *9:12*

神の道案内

出エジプト記 13：17〜14：13

イスラエルの民は、みんな一か所に集まりま
た。神は、昼間は雲の柱で行くべき道を示し、
びとはその方向に進みました。夜になると、火の
で、明かりを与えました。それで、人びとはいつ
も進む方角がわかりました。

神は荒れ野の道を進まれ、みんなを紅海まで
れて行きました。イスラエルの民の数はたいへん多
く、道の両側からはみ出て広がっていました。
物を追い立てると、砂けむりが上がり、それはま
で雲のようでした。

エジプトでは、ファラオが考えを変えて、イスラ
エル人を行かせてしまったことを後悔していました
「これからは、だれが家を建てたり、れんがを作っ
たりすればいいのだ。」

そこでファラオは、いちばん良い戦車六百台と、いちばんすぐれた兵士を連れて、イスラエル人を追いかけました。

そのころ、神は、「紅海の岸に野宿しなさい」と、モーセに伝えました。「ファラオは、おまえたちを海と自分たちの軍勢の間にはさみうちにしたと思っているだろう。けれども、これはわたしの力を見せるための良い機会なのだ。エジプト人たちは、わたしが神であることを思い知るだろう。」

イスラエルの民は、モーセの言うとおりに、岸に野宿しました。でも、何か変だと思い始めました。テントの端のほうの人びとは、地面がゆれるのを感じました。遠くを見ると、砂けむりが近づいてきます。突然、イスラエルの民の間から、叫び声が上がりました。ファラオが追いついてきたのです。海に入るよりほかに、逃げ道はありません。「もう逃げられない！」と、みんなは叫びました。

人びとは、モーセに向かって叫びました。「おまえは、なんということをしてくれたのだ！　荒れ野の中で殺されるために、こんな所に連れてきたのか？奴隷でいたほうが、まだよかった。そうすれば、死なないですんだのに！」

しかし、モーセは人びとに言いました。「逃げられないことはありません。神が戦ってくださいます。静かにしていればいいのです。神を信じなさい。」

でも、人びとはモーセを信じませんでした。みんな、あわてて、宿営の端から端へと走り回りました。岸辺を、おりの中の動物のように、行ったり来たりしました。子どもたちも、叫び声を上げて走り回りました。赤ちゃんも、泣き出しました。女の人たちは、どんどん近づいてくる戦車を見ていました。すぐにファラオと六百台の戦車が、みんなにおそいかかることでしょう！

「わたしがついている！」と神は、モーセに約束していました。神は雲と炎の柱で、道案内をされました。けれど、何か問題が起きると、すぐに人々は大混乱になりました。人々はたくさんの奇跡を見ていたのに、すべて忘れて、モーセを非難しました。しかし、どんな問題も神にとってはまた別の奇跡を行うための良い機会にすぎません。文句を言ってはいけません！感謝しましょう！

マタイ *6:33*、ヨハネ *9:1-3*、フィリピ *4:6*

海の水の壁

出エジプト記 14：14〜31

モーセは民を落ち着かせようとして、言いました。「心配することはありません。みなさんは、今日、神が行動されるのを見るでしょう。」しかし、人びとは聞いていませんでした。

神は、言われました。「おまえたちは、なぜ、そんなに叫ぶのか？　モーセよ、つえを上に上げなさい。海が二つに割れ、両側に海の水の壁ができるだろう。水は、おまえたちのじゃまをしない。海の中を歩いて渡りなさい。わたしが守っている。エジプト人がおまえたちのあとに続いて海の中に入ったら、その上に海の水をかぶせよう。」

モーセはつえを上げました。すると、強い東風が吹いて、水をまっすぐに立たせました。二つの水の壁の間に道ができました。暗やみの中、人びとも、羊も、牛や馬も、波の間を走りました。みんな、今起こっていることがほとんど信じられませんでした。

やがて、みんな、無事に向こう岸に渡っていました。ファラオは、目を覚ますと、叫びました。「イスラエル人が海の中のかわいた地面を渡れるのなら、わたしにだってできる！」

ファラオと六百人の軍勢は、海の中の道に入りました。ファラオたちが両岸のちょうど中間に来たとき、神はモーセに、またつえを上げるように命じました。モーセがそうすると、たいへんないきおいで水がもとに戻りました。

ファラオも、六百人の将校も、戦車も、馬も、その他の兵士たちもおぼれてしまいました。最初は叫び声が聞こえていましたが、それからあとは、岸辺に打ち上げられた死体が見えるばかりでした。

イスラエルの民は、神の偉大な力を見て、口々に「そうだ、神こそ、わたしたちの指導者だ」と言いました。そして、このあとに待っている長い旅も、それほどたいへんだとは思わなくなりました。

人々は、安全に向こう岸に着くと、喜び、歌い、踊りました。「主の偉大な勝利を祝って神を称える歌を歌おう！　神は、馬や馬の乗り手を海に投げ込んだ。」人々はやっと自由になりました。神は、今度もまた神にとって難しすぎてできないことは何もないということを示されました。神が私たちのためにしてくださったことすべてを称える歌を歌いましょう。

歴代上 16:8-10、歴代下 9:15、エフェソ 5:20、一テサロニケ 5:18

飲む物が何もない

出エジプト記 15：1〜27

ファラオとその軍勢がおぼれてしまうと、イスラエル人たちは、自分たちの無事を心から喜んで、歌ったり、おどったりしました。モーセの姉のミリアムが、女の人たちの先頭に立っておどりました。ミリアムがタンバリンをたたいて進み、他の女の人たちはそれに続きました。

モーセは、神の偉大な力をたたえる歌を歌い、神がイスラエルの民を救ってくださったことと、エジプトから連れ出してくださったことに感謝しました。

やがて、また旅を続けるときが来ました。民は、神の雲の柱に導かれて進みました。それから三日、荒れ野をさまよいました。その間、ずっと、飲み水が見つかりませんでした。水たまりはありましたが、そこの水は苦くて、飲むと病気になってしまいました。水があるのに飲めないので、人びとは、のどのかわきをますます強く感じました。

二百万人の、のどがかわいた人びとが、モーセに不平を言い始めました。彼らは、「おまえは何ということをしてくれたのだ！　わたしたちは、荒れ野の中で、のどがかわいて死にそうになっている。エジプトでは、家で無事に暮らしていたのに。少なくとも、水と果物と魚があったのに。ここには何もないではないか！」と、どなりました。人びとはもう、神に守られていることを忘れていたのです。

モーセは、神に助けを求めました。すると神は一本の木を示され、モーセがその木を水の中に投げ入れると、あまく、すんだ水になりました。人びとは、水の中に飛び込み、水をはねたり、笑ったりして、飲みたいだけ飲みました。

モーセは、人びとに言いました。「神が守っくださることを、いつも覚えておきなさい。」そて、このことを証明するかのように、神は人びと12の別々の水がわき出している所に連れて行きした。そこには、やしの木があって、木陰を作ていました。宿営を張るのに絶好の場所でし神はまた、守ってくださったのでした。

私たちは、神がなさった偉大なことをなんと、早く忘れて心配し始めることでしょう。荒れ野で水がなくなることは恐ろしいことです。考えれば考えるほどのどが渇きます。けれど、神は、人々が荒れ野でのどが渇いて死んでしまうようなことのためにエジプトから救い出したのではありません。神は、また命を救う奇跡を起こすでしょう。なんと偉大な神でしょう！

創世 18:14a、21:17-19、詩編 145:18-19、イザヤ 65:24

食べる物が何もない

出エジプト記 16 : 1〜36

ふたたび、出発のときが来ました。人びとは、またすぐに不平を言い始めました。暑い太陽が気に入りません。水と食べ物が少ないのが気に入りません。赤ちゃんは泣き、女の人はなげき、男の人は不平を言いました。

二か月ほど荒れ野で過ごすと、食べ物がなくなりました。人びとは、モーセに怒りました。「おまえはいったい何をしたんだ。ここには何もないではないか。これでは死んでしまう。みんなおまえのせいだぞ。」

モーセは「神が守ってくださいます。信じなさい」と言いました。しかし、人びとはがんこで、自分たちのことをかわいそうだと思いたがりました。

神は、モーセに言われました。「朝にはパンを、夕方には肉を与えよう。人びとは、必要な物があれば、わたしに頼るようになるだろう。そうすれば、信じることも覚えるだろう。」

次の朝、地面は小さなつゆのしずくでぬれていました。太陽が昇り、つゆがかわくと、地面に小さな白いパンがあるのが見えました。

夕方になると、うずらの群れが宿営の近くに降り立ちました。人びとは、必要なだけつかまえることができました。それから、うずらを焼いて肉を食べました。神のおかげで、荒れ野を旅する間、いつも、食べ物が十分にありました。

イスラエルの人々のように、私たちも神を信じ、頼ることを学ばなければいけません。食前に祈る時、私たちは、神が食事を与えてくださったことに感謝します。私たちは食事をするために必要なものはすべて神からいただいています。ものが育つための良い天気、健康、そして食物を買うお金を得る仕事などです。

詩編 128:2、コヘレト 3:13、マタイ 6:11、25-27

山の上におられる神

出エジプト記 19 : 1〜25

イスラエルの民は、三か月の間、荒れ野を旅しました。シナイという山のふもとまで来たとき、そこで野宿しました。女の人たちは休むことができるので喜び、子どもたちの世話をしました。男の人たちは動物を数え、テントを張りました。やがて、あたりに食べ物のにおいが広がり始めました。

夕方、モーセは、人びとの間を歩き回りました。子どもたちが集まってくると、一人一人の頭をなでました。モーセは、人びとにあいさつをすませると、山に向かいました。神が、山で、モーセを待っておられたからです。

モーセががけを登っているとき、神が呼んでおられる声が聞こえました。「モーセよ、人びとに伝えなさい。『わたしの命令に従えば、わたしの特別の民になれるのだ』と。」

モーセは山を下りました。それから、民の指導者たちを集めて、神のことばを伝えました。そこには、たくさんの人が集まっていました。「主である神は、あなたたちを選ばれたのだ。神について行くか？　神に従うか？」

すると、人びとの間から歓声が上がりました。「神の言われることには、どんなことでも従います。」

数日後、モーセとアロンは、山に登りました。山は雲に包まれていました。その雲の中から、大きなラッパのような音が聞こえてきました。人びとには音は聞こえましたが、それがどこから出ているのか、わかりませんでした。みんな、恐ろしくなりました。これは、イスラエルの民にとって、大切な時でした。神が、みんなに会いに来られたのです。

人々が地震、雷、煙、そして炎に、怖さで震え上がったのは不思議ではありません。火山の近くにいるように感じたに違いありません。神は、彼らに、その特別の日、この神の申し出、神が彼らを神の民として選ばれ、人々がそれを受け入れたその日を覚えておいてほしかったのです。神を受け入れ、神に従うとき、神は、私たちが神の善良さを賛美するための理由をたくさん下さるでしょう。

申命記 4:10、7:9、32:7、詩編 63:7-8

最初の十戒

出エジプト記 20 : 1〜21

モーセとアロンが山の上にたどり着くと、神が二人に会いに来られました。神は、けむりと火に包まれていました。そして神は、人びとに法律または命令を与えようと思っておられました。この法律にそって生活することができるようにするためです。そうすれば、善と悪の違いがわかるようになるでしょう。

神はモーセに、十の法律、つまり「十戒」を与えました。

「人びとに伝えなさい。わたしが、おまえたちの主であり、神である。わたしは、奴隷の身だったおまえたちを、エジプトから連れ出した。わたし以外の何ものも、おがんではいけない。像を造って、それをおがんではいけない。誓ってはいけない。他人に偉いと思われるために、わたしの名をみだりに使ってはいけない。祈るときにだけ、わたしの名前を言いなさい。

一週間のうち、七日目を休みの日にしなさい。この日は働いてはいけない。

おまえの父と母の言うことを、よく聞きなさい。父と母を敬いなさい。けっして親をばかにしてはいけない。

人を殺してはいけない。夫から妻を、また、妻から夫をうばってはいけない。

他人のものを盗んではいけない。ほかの人についてうそを言ったり、間違ったことを言ったり、作り話をしたりしてはいけない。

自分にないものをほしがってばかりいてはいけない。」

神の話が終わると、ラッパのような音が、あたりに響きわたりました。

神の法律は私たちが善悪の違いを知るための助けとなります。神は、私たちを造られ、私たちにとって何が一番良いかご存じです。神の教えに従わず、好き勝手に生きれば、私たちの人生、家族、そして社会や世界でも、何か狂いが生じます。神の教えに従って生きましょう！

出エジプト 15:26、詩編 103:1-5、119:11、105

神は人びとを心にかけておられる

出エジプト記 20 : 22〜31 : 18

モーセは、神と顔を会わせていました。神はモーセをたいへん愛しておられました。そして神は、人びとに、自分がどれほどみんなのことを心にかけているかを知らせたいと思っておられました。

神は、こう言われました。「おまえたちに健康を与える。子どもがたくさん生まれるようにしよう。そうすれば、おまえたちは、約束の地に着いたときには、力強い民になっているだろう。」

モーセは、暗い雲の奥深くで、長い間、神と話をしていました。何回かは、人びとのようすを見るために、山を下りて行きました。そして、神が十戒を石に刻んでモーセにわたしたいと言われたので、彼は山にとどまりました。

モーセは、四十日、四十夜、神とともに過ごしました。その間、人びとは、ずっと待ち続けました。

神は、すべてをモーセに話し終わると、二枚の石の板をわたされました。神は、この石の板に、十戒をご自分で書かれたのでした。

神は、神の民が、神を愛し、お互いを愛し合うことを願っておられます。どの国にも、社会がうまく動くために必要な政府と法律があります。神の法律は、私たちが、人を傷つける態度や行動をとらないようにするのを助けることを目的としています。一番大事なのは「あなたの主である神を全心、全霊、全力で愛しなさい!」と「他の人々を自分と同じように愛しなさい」です。

レビ 19:18、申命 6:5、マタイ 5:43-45、22:36-40

金の子牛

出エジプト記 32：1〜35

モーセが神のもとを去ろうとしたとき、突然、神が言われました。「たいへんなことが起きた。民はもうわたしとの約束を忘れてしまった。金の子牛をおがんでいる。」

人びとは、モーセが戻ってくるのを待っていましたが、いつまでも現れないので、死んだのだろうと思いました。人びとは、またもや、神を信じないことにしたのでした。人びとは、モーセの兄のアロンに、別の神を造ってくれと頼みました。アロンは金の腕輪や指輪を集め、それをとかして、金の子牛を造ったのでした。

神は、たいへん怒って、モーセに言われました。
わたしは、この民を滅ぼして、もう一度始めから
りなおそう。」

モーセは、神に、民を滅ぼさないようお願いしました。そして、神がくださった石の板を持って、急いで山を下りました。宿営に近づくにつれて、音楽が聞こえてきました。それから、太陽にかがやく金の子牛が見えました。それを見たモーセは、「おまえたちは悪者だ！」と叫びました。音楽はやみ、人びとは静かになりました。

モーセは、「主が、あれほど、わたしたちのために尽くしてくださっているのに、なぜこんなことをするのか！」と叫び、怒りのあまり、神の手で書かれたあの石の板を地面に投げつけました。石板は、こなごなにくだけてしまいました。

モーセは、人びとに罰を与えました。それから、また、山に戻りました。神はモーセに「イスラエルの民は、以前のように、わたしが望むことを行おうとしない」と言われました。神は、たいへんがっかりしておられました。

私たちは、なんと早く神がなさったことを忘れ、自分自身の考えを大事にするのでしょう。人々が神とモーセを忘れるのに一カ月もかかりませんでした。彼らは本当に神を愛したのでしょうか？　本当に愛したいと思ったのでしょうか?神は、それでも神の民を愛しておられました。神は、私たちが善人であるか、悪人であるかに関係なく、あなたと私を愛しておられます。けれど、私たちの選択には結果が伴います。

出エジプト 33:19b、申命 4:31、イザヤ 63:7

二度目の十戒

出エジプト記 33 : 1〜34 : 35

モーセは神にイスラエルの民を許すように、一生懸命頼みました。神はモーセが頼むのだから、その願いを聞き入れよう、と言われました。神は、モーセとは友達だから、人びととの約束を忘れない、と言われました。

モーセは、神と親友でした。モーセは、神に「あなたの姿を見せてください」と言いました。すると、神は、もしモーセが神の姿を見て、神についてすべてを知ったなら、死ぬことになる、と答えられました。

それでも、神はモーセに、シナイ山の頂上に戻ってきなさい、と言われました。モーセにもう少しよく神のことがわかるように、神がそこを通り過ぎよう、と言われました。今まで、これほど神に近づいた人はいませんでした。

モーセは、また、シナイ山に登っていきました。すると神は、雲から降りてこられました。それを見たモーセは、地にひれふしました。神は偉大すぎました。モーセは目を閉じて、神は偉大だと、何度も繰り返して言いました。モーセはまた、神に、人びとを許し、引き続き選ばれた民としてくださるよう、お願いしました。

神は、そのようにしようと言われました。それかたいへんな約束をしてくださいました。アブラハの子孫に与えることになっていた土地に、イスラルの民を連れていく、と約束されたのです。

それから神は、ふたたび、神の十戒をモーセ伝えました。モーセが石をのみで切り出し、神はう一度十戒を書きました。モーセは、神が最初十戒を与えられたときと同じく、四十日間、山のにいました。

四十日が過ぎると、モーセは山を下りて、民の営に戻りました。こんどは、人びとは約束を守っ悪いことをしないで、モーセの帰りを待っていまし

神は、人々を愛しておられ、許したいと思われました。けれど、モーセに彼らのために祈ってほしいと思っておられました。ちょうどソドムの善い人々を救いたかったときに、アブラハムが頼んでくるのを待っておられたように。神は、今の世界の人々も救いたいと思っておられます。そして、私たちが人々のために祈り、神がどれほど人々を愛しておられるか彼らに伝えてほしいと思っておられます。

出エジプト 34:6-7、マタイ 9:38、ローマ 12:14、一テモテ 2:1-4

約束の地の見えるところで

民数記 13：1〜30

人びとは、何か月もの間、荒れ野を旅しました。ある日、神は、モーセに言われました。「わたしがおまえたちに約束したカナンの地にひそかに密偵を送り、どんな国か、そしてどんな人が住んでいるかを調べさせなさい。」

モーセは、神の言われたとおりにしました。イスラエルの十二部族から、それぞれ一人ずつ、代表者を選びました。十二人の密偵が出発するとき、モーセは手を上げて祝福しました。

何日もたってから、二人の密偵が戻ってきました。一人はカレブと言い、もう一人はヨシュア将軍でした。カレブとヨシュアは、モーセに「あの土地を見てください。大きな木が生え、なだらかな丘がある、それは美しい所です。花が咲き乱れていて、作物は豊かです。神さまが言われたように、ほんとうに蜜とミルクのあふれる国です。」

ただ、一つだけ問題がありました。その国の びとは皆、たいへん強い戦士ばかりでした。ヨシ アとカレブは、神の助けがあれば、その人びとを の国から追い出すことができると思いました。

しかし、ヨシュアとカレブに賛成する人ばかりはありませんでした。他の密偵たちは、反対しました。結局、その日、その人たちのせいで、みん の旅は台無しになったのです。

密偵たちはその地を調べに行き、おいしい果物を持って帰ってきました。その地は本当にミルクと蜜の流れる土地でした。けれど、難しい問題がありました。巨人と町を取り巻く壁です。私たちの人生でも、喜びと困難の両方があります。物事は、いつも私たちの望むように運ぶとはかぎりません。けれどもイエスは、常に私たちと一緒にいると約束なさいました。

マタイ 28:18、歴代下 19:3-5、エフェソ 6:12-13

わたしたちは強くない

民数記 13：31～14：12、申命記 1：19～33

ほかの密偵たちは、ヨシュアとカレブに反対しました。彼らは、カナンの人びとが、戦いの相手としては強すぎると思ったからでした。

イスラエル人たちは、神の約束を信じなかったのです。民は、また叫びました。「モーセよ、おまえはわたしたちに何てことをしてくれたんだ！」

モーセは嘆きました。人びとがまた不平を言い始めたからです。「モーセ、わたしたちはエジプトに帰りたい。」「モーセよ、エジプトを出るというのは、もともとおまえの思いつきだったのだ。おまえの言うことなんか聞かなければよかった。わたしたちはここで、意味もなく死ぬのだ。」

モーセとアロンは、ひざまずいて、神を信じるようにと、人びとに頼みました。ヨシュアとカレブは自分たちの服を引き裂き、神が約束された土地はとてもよい所だと誓いました。でも、人びとは耳を貸しませんでした。

> ヨシュアとカレブは神を信頼して、言いました。「神の助けがあれば、この地を手に入れることができる。」しかし、ほかの十人の密偵たちは反対しました。彼らは、神が戦争に勝つために彼らを助けてくださると信じていませんでした。人々は大変失望して一晩中泣きました。時々、私たちは神を信頼せずに、せっかく神が用意された良いものを受け取れないことがあります。
>
> ヘブライ 3:15-19、4:1-2、11

四十年間の罰

民数記 14：13～45、申命記 1：34～46

神は、また、人びとを許されました。けれども、人びとはがんこだったことの報いを受けなければなりませんでした。あまりにも神を信じなかったので、神は、「この世代の人びとは、約束の地を見ることはないだろう」と言われました。また、「この民は、荒れ野をさまよい歩かなければならない」とも言われ[た]した。「わたしのことを信じたカレブとヨシュア以[外]の者は、みんな、残りの日々を荒れ野で過ごさなければならない。一年以内に約束の土地に連れてくことができるはずだったが、今となっては、四[十]年の間、荒れ野をさまよわなければいけない。そて、荒れ野で死ぬのだ。最終的に、ミルクと蜜[の]流れる国に住み着くのは、この人びとの子どもた[ち]である。これが、この人びとに対する罰である。」

これを聞くと、人びとは声を上げて泣きました。[し]かし、もう手遅れでした。神は、決断を下された[の]でした。

神の罰にもかかわらず、人びとはその国のすぐそばまで来ていたので、戦って、そこに住む人びとを追い払おうと思いました。戦っても、その人たちを追い払うことはできないと、神が言われたことを忘れていたのです。それをすることになるのは、この人びとの子どもたちなのです。

イスラエル人たちはカナンの人びとと戦いましたが、負けてしまいました。たくさんの男の人たちが神の助けなしに戦って、死んでしまいました。

それから四十年の間、イスラエルの民は、あちらこちらをさまよい続けることになります。神は、人びとを導くことをやめませんでしたが、約束の地には導き入れませんでした。人びとは、カナンのすぐそばまで近づきながら、その地に入ることはできず死ぬまで、そのあたりをぐるぐるさまよい歩かなければならなかったのです。

神は、人々を許しましたが、人々は、神を信じなかった責任を取らなければなりませんでした。人々は神が約束されたことを経験できないことになりました。人々は約束の地に入ることができず、残りの人生を、荒れ野を放浪し続けることになりました。神への信頼を失い、神が私たちのために用意してくださったものを受け取りそびれることがないように気をつけましょう。

民数 14:30、詩編 95:8-11、ヘブライ 3:7-11、10:35-36

生死の選択

申命記 29 : 1～30 : 20、31 : 2

すでに百歳になり、死が近いことを知ったモーセは、人びとを呼び集めて言いました。「あなたたちは選ぶことができる。生きたい者は手を上げよ」

集まった人びとは、つぶやきました。「いったい、何が言いたいのだろう？」

「もちろん、生きたいと思います。」

「そうだ、そうだ。」人びとは口々に言い、そして、みんな手を上げました。

続いてモーセは、「死にたい者は手を上げよ」と言いました。

人びとは、急いで手を下ろしました。みんな、だまって待ちました。どこかで、赤ちゃんが泣き出しました。

モーセは、大きな声で言いました。

「きょう、あなたたちは、死ぬことではなく、生きることを選んだ。神は、あなたたちと約束をしたいと言っておられる。神は、食べ物と水、そして豊かな土地と家畜の群れを与えてくださる。それから神は、平和を与えてくださる。神は、あなたたちが神のおきてに従うなら、これらすべてを与えてくださる。

けれども、神に従わず、高慢になり、神があなたたちをエジプトから連れ出されたことを忘れたら、あなたたちはほろびるだろう。わたしを信じるか？」

モーセは、返事を待ちました。

「モーセ、わたしたちは神に従います。」人びとは、大きな声で答えました。モーセは頭を下げ、神に祈りました。この人びとには、ずいぶん迷惑をかけられましたが、それでもモーセは、この人びとを愛していたのです。

神は、神を信じ、神の規則に従って生きる人々を祝福すると約束されました。もし自分自身を信じ、神を尊敬しないでいると、私たちは神の祝福を得ることはできません。悪いことが起きると、「神は、どうしてそんなことを許されたのか」と言う人がいます。神は、生か死を、私たちが神の生き方か、私たちの生き方かを、選ぶことを私たちに許してくださっています。

ヨシュア 23:15-16、詩編 1:1-3、24:3-6、84:12

モーセの最後の日々と歌

申命記 31 : 1〜34 : 7

モーセは、死ぬ前に、美しい歌を作りました。モーセは、自分はカナンとは別の約束の地へ、つまり親友の神のもとへ行くのだとわかっていました。

モーセの歌は、神の愛について歌ったものでした。神が、始めからずっと、どれほど誠実な方だったかを伝え、神の力とその強さを歌っていました。

モーセは歌い終わると、ひどい疲れを感じました。モーセは、どうしても約束の地を見たいと思い、神にその時が来たかどうかをたずねました。

神は、答えられました。「その土地を見てもよい。しかし、そこに入ることはできない。ネボ山に登りなさい。そこからカナンの地を見ることができる。」モーセは山の頂上に登ると、ヨルダン川の向こうをながめました。そこには、約束の地が広がっていました。神の約束の地を前にして、モーセの目には涙があふれました。

モーセは、「神さま、ありがとうございました」と言いました。その土地を見ただけで満足でした。

モーセは、やがてイスラエルの人びとのものとなる土地を見つめながら、死をむかえました。死ぬ時まで、力も弱らず、目もかすまず、頭もはっきりしていました。神は、モーセを、山の近くの谷にうめました。モーセは神の友達でした。

モーセはエジプトの王子として、荒れ野の羊飼いとして、そして一国の指導者として、長く、活気に満ちた人生を送りました。モーセは神と直接、話をしました。モーセは神が、神の民をエジプトから助け出し約束の地に連れて行くために信じられないような奇跡を行われるのを見ました。私たちが受けたお恵みを考え、神の誠実さと愛に感謝しましょう。

歴代上 16:8-9、詩編 106:1-2、イザヤ 63:7-14、ローマ 11:22

秘密の密偵

ヨシュア記 2:1～3

もしあなたが密偵であったなら、他人の注意をひきたくありません。目立たないためには、周りの人と同じような姿で、同じように話さなければなりません。外国人は話し方や姿ですぐに見つかります。どんな外国人でも嫌いな人がいます。神は、私たちに外国人を公正に扱ってほしいと思っておられます。神は、私たちと同じように外国人も造られたのです。

出エジプト 23:9、レビ 19:33-34、申命 10:17-19、詩編 146:9

モーセが死ぬと、ヨシュアが神の民の指導者になりました。ヨルダン川の岸辺に宿営を張ると、ヨシュアは、特にすぐれた人を二人、ひそかに呼びました。二人は勇敢で、賢い兵士でした。「おまえたちに秘密の任務を頼みたい」と、ヨシュアは言いました。

二人は興味を示しました。

「川の向こうにあるエリコを調べてほしい。エリコの町に忍び込んで、強い国かどうか、調べてほしい。人びとは戦う用意があるか、兵隊は何人ぐらいいるか、どんな武器を持っているか、武器は銅でできているのか、それとも鉄か、このようなことがわかったら、戻ってから教えてくれ。ヨルダン川を渡って、エリコを攻撃する。」

二人はうなずきました。その日の午後、密偵たちは町に忍び込みました。町は大きな厚い城壁で囲まれていました。夜になると町の門が閉められ、番兵が城壁の上で見張りをしていました。

二人が一団の兵士たちとすれちがったとき、そのうちの一人が振り返って叫びました。「おい、あの見なれない二人はだれだ？」

「イスラエル人みたいだぞ。」

「待て、密偵だ！　その二人は密偵だぞ、つかまえろ！」

たくさんの兵士が追いかけてきました。二人は、曲がりくねった細い道を走り、隠れる場所を探しました。

「ここに入りなさい」と、だれかがささやきました。二人が見上げると、上のほうの窓から女の人がのぞいているのが見えました。「そこよ！」女の人は、窓の下の扉を指さしました。ヨシュアの密偵たちは、その扉を開けてかけ込みました。

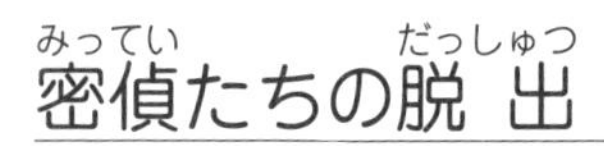

密偵たちの脱出

ヨシュア記2：3～14

二人のイスラエル人は、あたりを見回しました。女の人が一人、部屋の反対側に立っていました。「かくまってあげましょう。わたしについていらっしゃい。」

エリコの女の人は、二人をその家の屋根の上に連れていき、隠れる場所を教えました。二人は、暗くなるのを待ちました。

エリコの王は、密偵のことを聞くと兵士たちに町じゅうを探すように命じました。兵士たちは、すぐに、二人が隠れている家にもやって来ました。

兵士たちにたずねられると、女の人は、「はい、たしかにここに来ました。でも、もう逃げました。急げば、まだ追いつけるかもしれませんよ」と答えました。

兵士たちは、急いでその家を出ると夜に備えて門が閉められる直前に、町の外へ出ていきました。これで、どんなことがあっても、朝まで町には戻ってくることはできません。

「急いで！」と、女の人はイスラエル人たちに言いました。「番兵たちがいない間に、急いで逃げてください！」

二人は、隠(かく)れていた場所から出てきました。「あなたたちイスラエル人のことは、よく知っています」と、女の人は言いました。「神は、あなたたちの味方で、あなたたちが何をしても祝福(しゅくふく)されます。エリコの人びとは、あなたたちとの戦争を恐(おそ)れています。」

「もしわたしが、あなたたちが逃(に)げるのを助けてあげたら、エリコを占領(せんりょう)するとき、わたしを助けてくれますか？」

「わたしたちの命にかけて！」と、二人は答えました。「わたしたちがここから逃(に)げ出すのを手伝ってくれたら、あなたを助けましょう。」女の人はうなずき、それから、二人を別の階段(かいだん)に連れていきました。

ラハブは、外国人を怖(こわ)がりませんでした。ラハブは密偵(みってい)たちが兵士たちに捕(つか)まらないようにかくまいました。ラハブは神を信じ、神の民が戦いに勝つということがわかっていました。ラハブは神の民の一人になり、ダビデ王とイエスの家系図(かけいず)に出ています。神は、神の民を助ける人々を祝福します。

マタイ 1:5、ヘブライ 11:31、ヤコブ 2:25-26

赤い綱

ヨシュア記 2 : 3〜14

密偵たちが細い階段を上がると、小さな部屋がありました。「ここから逃げてください。」女の人は、小さな窓を指さしました。この家の壁は、町を囲む城壁の一部だったのです。女の人は、二人に綱をわたしました。「ここから降りれば、町の外に出られます。丘に登って、三日間、隠れていてください。」

二人の密偵は綱を受け取り、その一人が女の人にたずねました。「あなたの名前は、何と言うのですか？」

「わたしは、ラハブと言います。」

「ラハブ、イスラエル人の攻撃が始まったら、この赤い綱を窓にしばりつけなさい。わたしたちがエリコを攻めるとき、この家の人を守ります。」

すると、もう一人のほうが言いました。「けれど、もしあなたが番兵に言いつけて、わたしたちがつかまったら、イスラエルの軍隊はあなたを助けはしません。」

ラハブはうなずきました。二人は窓を開け、赤い綱を柱にしばりつけました。そして、ゆっくりと、家の壁を伝って降りました、そして地面に降り立つと、やみの中に消えていきました。ラハブは綱を引き上げました。この赤い綱が安全を約束するものとなる、と彼女は知っていました。もし神が、イスラエル人がエリコを占領することを望まれるのなら、もちろん彼らはエリコを占領するでしょう。
イスラエル人がエリコを占領することを望まれるのなら、

エジプトで、イスラエル人たちは神への信頼の印として扉の柱に塗られた子羊の血によって死から救われました。ラハブは神を信じていることを示すために、赤い綱を窓から垂らすように言われました。これもまた、神を信じていれば、私たちを救ってくださる神の子羊、イエスの血の絵なのです。

ヨハネ 1:29、ローマ 3:23-25a、5:9-10、ヘブライ 9:12

約束の地のはしで

ヨシュア記 2 : 23〜3 : 13

イスラエルの二人の密偵たちは、三日の間、隠れていました。危険がないとわかると、宿営に走り戻り、ヨシュアに報告しました。

「信じられないことですが……」と、二人は言いました。「わたしたちを助けてくれた人によれば、エリコの人びとはわたしたちのことを恐れています。町は、わたしたちのものも同然です。」

それから、三人は頭を深く下げて、神が助けてくださっていることに、感謝の祈りをささげました。祈り終わると、ヨシュアは、二人を見て言いました。

「二、三日のうちに、エリコを攻撃しよう。しかし、今日こそが、わたしたちが長い間待ち望んでいた日だ。」はじめ、二人は、ヨシュアが何を言いたいのかわかりませんでした。ヨシュアは、ひげの生えた顔に、大きな笑みを浮かべていました。「今日、この日、主はわたしたちを約束の地へ連れて行ってくださる。」二人はやっと意味がわかって、他の指導者のところへ走って行きました。この知らせは、すぐに、みんなに伝わりました。「今日こそ、その日だ。」

人びとは、たいへん興奮していました。この日を、ずっと待ち望んでいたのです。四十年の放浪の日々は終わったのです。

ついに彼らは約束の地に入る用意ができました。新しい世代は神を信じ、神に従う決心をしていました。困難もあるでしょう。でも彼らは神が勝利を与えてくださることを知っていました。私たちが人生で困難にぶつかったとき、それを乗り越えるために、神は、間違いなく助けてくださいます。

民数 26:64-65、申命 31:7-8、ヨシュア 1:5

ヨルダン川を越えて

ヨシュア記 3 : 14～4 : 24

ヨシュアは、祭司たちに、神の十戒の入った箱をかついで、川の向こう岸に渡るように命じました。祭司たちの足が水にふれると、波がひいて、水は大きな壁を作りました。祭司たちの前には、かわいた道が広がりました。

祭司たちは、川の中央まで進みました。ひとしずくの水も、祭司たちをぬらすことはありませんでした。ヨシュアは、人びとに、あとに続くように言いました。その日、すべての人、ラクダ、そしてロバも、牛も、馬も、みな、ヨルダン川を渡りました。人びとは、十戒の箱をかついだ祭司たちの横を通り過ぎて、前へ進みました。

イスラエルの人びとが祭司たちを通り過ぎるのに、まる一日かかりました。川の向こう岸には、イスラエルの民の新しい土地がありました。みんなが川を渡り終わると、丘の上で見下ろしていたヨシュアは、神が祖先アブラハムに約束されたことを思い出しました。

「わたしは、おまえの民を偉大なものとする。おまえの民の数は空の星よりも多くなり、このカナンの土地はおまえのものとなるだろう。」

ヨシュアは、祭司たちに、岸に上がるように言いました。みんなが無事に渡り終わるとすぐに、神は川をもとに戻しました。五百年近くもたってから、アブラハムの子孫は約束の地に戻って来たのでした。

四十年前、神は紅海に道を造られました。今回は、神はヨルダン川に道を造られました。紅海では、神は、強い風を送り、海を分けられました。今回は、祭司たちは何かが起こる前に水の中に足を踏み入れなければなりませんでした。何も神を邪魔することはできません。神は、私たちができないことをなさる専門家です。

ヨブ 5:9、詩編 72:18、エレミヤ 32:27、ルカ 1:37

ラッパによる勝利

ヨシュア記 5 : 13〜6 : 27

ヨシュアは、近いうちにエリコを攻撃しなければならないと思い、神に助けを求めて祈りました。すると、神は不思議な計画を教えました。

ヨシュアは、隊長たちに言いました。「行列をする。」

だれも、そんな戦いをしたことはありませんでした。行列は戦争ではありません。しかし、人びとは、ヨシュアが神の計画を話すのに耳をかたむけました。

「やってみよう」と、人びとは言いました。「神の言われるとおりにしてみよう。」

次の日、兵士たちが並びました。それはまさに行列のように見えました。十戒の箱をかついだ祭司たちが、先頭に立ちました。それにヨシュアが続き、そのあとに兵士たちが続きました。

エリコの町の人びとは、イスラエルの兵士が来るのを見ると、こわがって震えました。「これはたいへんな戦いになる。向こうには神がついているのだから、わたしたちはみな、死んでしまうだろう」と、なげきました。

ところが、イスラエル人は、エリコの町の人びとを驚かせました。攻撃しなかったのです。そのかわりに、列になって、町の周りを歩きました。町を囲む城壁の周りを行進したのです。ヨシュアは、兵士たちに、静かにするように言いました。叫び声も、歓声も聞こえず、ただ、何百人もの兵士が静かに行進し、七人の祭司が吹くラッパの音が響き渡るばかりでした。

イスラエルの軍隊は、エリコの周りを行進しました。それから宿営に戻り、休みました。

次の日も、また同じようにしました。こうして、
日の間、イスラエルの軍隊は、エリコの周りを行
しました。その間、ラッパの音のほかには、音
立てませんでした。

七日目のことです。ヨシュアは軍隊に、エリコ
町の周りを七回歩くように言いました。七回回り
わって、ラッパが鳴ると、兵隊たちは「ワーッ!」
いう叫び声を上げました。みんな、できるかぎり
きな声で叫びました。

兵隊たちが叫ぶと、「ガラガラ、ガッチャン」
いう音を立てて、エリコの城壁がくずれ落ちまし
神は、また奇跡を起こされたのです。イスラエル
たちは、エリコの町になだれこみました。

その日、エリコでは、一家族だけが生き残りまし
た。それは、ラハブという女の人と、その家族でし
た。

ラッパを武器として使うというのはヨシュアの思いつきではありませんでした。けれど、ヨシュアは主の軍隊の指揮官に会っていました。戦いの本当の責任者です。ヨシュアはただ命令に従っただけです。私たちの生活で難しいことが起きたとき、神にどうしたらよいか尋ねましょう。そして神のやり方で行いましょう。

二サムエル *5:22-25*、歴代下 *20:12-17*、エフェソ *6:10-18*

ヤシの木の下の賢い女の人

士師記 4 : 1〜16

多くの年月が過ぎ、イスラエルの人びとは、モーセと神に対する約束を忘れてしまいました。ほかの神をおがんだのです。それで神は、イスラエルの敵のヤビン王とその将軍のシセラに、イスラエルを征服させました。

そのころ神は、イスラエルに、裁判官としてデボラという女の人を遣わしていました。デボラは、神の恵みによって、たいへん賢く、また、神をとても愛していました。デボラはいつも、人びとに、神の言われることを聞き、神に従うように、と言っていました。しかし、人びとは笑うだけでした。

デボラは、裁判官として、人びとの悩みを聞きました。裁判を開くときには大きなヤシの木の下に座りました。人びとは列を作り、順番を待ちました。

ある日デボラは、イスラエル人の軍人、バラクを呼び出しました。「バラク、兵を一万人連れて、タボル山に向かいなさい。シセラ将軍は、そのことを聞いたら、戦車や兵隊を率いてくるでしょう。そこで、川のそばで戦って、シセラたちを打ち負かすのです。」

「デボラ、あなたがそう言われるのでしたら、そのようにしましょう。でも、あなたも来てくださらなければ、わたしたちは行きません。」

デボラは、ほほえみました。「あなたは、神さまより、わたしを信じるのですか？　いいでしょう。でも、あなたが神さまを信頼しなかったから、神さまはあなたではなく、一人の女の人に勝利を与えるでしょう。」

戦いの日が来ると、バラクは兵を連れて進軍しました。デボラは、山の上で、手を上げて祈りました。神は、シセラの軍隊を混乱させました。気がついたときには、バラクは、もう、シセラの兵隊たを山のほうに追い払っていました。勝利は、イスラエルのものでした！

> バラクが怖がっていたので、神は、デボラにバラクを励ますように伝えられました。バラクは神が求められたことを喜んでするつもりでしたが、デボラにも来てほしいと思いました。それは弱さのしるしではありませんでした。デボラは神の預言者でしたからバラクに助言を与えることができたのです。他の信者と仲間になり、互いに支え合い、励まし合うことは良いことです。
> *サムエル上 23:16、使徒言行録 15:32、ヘブライ 3:13、10:25*

シセラを殺すのはだれか

士師記 4 : 17〜22、5 : 1〜31

戦いに敗れたことを知ると、シセラ将軍は逃げ出し、隠れる場所を探しました。ヤビン王の友人の家を見つけると、「ここの人たちなら、わたしをかくまってくれるだろう」と思いました。

すぐに女の人が出てきて、シセラを迎えました。ヤエルという人でした。ヤエルは「どうぞお入りください」と言いましたが、ほんとうはシセラ将軍と彼の兵隊たちをたいへんきらっていました。ヤエルはシセラにミルクを与え、毛布をかけてやりました。疲れていたシセラ将軍は、ぐっすり眠ってしまいました。するとヤエルは、テントの釘と槌を手に持って、そっと忍び寄り、シセラ将軍を殺してしまいました。

そして、シセラ将軍を探していたバラクがやって来ると、ヤエルは、シセラを殺したことを話しました。

バラクは、ヤエルをデボラとイスラエルの軍隊のところに連れていきました。イスラエルの人びとは歓声をあげました。「シセラを殺したのはだれだ？」

バラクは、集まった人びとがよく見えるように、ヤエルの手を高く上げました。「このヤエルが、シセラを殺した。」

イスラエルの民はみな、ヤエルをたたえました。しかし、デボラとバラクは、神のおかげで勝てたのだと、みんなに言いました。そして、神の勝利をたたえる歌を歌いました。

神は、シセラの兵士たちに大混乱を起こさせました。それで、バラクの軍隊が彼らを打ち負かすのは簡単でした。シセラは逃げてヤエルのテントに隠れました。ヤエルはイスラエル人ではありませんでしたが、彼女の名前の意味は「主は神である」です。ヤエルは神を信じていました。そして神の民を助けたいと思っていました。神は、そばにいるだれのことでも活用できます。神は、あなたと私のことさえ活用できるのです。

エステル 4:16、ヨハネ 6:9、使徒言行録 9:36、一テモテ 6:17-19

ギデオンの仕事

士師記 6 : 1〜40

しばらくすると、イスラエルの民は、また神との約束を忘れ、ほかのいろいろな神をおがみました。それで神は、ご自分の民を強くすることができませんでした。とうとう、イスラエル人は、ミディアン人という恐ろしい人びとに征服されてしまいました。

神は、イスラエルの民を救うためにギデオンという人を選びました。神は天使を遣わして、ギデオンに、ほかの神の祭壇と像を壊すよう命じました。

ギデオンは、そんなことをしたら村の他の人びとに殺される、と思いました。でも、神の命令なので、従うことにしました。

ギデオンは、召し使いを十人連れて山に登り、ほかの神が祭られている場所に行くと、石の祭壇と像を壊しました。

それから、静かに、新しい祭壇を作り、雄牛を一頭殺して、それを祭壇の上で神にささげると、みんなで、「神よ、どうぞ、わたしたちをお守りください」と祈りました。

次の日の朝、村の人びとが壊された祭壇を見つけ、「だれが壊したんだ。犯人を殺してしまえ！」と言いました。

けれど、ギデオンの父、ヨアシュが、「あなたたちの神がほんとうの神なら、犯人は罰を受けるはずだ。神に任せておきなさい」と言ったので、ギデオンは助かり、神の祭壇は無事でした。

やがて、ふたたびミディアン人が攻撃を始めようとしていました。ギデオンは、神にたずねました。「神よ、もしほんとうにイスラエル人を助けてくださるのなら、どうぞ、わたしにそのことを示してください。今夜、この羊の毛を地面に置いておきます。もし、毛だけが露にぬれ、その周りの地面がかわいていたら、わたしは戦います。」

次の日の朝、羊の毛はぬれていましたが、地面はかわいていました。ギデオンは、それでもまた確かめたくて、神にお願いしました。「神よ、お許しください。もう一度、試させてください。今夜、地面を露でぬらし、羊の毛をかわいたままにしてくださいますか？」

すると、また、そのとおりになりました。こうしてギデオンは、神が望んでおられるという確信が持てました。

神は、あなたを選んでだれかを助けさせるかもしれません。神は、あなたに何をしたらよいか伝えるために、天使は遣わされないかもしれませんが、何かの方法であなたに示されるでしょう。あなたも、ギデオンやバラクのように力が足りない、とか恐ろしい、と感じるかもしれません。実際、神が頼まれる人のほとんどが最初は怖がります。けれど、神は、神を信じ、神に従う人はだれでも活用できるのです。

出エジプト 4:10-12、ヨシュア 1:1-2、エレミヤ 1:4-8、エゼキエル 2:3-7

戦いに勝つのに、多くはいらない

師記 7：1〜8

多くの人が、ギデオンに従いました。みんな、ミィアン人と戦いたかったのです。それでギデオン、人びとを川岸に連れていきました。向こう岸に、ミディアン人の軍隊がいました。

神は言われました。「ギデオンよ、兵隊が多すぎ。民は、勝ったらうぬぼれ、自分たちの力で勝っと思うだろう。わたしは、人びとに、わたしを信、わたしに頼ることを教えたいのだ。少しでも恐ている者は、家に帰しなさい。」ギデオンはそのうにし、半分ぐらいの人びとが家に帰りました。

「まだ多すぎる」と、神は言われました。「この人とを川に連れていきなさい。そして、ひざをつき、かがんで水を飲む者は、家に帰らせなさい。手で水をすくって飲む者は、戦いに連れていきなさい。」

そうすると、ほとんどの人が、ひざをついて水を飲みました。ギデオンは、その人たちに、「あなたちは、家に帰りなさい」と言いました。

人びとが去ったあと、ギデオンは、残りの人数を数えました。300 人しかいませんでした。ギデオンは、「神が、わたしたちのために戦ってくださる」と言いました。

神は、神の民に、神を信じ、神を頼ることを教えたいと思いました。軍隊が小さければ小さいほど奇跡は大きいものとなるでしょう。私たちは必要なものがあるときは神に助けを求めません。けれど、私たちが弱い時は神に助けを求めます。神は、私たちの弱さを神に栄光が集まる良い機会となさるのです。

箴言 29:23、歴代下 12:9、ヤコブ 4:6、一ペトロ 5:5

夜に耳を傾ける

士師記 7:9〜15

その夜、神はギデオンに、川を渡ってミディアン人のようすを探るようにと命じました。夜のやみの中を、ギデオンは召し使いを連れて、ミディアン人の陣営に近づきました。何千人ものミディアン人がいました。

神は言われました。「ミディアン人のところに行ったら、戦いに勝つために役に立つことが聞けるだろう。」

ギデオンが一つのテントに近づくと、中から話し声が聞こえました。

ミディアン人の兵士が、もう一人に「不思議な夢を見た。パンが一塊、こちらの陣営に転がり落ちてきて、テントをひっくり返した」と言いました。

するともう一人が、「それがどんな意味か、わたしにはわかる」と言いました。「それは、ギデオンとイスラエルの軍隊のことだ。明日、彼らは、わたしたちの軍隊を打ち破るだろう。ただ一人のほんとうの神が、あっちを指揮しているからな。」

ギデオンは、こう思いました。「ミディアン人さえ、わたしを恐れている。神がわたしたちの味方だということを、あの人たちも知っているのだ。」

ギデオンが聞いたことは、神の力に対する彼の信頼を強くし恐れを消しました。私たちが見たり聞いたりすることは私たちの考えの中で何回も何回も繰り返されます。ですから、私たちが何を見て、何を聞くかを選ぶのは大変重要です。真実で汚れのない、正しく、褒めるに値するものを選ぶようにしましょう。

エフェソ 6:13、フィリピ 4:6-8、一ヨハネ 5:

ラッパとたいまつ

士師記 7:15〜8:21

ギデオンは、「敵の兵士たちがわたしたちのこをこれほど恐れているのなら、もう勝ったも同じだと思いました。ギデオンは、神に感謝しました。

ギデオンは、急いでイスラエルの陣営に戻り、士たちを起こして、聞いてきたことを話しました。「う、ほとんど勝ったようなものだ。今、攻撃をして相手を驚かせればいいのだ。大きな音を出せに向こうは、わたしたちが三百人以上いると思うだろう。おまえたちは、今夜、神がどれほど偉大かを見ることになる。」兵士たちは、槍を振りかざし、声を上げました。

「そうだ！　その調子だ。わたしが合図をしたら、きるだけ大きな歓声を上げてくれ。『神とギデオンために！』と叫ぶのだ。そうすれば、敵はこわがはずだ。」

ギデオンは、兵士たちを三つの小隊に分け、敵陣営を囲ませました。たいへん静かに行動したで、ラクダさえも気がつきませんでした。

ギデオンは、突然、合図をしました。兵士たち、ラッパを吹き、叫び声をあげ明かりにかぶせてった水がめを打ちくだき、恐ろしい音を立てまし。ミディアン人たちは、大軍がおそってきたと思、びっくりして走り出しました。けれども、音があこちでしているので、どちらの方向に逃げたらよのかわかりませんでした。戦いは、ギデオンの勝利に終わりました。

ギデオンと兵士たちは、ミディアン人を、一人残ず追い払いました。

ギデオンは、「今日、神が、わたしたちに勝利をえられた」と、イスラエルの民に言いました。人とはみな、心から神に感謝しました。

ギデオンの兵士たちは、その夜は戦うまでもありませんでした。彼らは、ただ、ラッパを吹き、壺を割り、松明を掲げ、「神のために、ギデオンのために」と叫んだだけです。彼らはラッパを吹き続けながら、主が彼らの敵を打ち負かすのを見ていました。ギデオンのように、私たちも自分の力と能力ではなく、神の助けに頼りましょう。

歴代下 20:12、15、詩編 3:1-6、ゼカリヤ 4:6

ライオンとの戦い

士師記 13：1〜14：7

ずっとあとのことです。神の民は、まだ、にせの神をおがんでいました。今度の敵は、ペリシテ人でした。

そのころ、ある夫婦に、サムソンという名の、特別の息子がいました。

サムソンの両親は、サムソンの髪を一度も切ったことがありませんでした。これは、サムソンが神のものだというしるしでした。両親は、神がサムソンに特別なことを計画しておられることを知っていたのです。

大きくなるにつれて、サムソンは、神の霊の力によって、とびきり強くなりました。神は、サムソンに特別なことを教えるときはいつでも、霊を遣わされました。

サムソンは、一人のペリシテ人の娘を愛していました。サムソンは、この人と結婚したいと思っていました。それで、サムソンと両親は、結婚式の話をするために、娘の村に向かいました。

村へ行くとき、サムソンは両親より遅く行ったですが、野原を横切るとき、聞きなれない音かました。

「なんだろう？」

突然、大きなライオンが走ってきました。大き口を開けて牙を光らせ、「ウオーッ！」と、うなりました。

サムソンは、武器を何も持っていませんでし しかし、神の霊が降りてきて、サムソンに力をあれさせました。ライオンがおそいかかると、サムソはライオンを投げ倒し、殺してしまったのです。

> 悪魔が私たちに何かをさせようとして誘惑するとき、抵抗するのはとても難しいことがあります。聖書の中で、悪魔は私たちを攻撃しようと、吠えるライオンにたとえられます。けれど、私たちが悪魔のたくらみに負けないで済むのは私たちが強いからではなく、イエスがすでに悪魔を打ち負かしておられるからです。
>
> *エフェソ 6.11、ヤコブ 4:7、一ペトロ 5:8-9、一ヨハネ 3:8*

サムソンのなぞなぞ

士師記 *14 : 8〜15 : 20*

結婚式の数日前、サムソンはライオンを倒した場所を通りました。ライオンの死がいには、蜜蜂が群がっていました。サムソンは蜜をなめてみました。たいへんあまい蜜でした。

その夜、サムソンは、婚約者の村の男の人たち三十人と話をしているとき、「難しい《なぞなぞ》があります。解けるかどうか、わたしとかけをしませんか？」と言いました。

「かけるとも！」「よし、やろう！」と、男の人たちは言いました。サムソンは、布三十枚と着物三十着をかけました。それから、結婚式の八日後までに答えなければいけないことにしました。

サムソンは、「なぞは、こうです。食べるものから食べ物が出た。強いものからあまいものが出た。」

だれも答えられませんでした。結婚式が終わり、宴会も四日目になりました。三十人のペリシテ人は、まだ、なぞの答えがわかりませんでした。それで、サムソンの妻に言いました。「サムソンから答えを聞き出せ。そうしないと、おまえの父親の家に火をつける。そして、おまえも父親も殺してしまうぞ。」

サムソンの妻はこわくなり、サムソンに答えを教えるように頼みました。毎日、繰り返し頼み、泣いたり、哀れな声を出したりしました。とうとう、サムソンも負けて、妻に答えを教えました。そこで妻は、ペリシテ人に答えを教えました。

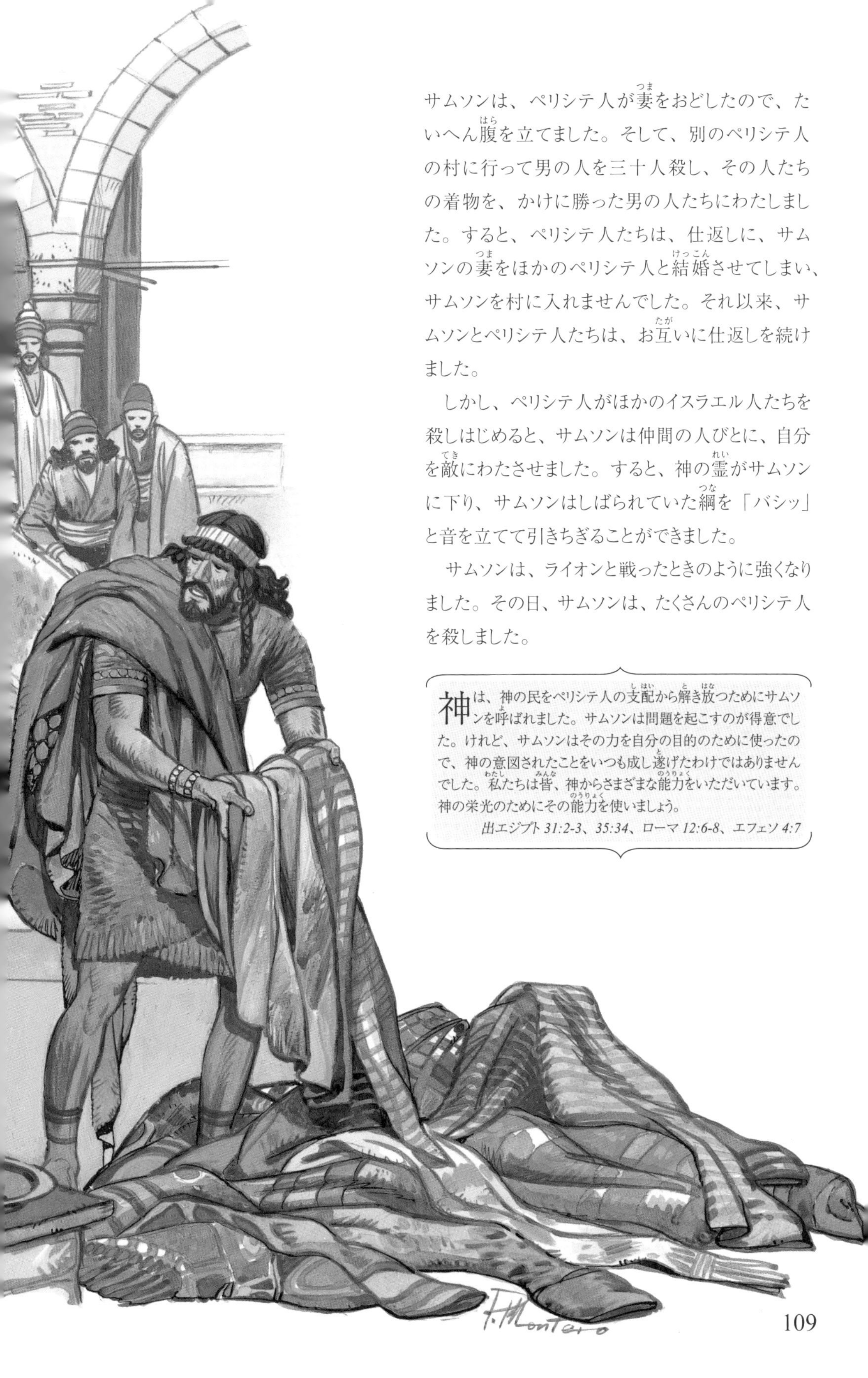

サムソンは、ペリシテ人が妻をおどしたので、たいへん腹を立てました。そして、別のペリシテ人の村に行って男の人を三十人殺し、その人たちの着物を、かけに勝った男の人たちにわたしました。すると、ペリシテ人たちは、仕返しに、サムソンの妻をほかのペリシテ人と結婚させてしまい、サムソンを村に入れませんでした。それ以来、サムソンとペリシテ人たちは、お互いに仕返しを続けました。

しかし、ペリシテ人がほかのイスラエル人たちを殺しはじめると、サムソンは仲間の人びとに、自分を敵にわたさせました。すると、神の霊がサムソンに下り、サムソンはしばられていた綱を「バシッ」と音を立てて引きちぎることができました。

サムソンは、ライオンと戦ったときのように強くなりました。その日、サムソンは、たくさんのペリシテ人を殺しました。

神は、神の民をペリシテ人の支配から解き放つためにサムソンを呼ばれました。サムソンは問題を起こすのが得意でした。けれど、サムソンはその力を自分の目的のために使ったので、神の意図されたことをいつも成し遂げたわけではありませんでした。私たちは皆、神からさまざまな能力をいただいています。神の栄光のためにその能力を使いましょう。

出エジプト 31:2-3、35:34、ローマ 12:6-8、エフェソ 4:7

サムソンとデリラ

士師記 16：1〜20

それから二十年の間、サムソンの敵は、サムソンに手を出しませんでした。サムソンはイスラエルの裁判官になり、神の法に従うようにと、人びとを導きました。その間ずっと、神の霊はサムソンを強くしてくれました。サムソンの筋肉は有名でした。神の助けによって、サムソンは何でもできました。

ペリシテ人は、まだ、サムソンをつかまえたいと思っていました。ある日、サムソンは、また一人の女の人を好きになりました。その人はデリラといい、悪い人でした。デリラは、ペリシテ人と取り引きをしました。サムソンをだまして敵にわたし、その代わり、たくさんの銀貨をもらう約束をしました。

デリラは、繰り返し、サムソンにたずねました。「どうして、そんなに強いの？　何なの、あなたの秘密は？」

サムソンは、しつこく聞かれるのがいやでした最初の妻を失ったときのことを思い出すからです「おねがい、おねがいよ。サムソン、秘密を教えて！」デリラは、あきらめませんでした。どうしても銀貨がほしかったのです。

とうとう、サムソンはがまんできなくなりました。「わかったよ。もう、うんざりだ！　わたしの力の秘密は神さまだ。わたしが髪を切らないかぎり、神さまは、わたしを強くしてくださる。」

その夜、デリラは、ペリシテ人たちを呼び出しました。デリラは、サムソンをひざの上で寝かしつけ、ペリシテ人たちが入ってきても目を覚まさないように気をつけました。一人の男の人がサムソンの髪を切り、サムソンが目を覚ましたときは、もう手遅れでした。サムソンは弱くなっていて、ペリシテ人と戦うことができませんでした。サムソンは囚人としてとらえられ、デリラは銀貨をもらいました。

娘たちは、美しくなりたいと思っています。男の子たちは、美しい娘を見たがります。しかし、美しい人でも内面は醜いことがあります。同じように、外観があまり美しくない人でも内面が美しいことがあります。人々は見た目を大事にすることが多いです。神の目に重要なのは内面です。神は、あなたと私の内面に何を見ておられるでしょう?

サムエル上 16:7、マタイ 9:4、12:35-37、一ペトロ 3:3-4

いちばん強い者の勝利

士師記 16 : 21～31

ペリシテ人たちは、大喜びで、サムソンを連れていきました。二十年たって、やっとサムソンをとらえることができたのです。「髪の毛さえ切ればよかったなんて！　今では、おまえは赤ちゃんのようなものだ。」

ペリシテ人は、たいへんひどい人たちでした。サムソンの目をくり抜き、目を見えなくして、牢にほうり込みました。

あわれなサムソン！　逃げることはできませんでした。しばらくすると、また髪がのび始めました。少しずつ、神が力を戻してくれているのを感じました。サムソンは、いつかペリシテ人に仕返しできるようにと、神に祈りました。

「神よ、どうかわたしに、もとの力を戻してください」と叫びました。

月日が流れるにつれて、サムソンは強くなりました。ある日、ペリシテ人は、大きな広間で宴会を開いていました。

そこには、三千人以上の人がいました。

「サムソンも連れてこよう！」と、だれかが言いました。

「そうだ、そして笑ってやろう。」

牢番が、サムソンを連れてきました。広間に入るとき、人びとがサムソンをばかにして笑っているのが聞こえました。

サムソンは、手をひいている子どもに、広間の中央の柱に触らせてくれるように頼みました。それらの柱は、この大きな建物を支えていました。

サムソンは、指の先でザラザラした石に触れると、叫びました。「全能の神よ、どうか、わたしに力を戻してください。一度だけでよいのです。ペリシテ人をこらしめさせてください。あなたの民を自由にするために、力を貸してください！」

神はサムソンの頼みを聞き入れ、聖霊がサムソンを力で満たしました。サムソンは力いっぱい、柱を押しました。すると、突然、ものすごい音を立てて石がくずれ落ちました。

「ペリシテ人といっしょに死なせてください！」サムソンはこう叫んで、力いっぱい柱を押し曲げました。ついに、建物はくずれ落ちてしまいました。

サムソンは不注意になり、神から与えられた特別の贈り物、あの特別な強い力を失いました。それで、サムソンは神を失望させたと感じました。神は、彼を許してくださるでしょうか？私たちも、時として神を失望させたと感じるかもしれません。神は、お願いすれば許してくださいます。それでも、責任はとらなければならないでしょう。

民数 14:18、出エジプト 34:7、詩編 65:3、一ヨハネ 1:9

苦しいとき

ルツ記 1 : 1〜13

あるとき、ナオミという女の人がいました。喜んで神にお祈りをする、数少ない人の一人でした。ナオミは結婚して、家を出ました。それから息子が二人生まれ、ナオミは二人をとても愛しました。しばらくすると、夫が死にました。

ナオミは息子を育てるとき、神のことを教えました。息子たちは成長して、結婚しました。相手はモアブの部族の娘でした。この人びとは、長いことイスラエルの敵でした。でも、ナオミは、そんなことは気にしていないようでした。二人の嫁を、まるで本当の娘のようにかわいがりました。

今度は、息子たちが死にました。ナオミと、二人の嫁が残されました。これは三人の女の人にとっては、たいへん悲しいことでした。二人の嫁の名は、オルパとルツでした。二人は、ナオミといっしょに暮らし、できることは何でもして、助け合いました。けれども、食べ物があまりありませんでした。三人の女の人たちは、十分な食べ物を見つけることができなかったのでした。

「娘たち」と、ナオミは言いました。「わたしの育った国には、食べ物がたくさんあると聞いています。でも、とても遠いところです。わたしの家族は、イスラエルの部族のものです。わたしは今からそこに行きますが、あなたたちは両親の家に帰ったほうがよいでしょう。あなたたちを、ご両親が守ってくださるでしょう。それに、また良い結婚ができるかもしれないから。」二人の若い女の人たちは言いました。「いいえ、わたしたちは、あなたといっしょにいたいのです。」でも、ナオミは首を振りました。「そんなことをして、どうするのです? わたしは、新しい夫を見つけるには、年をとりすぎています。ばかなことを言ってはいけません。家に帰りなさい。」ナオミは、二人の義理の娘たちを愛していました。二人にいっしょにいてほしいとも思いましたが、二人にとっていちばん良いことを望んでいました。

難民となり、家や友人そして国から去ることは大変つらいことです。家族を失うことはもっとつらいです。長年の異国での逃避生活から故郷に戻ることは難しい課題です。いろいろなことが変わっています。あなたも変わっています。けれど神は、変わっていません。神の誠実さはいつまでも同じです。

歴代上 16:34-35、詩編 9:9-10、46:1、89:1-2

誠実な嫁

ルツ記 1 : 14〜22

オルパは、ナオミに「あなたのおっしゃるとおりにします。両親の家に帰ります」と言いました。二人は、抱き合って泣きました。もう二度と会うことはないとわかっていました。オルパは、荷物をまとめて、家を出ていきました。

けれども、ルツは出ていこうとしません。ナオミの肩に手を置き、どんなことがあっても自分は残る、と言いました。ナオミは、本心では、ルツが残りたいと言ってくれたことを喜びました。だれも助けてくれる人がなければ、物乞いをするよりほかないことがわかっていました。

それでも、ルツにとっていちばんよいことを望んで
たので、「あなたも行かなければいけません」と
いました。
ルツは、ナオミに頼みました。「いいえ、今では、
なたはわたしのお母さんです。いっしょに行かせ
ください。あなたの行く所には、どこにでも行きま
。あなたの国の民はわたしの民ですし、あなた
神はわたしの神です。」ルツは、ただ一人の、ほ
とうの神のことを知っていました。夫から神のこと
教わり、神を信じていました。「お願いです。わ
しは、あなたのそばにいたいのです。神が守っ
くださいます。」

とうとうナオミも承知し、二人の女の人はベツレヘムに向けて出発しました。ナオミは、そこで大きくなったのでした。ベツレヘムに着くと、年をとった人びとはみな、ナオミのことを覚えていました。「ほんとうに、あなたなのですか?」と、みんながたずねました。

「ナオミ、帰ってきたのですね。あなたに会えて、ほんとうにうれしい。」

昔からの友達が、ナオミを抱きしめ、まわりに知らせました。「ナオミが帰ってきた。お嫁さんを連れてきた。」

だれでも友達が欲しいです。でもだれでもが友達というわけではありません。ほんとうの友達はあなたが困っている時、あなたのそばにいてくれる人です。だれかがあなたを必要とするとき、その人のそばにいてあげれば、あなたは、その人の本当の友達です。イエスはいつまでもあなたの友達でいたいと思っておられます。イエスは、だれもが望む最高の友人です。

箴言 *18:24、27:10*、マタイ *11:19*、ヨハネ *15:13*

働くルツ

ルツ記 2 : 1〜22

ナオミは、家に戻れたことを喜びました。でもルツもナオミも、食べていくためには働かなければなりません。次の日の朝、ルツがナオミに言いました。「食べ物がもう何もありません。仕事を探すときが来ました。大麦の刈り入れが始まっています。畑に行って、大麦が残っていないか見てきましょう。見つけたものは何でも、家に持ってきます。」

ナオミはうなずきました。「娘よ、行っておいで。」そして、ルツが麦を見つけることができるよう祈りました。

ルツにとって、まったく知らない国で一人で仕事を探すのは、たいへんなことでした。ルツが、ほんとうに神を信頼していたことが、よくわかります。

ルツは、お金持ちのボアズという人の畑に行きました。ボアズは、ナオミの親せきでした。ボアズはルツを見ると、そばに来るように呼びました。

「お願いです。あなたの召し使いが残した落ち穂を拾わせていただけないでしょうか?」と、ルツは言いました。

ボアズは「もちろん、もちろん。あなたがご主人のお母さんにどんなに尽くしたか、よく聞いています。わたしにできることは何でもしましょう」と言い、召し使いに、食べ物を分けてあげるように命じました。

その日、ルツはよく働き、かごにいっぱい麦を集めした。ナオミとルツには十分すぎるほどの分量でた。夕方、ルツは、昼食の残りといっしょに、かを家に持ち帰りました。

ナオミは、びっくりして言いました。「ルツ、いっいどこで、そんなにたくさん食べ物を見つけた?」

「とても親切で、良い人に会いました。ボアズとう人で、わたしを助けてくれました。いつでも、あ人の畑に落ち穂拾いに行ってもよいと言ってくれした。」

すると、何か月ぶりかで、初めてナオミがほほえました。「ボアズは親せきです。ボアズに助けらたのは、神がやっと、また私たちにお恵みを与始められた証拠です。」

二人の女の人は、食事をしました。そして、自分たちを見守ってくださった神に感謝しました。また、親切にしてくれたボアズのためにも神のお恵みを祈りました。

穀物の穂を地面から拾い集めるのはつらい仕事です。ルツは大麦とその後の小麦の収穫の季節に、毎日誠実にその仕事をしました。たぶん、何週間もの間、背中が痛かったことでしょう。それだけの価値があったのでしょうか？ ルツは義母を愛していたので働きました。だれかを助けるのは、いつでも価値があります。

詩編 126:5-6、一テモテ 5:3-5、テトス 3:14

王さまのひいおばあさん

ツ記 2 : 23〜4:22

ルツは、大麦の収穫の間、ボアズの畑でせいっぱい働きました。いつも、あまるほどの食べ物持ち帰りました。

収穫が終わるころ、ナオミはルツに言いました。あなたはまだ若くて美しい。ボアズと結婚できないか、試してみたらどうかしら？」ルツが承知する、ナオミはいい考えがあると言いました。

その夜、ナオミは、ルツをボアズのところへ行かせました。ボアズは星空の下で寝ていました。ルツはそっと近づき、ボアズの足もとに横になりました。夜中に目を覚ましたボアズは、驚きました。

「わたしの足もとで寝ているのはだれだ」と、ボアズは暗闇の中で言いました。

「ルツです。わたしをあなたの妻にしてくださらないか、うかがうためにまいりました。あなたはナオミの親せきです。わたしは、結婚しなければならないのです。あなたはいつも、わたしに親切にしてくださいます。」

ボアズは起き上がりました。「あなたはたいへん美しい。どんな男でも、喜んであなたを妻にします。こんなふうにしてわたしに聞きに来てくれるなんて、あなたはほんとうにすばらしい人です。わたしと結婚してください。」

ルツはうなずきました。ボアズはルツに口づけし、二人はほほえみました。ボアズは、「村の指導者たちにわたしたちのことを話し、できるだけ早く結婚しましょう」と言ってルツの手をにぎりしめ、それからルツを家に帰しました。

ルツはナオミに良い知らせを伝え、次の日、二人は友達に知らせました。結婚式では盛大な祝宴が開かれ、ベツレヘムじゅうの人が招かれました。

ボアズとルツは、年月が過ぎるにつれて、より強くお互いを愛するようになりました。神は、二人に男の子を授けられました。ルツとボアズはナオミといっしょに住んでいたので、ナオミは、孫のオベドの世話をすることができました。

オベドは、神を愛し、神の法を守る、りっぱな人になりました。何年ものちのこと、イスラエルの偉大な王ダビデは、オベドの家に生まれました。誠実で親切なルツとボアズは、神から特別に祝福されました。偉大な王のひいおじいさんとひいおばあさんになったのですから。

神は、ナオミとルツの二人を祝福しました。二人の人生はつらく、二人とも別れと悲しみを経験していました。けれど二人とも神を信じ、神は、二人が苦しみを乗り越えられるようになさいました。ルツは神の民の一人になり、ダビデ王とイエスの家系図に載っています。ルツはその誠実さと信仰のためにいつまでも忘れられることはないでしょう。ルツは見習うべき模範です。

ルツ 1:16、マタイ 1:5、ヘブライ 6:12、10:36

子どもの生まれない女の人

サムエル記上 1:1〜5

ルツの息子オベドが生まれてから、ずっとのちのことです。イスラエルの民は、また神のことを忘れました。ほとんどの人が祈りもしなくなっていました。

そのころ、エルカナという人がいましたが、この人には妻が二人いました。一人には子どもがありましたが、もう一人には子どもがありませんでした。子どものない妻の名はハンナといい、髪は真っ黒で長く、黒い目はかがやいていました。エルカナは、ハンナをたいへん愛していました。

月日が過ぎても、ハンナには子どもが生まれません。エルカナは、もう一人の妻のペニナよりハンナを愛していました。ペニナはたくさんの子どもを産んでいましたが、ハンナのように、優しく、よい人ではありませんでした。

ペニナは、エルカナが自分よりハンナを愛しているので、たいへんねたんでいました。いつもハンナをからかい、笑いものにして、一人も子どもが産めないのだから、役に立たない妻だと言いました。

そのころ、エルカナは、神に従おうとしているほんの少しの人の中の一人でした。エルカナは年に一度、家族を全員シロに連れて行きました。シロでは、テントの中に神の十戒が入っている箱が置かれ、祭司がそれを守っていました。

毎年、エルカナは、シロで神を礼拝したあと、家族のために大きな宴会を開きました。ハンナも、ペニナとその子どもたちも、みんな出席しました。

毎年のシロの祭りのとき、エルカナは、ハンナには、ペニナの倍の量の肉をあげました。ハンナに子どもがないのがかわいそうだったからです。エルカナは、そうすれば、ハンナのあの美しい笑顔が見られると思っていたからです。近ごろ、ハンナは、めったに笑顔を見せなくなっていました。

自分を他の人と比べるのは止めましょう。他の人たちより美しくないとか頭が良くないと思うと悲しくなるだけです。逆に他の人より優れていると思えば傲慢になるでしょう。神は、あなたを唯一の人として造りました。あなたと同じ人は他にいません。問題があったら、神とそのことについて話しましょう。神は、何が重要か見つけるのを助けてくださるでしょう。

ヨブ 33:4、詩編 8:4-5、139:13-16、マルコ 10:2

ペニナの意地悪

サムエル記上 1:6〜8

ペニナは、毎年シロの祭りのとき、エルカナがハンナにほかのだれよりもたくさん肉をあげるのを見ていました。そして、毎年、ペニナはかならず、何か意地の悪いことをハンナに言いました。

来る年も来る年も、ペニナは、テーブルをはさんで座っているハンナにささやきました。「まあ、肉をもらわないより、もらったほうがいいでしょうね。でもあなたが特別だということではないのよ。エルカナは、あなたに子どもがないから、かわいそうに思っているだけよ。」

毎年、ペニナの悪口はひどくなっていきました。そして、ある年、ペニナは今までにないほど、ひどくからかいました。「ハンナ、年をとったわね。ごらんなさい、わたしの長男は、もうほとんどおとなよ。あなたには子どもがないわ。美しくなくなったらどうするの。そうなったら、エルカナは、もう余分の肉をくれなくなるわ。あなたにも若い時があったことを示す一人の息子も、あなたにはいないのだもの。」

ハンナはもう、がまんできませんでした。耳をおおうと、泣き出しました。そして、赤ちゃんがどうしてもほしいと思いました。「どうして、わたしには子どもができないの？」と、心の中で叫びました。

エルカナは、最愛の妻が泣いているのを見ました。ペニナが何を言ったか、想像がつきました。「子どもがいないからといって、そんなに悲しむことはないよ。いいじゃないか。気にしてはいけないよ。」

でも、よくはありませんでした。大事なことでした。ハンナは席を立ち去りました。

> 大人はよく他人と比べたがります。お父さんたちはお隣の人より新しい自動車を欲しがります。お母さんたちは友達よりも流行の先を行っていたいと思っています。大人たちは決して終わることのないこの競争に、たくさんの時間とお金を使うことがあります。まるで、死ぬときに一番たくさんおもちゃを持っている人が勝ちだと思っているみたいです。天国に宝物を集めるほうが良いです。
>
> *マタイ 6:19-21、33、ルカ 16:13、ヤコブ 4:1-4*

心からの祈り

サムエル記上 1：9～18

ハンナは、祭司が神にいけにえをささげているントに行きました。どうしたらよいのか、わかりまんでした。ひざまずいて、顔を手で隠しました。が、ほほを伝って流れ落ちました。

ハンナは、静かに祈りました。「神さま、どうしも赤ちゃんがほしいのです。どうかお願いです。し、わたしに子どもを授けてくださるなら、その子あなたにお返しします。ここに連れてきて、あなの祭司に育ててもらいます。その子は、あなた子どもとなります。」

ハンナが祈っている姿を、エリという祭司が見いました。ハンナのくちびるが動くのが見えましが、声は聞こえませんでした。ハンナの目は真っでした。

そのころ、イスラエルでは、エリのテントに行って祈る人はあまりいませんでした。そして、祈りに来人は、声を出して祈りました。ただ、食事をし、酒を飲むという目的で、シロに来る人もいました。祭司は、ハナの赤い目とくちびるが動くのを見て、酒を飲みすぎたのだと思いました。

「そこの人」祭司は呼びかけました。「酔っ払っているのなら、ここに来てはいけない。」

ハンナは、あえぎながら言いました。「いいえ、たしは、祭りのときに酔っ払ってここにころがりこ人とは違います。わたしは、ただ、ただ、悲しのです。」

エリは近くまで来て、ハンナがうそを言っていなとわかると、「安心して行きなさい。あなたに神恵みがありますように」と言って、祝福を与えまし

ハンナは、おじぎをしながら言いました。「ありとうございます。」そして、テントを出るときには、が軽くなっているのを感じました。子どもが生まるかどうかは、神が決められることです。神がどように決められるにしても、エルカナと自分にとっいちばんよいようにしてくださるということが、よくかりました。

祈りは、神と話すことです。ある時はあなたが何か言います。また、ある時は神が何か言われます。心にあることは何でも神に話してよいのです。喜び、または悲しみ、望み、恐れ、あるいは何でもあなたが経験していることを。頭を下げて目を閉じる必要はありません。声を出して話す必要もありません。時によって、祈りはあなたの心からの無言の叫びであることもあります。

マタイ 6:5-15、7:7-11、ローマ 8:26-28、フィリピ 4:6-7

サムエル

サムエル記上 1:19〜25

ハンナは、エルカナといっしょに家に帰りました数か月後、赤ちゃんが生まれることがわかりましたそれはそれは、うれしい日でした。ハンナは、何度も何度も、神にお礼を言いました。

一年近くたって、ハナは美しい男の子を産みました。「神はお聞きになる」という意味の、サムエルと名付けました。「神にお願いしたら、聞き届けてくださったからです」と、ハンナは言いました。

今では、ペニナが悪口を言っても、気になりませんでした。「わたしには、たくさんの子どもがいるわ!」と言われても、平気でした。ハンナは、「ええでも、わたしの子には十人分の価値があるわ」と答えました。

最初の三年間、ハンナはサムエルを自分で育てした。二人で遊び、祈りました、数を教え、歌をい、おどりました。そして、いっしょに笑いました。サムエルが三歳になると、ハンナは、サムエルをリのところへ連れていくときが来たと思いました。ムエルは、神からの贈り物だったのです。ハンは、子どもが生まれるかどうかを神にお任せしまた。今度は、子どもを神にお任せするのです。

サムエルとは「神は、お聞きになる」という意味です。ハナは、やっと子どもを授かり、とても幸せでした。ハナは、神は祈りにお答えになる、とサムエルに教えました。そして、神がサムエルをハナに与えられ、ハナはサムエルが一生神に仕えるように、神にお返しするとお約束してある、とサムエルに話しました。子どもは親のものではありません。子どもは神のものです。あなたも私も神のものです。

詩編 100:4、マタイ 18:1-5、19:13-15

サムエル、エリのもとへ行く

サムエル記上 1:26〜2:11

ハンナはサムエルの手を取り、神が祭られているシロのテントの前に立ちました。老人が出てくると、ハンナは言いました。「わたしのことを覚えておられますか。三年前、あなたに祝福していただいた者です。あのとき、わたしは、神に子どもを授けてくださいと祈っていたのです。ごらんください。神は、わたしの祈りを聞き届けてくださいました。」

サムエルは、自分が特別の子どもであることを知っていました。神の子どもでした。これからは、祭司のエリが世話をしてくれるということも知っていました。不安はありませんでした。どこにいても神が守ってくださる、と母から聞いていたからです。サムエルは、母と神を信頼していました。それに、毎年、家族がシロに来るとき、母に会えるはずです。

サムエルは、もう大きくなっていたので、泣きませんでした。エリの顔を見て、それから母の顔を見ました。サムエルは、母が手を離すのを待っていました。ただ、そのときは泣いてしまうかもしれない、と思っていました。

ハンナはエリに、神との約束のことを話しました。エリはうなずくと、かがんでサムエルに手を差し出しました。サムエルは、年とった祭司エリの優しい目を見て、安心しました。

ハンナにとってサムエルをエリに預けるのは簡単なことではありませんでした。それでもハンナは約束を守りました。それに、神のそばにいることはサムエルにとっても一番良いことでした。ハンナは神がとても良くしてくださったので、神を称える歌を歌いました。神は、ハンナを祝福し、サムエルの他に三人の息子と二人の娘を与えました。神より多くの贈り物を神にすることはできません。

創世記 28:16-17、詩編 84:10、イザヤ 56:7

祭司になるために

サムエル記上 2:18〜3 : 1

サムエルは、祭司のエリと、幸せに暮らしていました。エリは、まるで父親のようでした。これは、エリにとってはよいことでした。エリのほんとうの子どもたちは欲が深く、わがままでした。彼らは神には関心を持っていませんでした。しかし、サムエルは神が好きでした。

毎年、ハンナとエルカナは、サムエルに新しい服を持ってきました。サムエルは、家が恋しくなると、この服を着て、母親のことを思いました。

サムエルは、神殿の中で、エリの手伝いをしました。サムエルの仕事は、ランプの火をつけておくことでした。神へのささげものの種類も覚えました。祈りは、神と話すのと同じことだ、ということも知りました。でも、どうして神の声が自分には聞こえないのか、不思議に思っていました。

サムエルは祭司になろうとはしていませんでした。サムエルは祭司になるレビ族の生まれではありませんでした。神は、サムエルが神の預言者になり、神のお告げを人々に伝えるように、サムエルを呼び出されたのでした。サムエルは、神の聖なるテントでさまざまは仕事を手伝いました。神は、神が私たちをどんな仕事をするために呼び出されたとしても、私たちがいつでもどこでも神に仕える準備ができていることを望んでおられます。

出エジプト 40:1-8、民数 11:29、ヘブライ 9:1-5

サムエル、神の声を聞く

サムエル記上 3：2〜18

ある夜のこと、サムエルが寝ていると、「サムエル！」と呼ぶ声が聞こえました。サムエルは「わたしはここにおります」と答え、エリのところへ走っていきました。「お呼びになりましたか？　何かご用でしょうか？」

老人はベッドの上に座り、ひげをなでながら言いました。「呼びはしないよ。戻って休みなさい。今は夜中だよ。」サムエルは、言われたとおりにしました。

寝るとすぐに、また「サムエル！」と呼ぶ声がしました。サムエルは、「エリ、何でしょうか?」と答えました。「いや、わたしは呼ばなかったよ。」エリはまた言いました。

しばらくすると、三回目の「サムエル！」という声が聞こえました。サムエルは神の声を聞いたことがなかったので、今度もエリに呼ばれたのだと思いました。

サムエルは、またエリのところへ走っていきました。今度は、エリも、サムエルが神の声を聞いたのだろうと思いました。神は長い間、イスラエルの民と話をされませんでした。エリは、サムエルに「おまえを呼んだのは神さまだ。この次は、『はい、主よ、わたしは聞いております』と答えなさい」と教えました。

こうして、神は「わたしは、エリの息子たちの い行いを知っている。これからは、おまえを通し 話をする」と、サムエルに伝えました。

次の朝、サムエルはエリに、神が言われたこ を伝えました。これが、サムエルと神の、最初 会話でした。

サムエルは神の声を聴くことを学ばなければなりませんでした。サムエルは祭司ではありませんでした。レビ族の男の人だけが祭司になれるのでした。サムエルは判事、人々が問題を解決するのを助ける神の民の指導者でした。そして預言者でした。今でも、預言者はいます。でも、神は、私たちが耳を傾けさえすれば、私たちにも直接話されます。

サムエル上 3:19-21、7:3-6、歴代下 20:20、エレミヤ 7:25-26

いなくなったロバ

サムエル記上 8：1～9：25

サムエルは成長し、偉大な預言者になりました。預言者サムエルは、人びとに神の望みを伝えましたが、人びとの望みを神に伝えることもありました。人びとは、自分たちの王をほしがっていました。

サムエルは、「神が、あなたたちの王です」と言いましたが、人びとは言うことを聞きません。

そこで、サムエルは「わかった。それでは、望みどおりにしよう。さあ、家に帰りなさい」と言いました。

このころ、イスラエルのいちばん小さな部族に、たいへん美しい男の人がいました。その人の名は、サウルと言いました。あるとき、サウルの父のロバがいなくなったので、サウルは探しに出かけました。サウルと召し使いは、あちこち探しましたが、どうしても見つかりません。サウルは家に帰りたくなりました。そのとき、召し使いが「この近くに、神の預言者と言われている人がいます。その人に聞いたら、わかるかもしれません」と言いました。

こうして二人は、サムエルの家に向かいました。ちょうどその前の日のこと、神はサムエルに言われました。「あす、知らない人が訪ねてくるだろう。その人がイスラエルの王となる人だ。」

サムエルは、一日じゅう、その人が来るのを待っていました。サウルは、サムエルが門の前に立っているのを見ると、「神の預言者はどこにいるのか、ご存じですか？」とたずねました。

「わたしです」と、サムエルは答えました。「すでに神は、あなたのことを教えてくださいました。あなたのロバは無事です。あの丘の上に行きましょう。」そう言って、サムエルは丘の上を指さしました。それから、こう続けました、「あそこで宴会が行われています。いちばんいい席に座りなさい。いつの日か、あなたは、たいへん偉い人になるはずです。」

サウルは、サムエルのあとから丘を登りながら言われたことが信じられませんでした。

神は、人々の王でありたいと思っておられました。けれど、人々は、人間の王を欲しがりました。神は、人々が望むものを与える、と言われました、たとえ人間の王が人々にとって最良のものではないとしても。時々私たちは、私たちにとって良くないものを欲しがります。そして、長い間頼み続ければ与えてもらえると思って、親や神をしつこく困らせ続けます。

サムエル上 12:19-25、マタイ 6:33、7:9-11

偉大な神秘

サムエル記上 9：26～10：8

宴会が終わったあと、サウルはサムエルの家に泊まりました。あまり暑かったので、屋根の上で寝ました。次の朝、サムエルは、サウルに「家に帰るときが来た」と言いました。

二人が町はずれに来たとき、サムエルが立ち止まりました。それから、サムエルは、サウルの頭に油をかけました。これは、サウルが特別な人だというしるしでした。「神は、イスラエルの民を導き、支配する王として、あなたを選ばれました。」

サウルは頭を下げ、そして「どうしてだろう？」と思いました。そこでのできごとのすべてが、あまりにも重大で、不可能なことに思えました。サムエルは、どうしてこのこと全てを知ることができたのでしょう？　答えは簡単です。神が教えてくださったのです。

「サウルあなたが町を出るとき、二人の男の人に会うでしょう。そして、『あなたが探していたロバは見つかりました』と言うでしょう。さあ、お父さんが心配しないうちに戻りなさい。」

神は、神が望むようにサウルが物事を行えるように、神の霊と油でサウルを聖別なさいました。指導者には大きな責任があります。指導者には神の霊が備わっていることがとても大事です。神は、すべての神の子が神の霊で満たされることを望んでおられます。そうすれば私たちは神の証人となり、神が私たちのために用意された仕事をすることができるのです。

マルコ 16:15、使徒言行録 1:8、2:39、エフェソ 2:10

サウル、王となる

サムエル記上 10：9～27

サウルがサムエルと別れて家に帰ろうとしたとき、神は特別なことをなさいました。サウルの心を変えたのです。サウルは、サムエルの預言どおりになるのは、神がそうなさっているからなのだと、知り
した。

その日、サウルは、サムエルが言ったとおり、
バを見つけることができました。

そののち、サムエルは人びとを集めて言いまし
「まだ王が欲しいですか？」人びとは、「王が
しい！」と叫びました。

そこで、サムエルは、「神があなたたちの王を
ばれます」と言って、さいころのようなものを投げ
くじ引きをしました。くじで引き神はベニヤミンの部
を選ばれました。サムエルは、ベニヤミンの部
の中の諸族を順番にくじで引き、神はその中から
トリ族を選ばれました。これは、サウルの氏族で
た。

その後、サムエルはマトリ族の人々、一人ひと
のくじを順番に引き、神はサウルを選ばれました。

「サウルとは、いったいだれだ?」人びとは、周
りを見回しました。「どこにいるんだ?」

人びとはサウルを見つけ、サムエルのところに連
れていきました。「この人が、あなたたちの王だ
と、サムエルは言いました。人びとは歓声をあげま
した。「わたしたちの王、ばんざい！」

それからサムエルは、これから守らなければなら
ない規則について、人びとに話しました。そして
その規則を、紙に書き留めました。

サウルが神の規則に従うなら、神は祝福してくだ
さるはずでした。

サムエルは、人々にサウルを選んだのは神であることを示すためにくじ引きをしました。サウルは一番小さな部族の生まれで、だれにも知られていませんでした。それが突然、王になったのです。あなたが突然有名になったと想像してみてください！不安になりますか?それとも得意になりますか？　サウルは謙遜で、神の助けが必要だとわかっていました。

サムエル上 10:6-7、10:9、22-24

神は新しい王を選ばれる

サムエル記上 15 : 9〜16 : 13

サウルは、初めのころは、良い王になろうと努めました。そして、神の望みどおりに、国を治めました。しかし時とともに、サウルは欲張りになり、自分のことしか考えなくなりました。それで神は、サムエルに、次の王を探すように命じました。

「油を持って、ベツレヘムに行きなさい。それから、エッサイの息子に会わせてもらいなさい。そこで、次の王をおまえに教えよう。」

サムエルは、ベツレヘムに着くと、エッサイの息子たちを呼びました。

七人の息子が通ったあと、サムエルは「神は、この中のだれも選ばれなかった。もうほかにはいないのか？」とたずねました。

エッサイは、「もう一人おりますが、いちばん年下です。外で羊の番をしています」と答えました。そこで、サムエルは、エッサイのいちばん下の息子ダビデを呼びにやりました。

その子は、大きな茶色のひとみをしていて、よく日に焼けていました。そして、たいへん美しく、強そうでした。その笑顔は、部屋を明るくするようでした。

神は、「この子だ」と言われました。サムエルは、ダビデの頭に油を注ぎました。それは、神がダビデを王として選ばれたしるしでした。けれど、早すぎたので、公表されませんでした。

神は、サウルが、サムエルを通して神が伝えられたようにしている間は、サウルと共におられました。けれど、やがてサウルは自分のやり方でことを運びたくなりました。サウルが従順でなくなり、神は、悲しくなりました。神は、ダビデは神の声を聴き、神の指示に従うであろうとご存じでした。神は、私たちの心を見られます。神は、私たちが神の意志を行う準備ができている、と思われるでしょうか?

詩編 51:10-12、86:11、119:11、139:23-24

ウルの世話をするダビデ

ムエル記上 16：14～23

ダビデは、羊の番をするため、牧場に戻りました。イオンやオオカミが羊をおびやかすと、ダビデはを投げて殺しました。野原で長い時間を過ごすきはたて琴をかなでて、主をたたえる歌を歌いました。

ダビデが神に近づいていくのに対しサウルは神ら遠ざかっていきました。神の霊はサウルかられました。サウルの心は暗くなり、悩みが多くなました。そして、眠れなくなりました。いつも悲して、緊張していました。食欲もなくなりました。とどき、気が変になることもありました。

サウルの召し使いたちは、サウルの心を静めらる人をだれか見つけなければいけないと言いました。「でも、そんな人がどこにいるだろうか?」と、ウルは聞きました。

そのとき、一人の召し使いが言いました。「エッイの息子のことを聞いたことがあります。美しい音楽をかなで、勇敢で、口数は少なく、姿が美しいそうです。それに、神がその子と共におられます。」

サウルは、ダビデを呼びにやりました。エッサイは、サウル王への贈り物として、パンとワインを乗せたロバを、息子と一緒に送り出しました。

ダビデは、サウルのところに来ると、王のためにたて琴をかなでました。それは、サウルの心を静めるのに大変役立ちました。

サウルは、神無しに行動したいと思いました。それで、神の霊は彼から去りました。するとサウルは気持ちが突然、不安定になるようになり、信頼できなくなりました。サウルの病が治る方法は不従順を悔い改めることだけでした。ダビデが竪琴で神を礼拝すると、それは、サウルをほんのひととき、落ち着かせる効果がありました。神は、サウルにもう一度チャンスを与えておられたのです。なんと慈悲深い神でしょう！

出エジプト 33:19、詩編 25:8、103:8-10

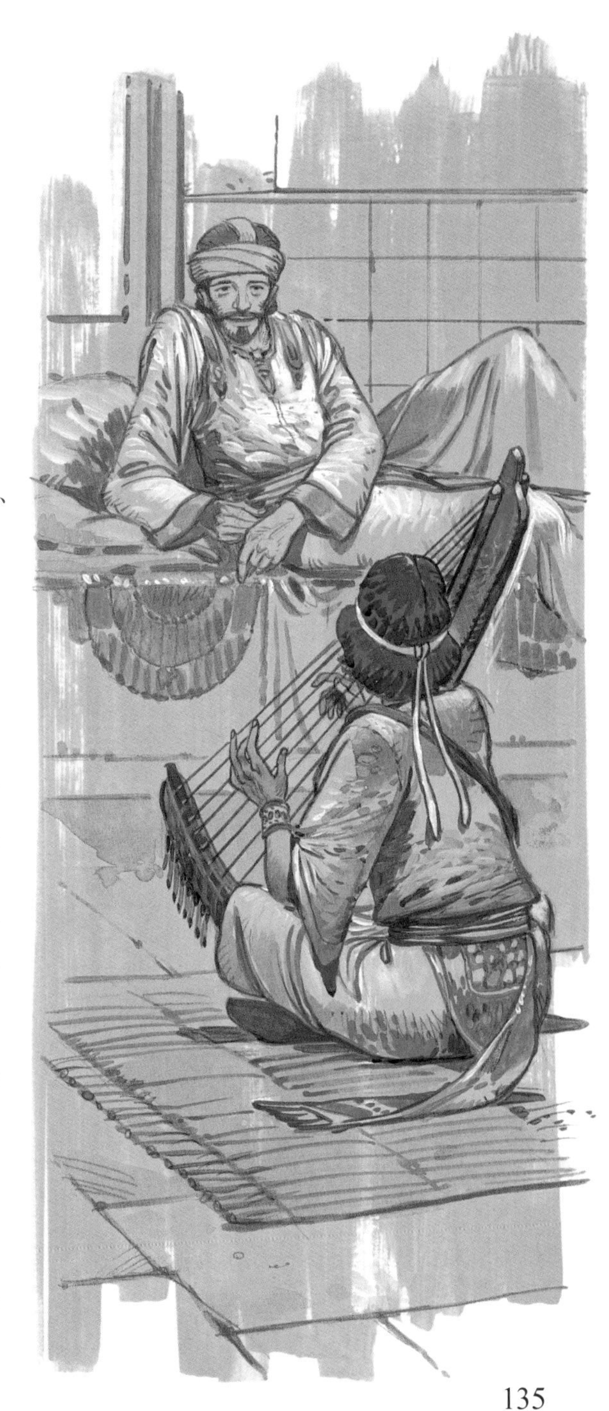

ョじん
巨人ゴリアト

ムエル記上 17 : 1〜19

それから数年の間、ダビデはたびたび宮殿に行
、サウルのためにたて琴をかなでました。サウル
、ときどきは、ペリシテ人と戦うために出かけなけ
ばなりませんでした。そのときは、ダビデは父の
ころに帰りました。

サウルの軍隊の中には、ダビデの三人の兄たち
いました。エッサイは、ダビデに、兄たちのとこ
にパンやチーズや穀物を届けさせました。そうす
ば、息子たちのようすがわかったからです。

ある戦いのとき、ペリシテ人のゴリアトという兵士
、一対一の戦いをやろうと言い出しました。ゴリ
アトはとても背の高い男で、イスラエル人には巨人
のように見えました。

巨人ゴリアトは、イスラエル人に向かって言いま
した。「おまえたちの中で、わたしと戦う者はいな
いか。もしわたしが勝てば、おまえたちはみな、ペ
リシテ人の奴隷になるのだ。だが、もしおまえたち
の仲間が勝てば、わたしたちはイスラエル人の奴
隷になろう。」

サウルの兵士たちは、ゴリアトを見て、恐ろしさ
に震えました。「あんな巨人と戦えるものか。」戦う
勇気のある者は、一人もいませんでした。

ゴリアトは一人の人の上にもう一人乗ったぐらいの背丈がありました。兵士たちがゴリアトを恐れたのも不思議はありません。時々私たちは、解決するのは私たちには難しすぎると思える問題にぶつかることがあります。問題から逃げて、忘れようとすることもできます。けれど、問題は消えません。問題を解決するために、いつでも神に助けをお願いすることができるのだ、ということを覚えておきましょう。

詩編 3:1-4、71:5-8、ヘブライ 4:14-16

ゴリアトのぶじょく

サムエル記上 17 : 20〜30

ゴリアトは、一か月以上も、イスラエルの軍隊をこわがらせました。このとき、たまたま、エッサイがダビデに、兄たちに食べ物を届けるよう頼みました。

ダビデは、宿営に着くと、兄たちを探しました。ちょうどそのとき、イスラエルの兵士たちが大声をあげました。

「急いで逃げろ！　巨人が来た！」
ゴリアトが大きな声で言いました。追いかけてきたのです。

「イスラエル人は弱虫だ。おまえたちの神も弱虫だ。おまえたちを助けることもできない。」

ゴリアトは、神が弱虫だと言いました。ダビデは、このゴリアトのぶじょくのことばを聞くと、たいへん腹を立てました。そして、周りにいる兵士たちから、サウルが、ゴリアトと戦った者には賞金と自分の娘を嫁として与えると言っていたことを知りました。

ゴリアトは、イスラエルの兵士たちを臆病者と呼びました。ゴリアトはイスラエルの神が弱いということも言っていたのです。これは神への冒とくでした。イスラエル人の神は、すべての創造主です。ペリシテ人の神は、彼らが自分たちで造った、ただの像でした。私たちの周りの人々が神を冒とくしたら、私たちの神が偉大な神であるとわかるように神がその人たちの「目」を開かせるよう、祈りましょう。

出エジプト 20:1-7、詩編 115:2-9、イザヤ 44:9-11

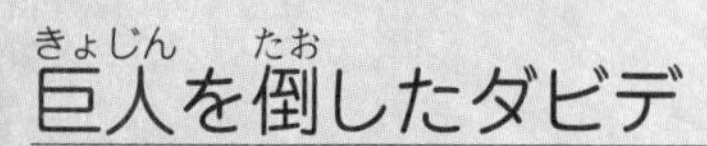

巨人を倒したダビデ

サムエル記上 17 : 31〜54

ダビデはサウルのところに行き、「ゴリアトと戦わせてください。神の民が弱虫だと思われたくありません」と言いました。

サウルは、「それはだめだ。おまえはまだ子どもではないか」と言いました。ダビデは、「わたしは、羊をライオンやクマから守りました」と言って、がんばりました。

最後にはサウルも承知し、ダビデに自分のよろと武器を与えましたが、それは大きすぎました。ビデは、それほど重いよろいになれていなかったで、脱ぎ捨てました。「羊飼いの姿で、ゴリア戦います。」

それからダビデは、近くの小川でなめらかな石を
個拾いました。ゴリアトとの戦いの時が来ました。
ゴリアトは、ダビデを見ると、「何というぶじょくだ。
のゴリアトと戦わせるために、小さな少年を送っ
くるとは！」と叫びました。

しかし、ダビデは言いました。

「あなたは刀と槍を持っているかもしれませんが、
たしの武器は全能の神です。あなたがぶじょくし
、イスラエルの神です。
きょう、神は、わたしがあなたを打ち倒し、あな
の首を取るのを手伝ってくださいます。そうすれ
、世界の人びとは、戦いに勝つのは刀ではなく
の力だということがわかるでしょう。」

ゴリアトは、ダビデに近づいていきました。突然、ダビデは、ゴリアトに向かって走り出しました。そして石投げひもに石をはさむと、頭の上でクルクル回して石を飛ばしました。

石は、ゴリアトが槍を持ち上げるより速く空中を飛んでいき、ゴリアトの頭に当たりました。巨人は、ドサッと大きな音を立てて倒れました。ダビデはゴリアトの大きな重い刀を取り、頭を切り落としました。ペリシテ人たちは、とても信じられませんでした。そして、向きを変えて逃げ出しました。しかし、イスラエル軍とユダの人々は、ペリシテ人を逃がしませんでした。その日、神の力を信じたダビデのおかげで、大切な戦いに勝ったのでした。

ダビデは、兵士の兄たちとは違い、羊飼いで、他の仕事をしようとは思いませんでした。ダビデはいつものように、石投げひもと石だけを持ってゴリアトに向かいました。ダビデは、神を侮辱した巨人を倒すのを神は助けてくださる、と信じていました。私たちの人生でも巨人と戦うときにはそれが正しい方法です。自分らしくして、神を信頼しましょう。

詩編 73:28、115:11、118:8-9

サウル王のねたみ

サムエル記上 17 : 55〜58、18 : 5〜30

ダビデがゴリアトを殺すと、サウルはダビデを将軍にし、多くの戦いに送り出しました。ダビデは、戦いから帰ってくるたびに、人気者になりました。

あるとき、ダビデがたくさんのペリシテ人を殺して帰ってくると、イスラエルの女の人たちが集まってきて、こう歌いました。「サウルは何千人も殺し、ダビデは何万人も殺した。」

このことは、サウルをひどく怒らせ、くやしがらせました。サウルは、「ダビデはわたしよりも人気者だ。やがて、国を奪い取るかもしれない」と思い、その日からダビデをねたむようになりました。

サウルは、ダビデを危険な任務につかせて、殺そうとしました。しかし、ダビデはますます英雄になりました。あるとき、ダビデはペリシテ人との戦いに出かけました。サウルの娘ミカルは、ダビデが無事に戻ってくるよう祈っていました。ミカルは、ダビデをとても愛していました。ダビデは、神が共におらるので、何をしても成功しました。このときも、勝を収めて帰ってきました。

ダビデが戦利品を持って帰ってくると、サウルダビデをますます恐れるようになりました。人びとダビデを愛していました。ダビデが町を通ると、びとは歓声をあげました。それから、ダビデはミルと結婚しました。サウルの娘に愛されて、ダデはますます強くなりました。

神は、ダビデと共にあり、ダビデの戦いを助けられました。けれど神は、神に従わないサウルとはもういっしょに居られませんでした。それでサウロはダビデに嫉妬し、ちょうどカインとアベルのように、サウルを殺したいと思いました。傲慢と怒りは危険な感情です。私たちが怒りと向き合うとき、神にお願いすれば、助けてくださるでしょう。

箴言 *19:12*、*27:4*、エフェソ *4:26-27*、ヤコブ *1:19-20*

一生の友人

ムエル記上 18：1〜4、19：1〜7

ダビデがゴリアトを殺したすぐあと、サウルはダビを宮殿に連れて帰りました。そこで、ダビデはヨタンに会いました。ヨナタンはサウルの息子で、ミルの兄でした。

その日、ダビデは、サウルと話を終えたあと、だかがうしろから近づくのを感じて、振り返りました。そこには、ヨナタンがいました。二人は、互いに見つめ合いました。

その瞬間、ヨナタンの心はダビデの心と結び合わされました。ヨナタンは、一生の親友に出会ったと感じました。そのときから、ヨナタンはダビデを自分のように愛するようになりました。二人の若者は、一生、親友でいることを誓いました。ヨナタンは、自分の服、刀、弓、そしてベルトをダビデにあげました。

それから何年かあと、サウルは、ヨナタンと召し使いに、ダビデを殺すようにと命じました。

けれども、ヨナタンにとっては、ダビデは兄弟以上でした。ヨナタンはダビデのところに走っていき、「父はあなたを殺そうとしている。朝になったら、どうか気をつけてくれ。そして、すぐに隠れなさい。わたしが父にあなたのことを話すから」と伝えました。

次の日の朝、ヨナタンは父と過ごし、ダビデがどんなに良い人で、その人を殺そうとするのがどんなに悪いことかを話しました。

最後には、サウルも、ダビデに危害を加えないと約束しました。それで、ダビデは宮殿に戻ってきました。

けれども、サウルは約束を守りませんでした。しばらくすると、また、前と同じようにダビデを憎みました。

ある日、サウルの体調が悪かった時、ダビデはサウルのために竪琴を弾きました。するとサウルは突然、ダビデに槍を投げつけました。ダビデは身をかわし、その家から逃げ、隠れました。そのあと、ヨナタンがダビデを探し、慰めました。ショックを受けたり、傷ついたりしたとき、ほんとうの友人がだれであるかわかります。ほんとうの友人はあなたを慰め、神を信じるよう励ましてくれます。

サムエル上 18:1-4、20:8、23:16-18

ヨナタン、ダビデの命を助ける

サムエル記上 19：9〜20：42、詩編59

サウルは信頼できない人でした。ある夜、ダビデは、サウルのためにたて琴を弾いていました。すると、突然、サウルは立ち上がって槍をつかみ、力いっぱいダビデに投げつけました。ダビデは、大急ぎで逃げ出しました。

その夜、妻のミカルの助けで、ダビデはサウルの兵士たちから逃れました。ダビデはサムエルの家に行き、それまでにあったことをすべて話しました。それから、ヨナタンのところに行きました。

「わたしが何をしたというのだ？」と、ダビデはヨナタンに言いました。ヨナタンとダビデは、計画を練りました。ヨナタンが、サウルにダビデのことを話し、その結果を合図で知らせることにしました。もし、サウルがほんとうにダビデを探し出して殺すつもりだったら、ヨナタンは、野原で弓の練習をするとき、矢を拾いに走る子に、「見ろ、矢はおまえの先にある」と叫ぶことにしました。

ヨナタンとダビデは、あとで待ち合わせることなっている野原に行きました。ヨナタンは、大き声で、神に言いました。「神よ、わたしたちの証になってください。もし、わたしの父がダビデに害を加えようとし、わたしがそれをダビデに知らせかったら、神よ、わたしに罰を与えてください。なたがダビデの敵をすべて殺されたあとも、わたの子孫とダビデの子孫が永遠に親友でいられまように。」それから、ダビデは野原に隠れ、ヨナンは父親に会いに行きました。

二日後、ヨナタンはサウルにダビデのことを話しした。サウルは怒り出し、ヨナタンに槍を投げつたほどでした。でも、槍は当たりませんでした。

次の日の朝、ヨナタンは弓矢を持って野原にかけました。矢を放つと、矢を拾いに走る子にびました。「急いで追いかけろ！　見ろ、矢はおえの先にある。」それから、その子を家に帰しました。すると、ダビデが隠れていたところから出てました。

ダビデは、ヨナタンの足もとに座り込んでしまいました。二人の親友はたいへん悲しみ、抱き合って泣きました。二人とも、長いこと会えなくなることがわかっていたからです。

サウルは、またダビデに槍を投げました。それで、ダビデは身を隠しました。ヨナタンはいつまでもほんとうの友人で、サウルの計画をダビデに話しました。今度は、ダビデはサウルから遠く離れた所へ行くつもりでした。だれかが間違いを認めようとせず、同じことを繰り返し始めたら、しばらくの間身を引き、その人と距離を置いたほうが良いのです。

創世記 4:16、13:5-11、27:41-45、39:11-12

洞穴に隠れたダビデ

サムエル記上 24：1〜22、詩編 57

サウルはダビデを、まるで獣を追うように追いかけました。サウルは、ダビデが洞穴に隠れているにちがいないと思い、洞穴がたくさんある斜面に兵士たちと一緒に行き、探し始めました。

しばらくすると、サウルは用を足したくなり、一人で洞穴に入りました。サウルは気がつきませんでしたが、その洞穴の中にはダビデが隠れていたのでした。

「ごらんください」と、ダビデの兵士たちがささやきました。「サウルを殺す良い機会です。」

ダビデは首を振って言いました。「神が選ばれた王を殺してはいけない。」

そして、ダビデはサウルの近くまで這っていき、サウルの着物の端を切り取りました。それから、もとの場所に戻るとダビデは自分のしたことを後悔しました。「わたしは、この着物の端さえも切るべきではなかったのだ。」

ダビデは、洞穴の外に出たサウルのあとを追いかけ、地面にひれふして、「わたしの主君である王よ」と、声をかけました。サウルはびっくりして、振り返りました。ダビデは、着物の切れ端を見せ、「ごらんください。あなたの服から切り取りました。神は洞穴の中で、あなたをわたしの手にわたされました。でも、わたしはあなたに手をかけませんでしたし、また、わたしの兵士たちがあなたに危害を加えないようにしました。これで、わたしがあなたの敵ではないことを信じてくださいますか？　どうして、わたしを追いかけるのですか？　わたしは何も悪いことをしていません。」

サウルは、ダビデが自分を殺そうと思えば殺せた、と悟りました。「敵をそんなに簡単に逃がす者はいない。ダビデ、おまえを信じよう。」

サウルはもう、ダビデたちに手を出しませんでした……少なくとも、しばらくの間は。でも、しばらくすると、サウルはまた約束を破りました。

ダビデとダビデの仲間たちは無法者となり、荒れ野でサウルとその兵士たちと命に関わるかくれんぼをすることになりました。サウルは必ずダビデを見つけて殺すつもりでした。けれど、ダビデは神ご自身が選ばれた王を傷つけたくありませんでした。ダビデは、王を尊敬することで、神を尊敬したのです。私たちは両親と先生たちを尊敬することで神を尊敬することになります。

出エジプト 20:12、サムエル下 22:2-3、ローマ 13:7、エフェソ 6:1-3

すべては失われた

サムエル記上 29 : 1〜30 : 31

恐ろしいペリシテ人が、イスラエルを攻めようとしていました。その中の一人が、ガトの王アキシュでした。この王は、ダビデがサウルから逃げている間、彼をかくまってくれました。アキシュは、ダビデと彼の兵士たちを、イスラエルとの戦いに誘いました。

これを聞くと、ペリシテ人の将軍たちは反対しました。「だめだ、ダビデには戦ってほしくない。もし、ダビデが裏切ったら、どうするのだ。」

それで、アキシュは、ダビデとその兵士たちを帰しました。ダビデたちは、ツィクラグに向かいました。そこは、一年ほど前から住んでいる場所でした。

しかし、そこではたいへんなことが起こっていました。町が燃えていたのです。ダビデたちが出かけている間に、アマレク人が攻めてきたのでした。ダビデたちの家族はみな、捕らえられていました。

ダビデは兵士たちを呼び集めました。六百人が従いました。疲れすぎていた二百人は、町に残りました。

その日いっぱい、ダビデと兵士たちはアマレク人を追いかけ、ちょうど暗くなり始めるころに攻撃しました。そして、夜から朝まで戦いました。女性や子どもは逃げ回りました。最後は、ダビデたちが勝利を収めました。アマレク人は四百人だけが生き延びました。それも、ラクダがいたので、できたことでした。

ダビデと仲間の人々が、彼らが留守にしていた間に家族に何があったか気づくと、ダビデは、どうしたらよいか神に尋ねました。神は、ダビデにアマレク人を倒し、妻や子供たちを救いなさい、と言われました。ダビデが神の言うことを聞いたので、すべての家族は救われました。どうしたらよいかわからないときは、いつでも神にお導きを頼むことができます。

サムエル下 22:44、49、詩編 17:6-9、22:4-5

ダビデ、サウルとヨナタンを失う

サムエル記上 31 : 1〜13、サムエル記下 1 : 1〜27、歴代誌上 10 : 1〜14

ダビデがツィクラグに戻ると、サウルの率いるイスラエル軍とペリシテ人との戦いの知らせが入りました。それは、ペリシテ人の将軍たちがダビデに参加を許さなかった、あの戦いのことでした。

「ものすごい戦いでした」と、知らせを持ってきた人は言いました。「ペリシテ人は、サウルとその息子たちに激しく攻め寄って、息子を三人殺しました。ヨナタンも殺されました。」

ダビデは、「なに、わたしの兄弟のヨナタンもだって！」と叫びました。

その人は続けました。「敵に囲まれていたサウル王は、自分の刀の上に身を投げて死にました。ほかに方法がなかったのです。」これを聞くと、ダビデと家来たちは嘆き、泣きました。一日じゅう、何も食べませんでした。神が任命された王が死んだのです。それは、イスラエルにとって、悲しい日でした。

ダビデはただ一人の真の友のヨナタンの死を悲しみました。けれどサウルはダビデを苦しめました。なぜダビデはサウルの死を悲しんだのでしょう？　それはサウルが神によって選ばれ、聖油によって祝福されたからです。サウルが、神の望まれるように生きなかったとしても、それでも尊敬されるべきなのです。だれかを尊敬し、敬意を表すために、その人を好きになる必要はありません。

申命記 6:18、サムエル上 9:15-16、15:17、16:12-13

ダビデ、王となる

サムエル記下 5：1〜10；13〜25、
歴代誌上 14：1〜17

サウルの息子たちが死んだので、イスラエルの部族の人びとは、ダビデのところに来ました。「わたしたちはみな、同じ家族の一員です。サウルが王だったときも、あなたはわたしたちの指導者でした。神があなたを選ばれたことを、わたしたちは知っています。わたしたちの王になってください。」

ダビデは、王になると、エルサレムを都に選びました。そのころのエルサレムは、ほんの小さな村でした。それでも、たいへん守りが堅く、攻めにくい場所でした。

そこに住んでいたエブス人は、ダビデをあざ笑いました。「おまえには、エルサレムの目の見えない人や足の不自由な人とだって戦えやしない。まして、わたしたちと戦って勝てるものか！」

しかし、ダビデには神の祝福がありました。ダビデとその兵士たちはエルサレムを占領し、イスラエルとユダの都としました。

ペリシテ人は、ダビデが王になったことを知る兵を集めて攻めてきました。そこでダビデは、何すればよいかを神にたずねました。神は、「すぐ攻めてはいけない。敵のうしろに回り込みなさ木々の梢で行軍の音が聞こえたら、急いで攻めさい。その音は敵の軍隊を破るために、わたしすでにおまえたちの前に行っていることを示すもだから」と、神は言われました。

そして、そのとおりになりました。ダビデは、どへ行ってもペリシテ人を打ち負かしました。

ダビデは、ユダの王になったとき、三十歳でし彼は、ユダヤ人の王たちの中でも、もっとも優れ王でした。それ以来、四十年の間、ダビデはユとイスラエルを治めました。

ダビデは王になると、エルサレムを首都にしました。ペリシテ人はダビデを攻撃する準備を済ませていました。ダビデはまた、神に忠告を求めました。神は、木々の梢に行軍の音が聞こえるのを待つように言われました。私たちが神に助けをお願いし、従うとき、神が喜んで私たちの手助けをしてくださることがわかります。

詩編 1:6、27:13-14、34:4

エルサレムに到着した神の箱

ムエル記下 6 : 12～23、歴代誌上 15 : 1～16:43

エルサレムは、ダビデ王の都となりました。そこ
ダビデは、十戒を刻んだ石板を入れてある神の
を、エルサレムに持ってくることに決めました。ダ
デは、祭司たちに、神の箱をさおで運ばせまし
。これは、神がモーセに命じた箱の運び方でし
。

神の箱がエルサレムに到着すると、祭司たち
、ダビデが特別に作らせたテントの中に箱を置き
した。それから盛大な宴会が開かれ、人びとは
どりました。ダビデが用意した合唱隊と楽隊が、
のために美しい音楽を演奏しました。

人びとは神をたたえ、心から感謝しました。そし
、神がアブラハムとイサクとヤコブに言われたこと
思い出しました。それから、ひどいエジプト人か
どのようにして救われたかを語り合いました。今
んでいる約束の地に、モーセとヨシュアが、どの
うにして人びとを導いてきたかを語り合いました。

人びとは、一日じゅう、歌っておどりました。い
ばん激しくおどったのは、王のダビデでした。
神から選ばれた王となり、神の箱のそばにいるこ
の喜びと幸せが、腕にも足にもあふれていまし
。ダビデは体をくねらせ、飛んだりはねたりしま
した。宙返りをし、できるかぎり大きな声で歌いま
した。

「天よ、喜び祝え。地よ、喜べ。
海とそこにあるすべてのものよ、とどろけ！
野よ、幸せであれ！
そして、森の木々は歌う。彼らは主の御
前で喜び、歌う。」

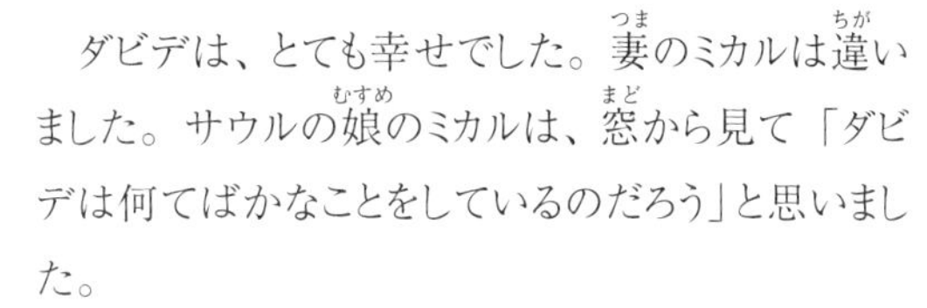

ダビデは、とても幸せでした。妻のミカルは違いました。サウルの娘のミカルは、窓から見て「ダビデは何てばかなことをしているのだろう」と思いました。

その夜、ミカルはダビデに、はずかしいと言いました。初めはたいへん愛し合っていた二人でしたが、それ以来仲が悪くなり、ミカルには子どもが生まれることはありませんでした。

> ダビデは作詞家であると同時に音楽家でした。ダビデの作った歌は「詩編」に載っています。その多くは今でも歌われています。それらの歌は困ったときに助けを求める祈りの他に、神の誠実さと愛を称え感謝する気持ちを表現しています。神は、私たちが、私たち自身の心からの言葉で作った歌で神に祈り、神を賛美すると喜ばれます。
>
> *詩編 96:1、100:1-2、エフェソ 5:19、ヤコブ 5:13*

ダビデ、人を殺す

サムエル記下 11 : 1～26

ダビデ王は、神をたいへん愛している偉大な王でした。けれども、ある日から、ダビデは神のことを第一にしなくなりました。ダビデは、夫のいる女の人と結婚しようとしたのです。これは神のおきてに反していました。

その女の人の名はバト・シェバといい、ヘト人のウリヤという人の妻でした。ウリヤは、ダビデのもっとも信頼している兵士の一人でした。

ダビデは、バト・シェバのおなかに自分の子どもができたことを知ると、絶望的になりました。そして、自分の犯した間違いを隠すことだけを考えました。

ダビデは、将軍に命じて、ウリヤをもっとも戦いの激しい地域に送りました。それから、ウリヤが死ぬように、ほかの兵士たちを引きあげさせました。

ウリヤの死の知らせが届くと、バト・シェバは、何日もの間泣き続けました。夫をとても愛していたバト・シェバは、深く傷ついてしまいました。

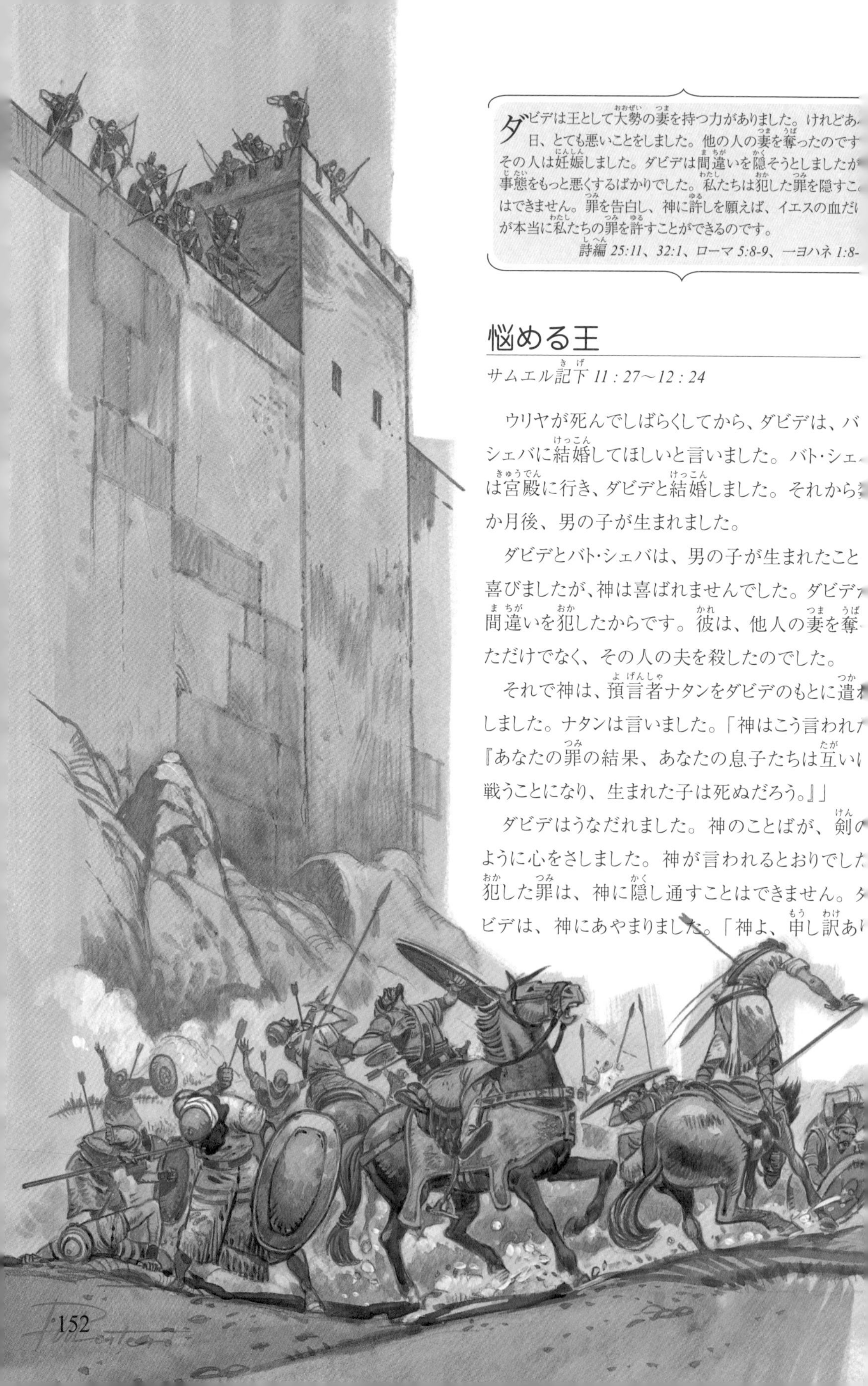

ダビデは王として大勢の妻を持つ力がありました。けれどあ日、とても悪いことをしました。他の人の妻を奪ったのですその人は妊娠しました。ダビデは間違いを隠そうとしましたが事態をもっと悪くするばかりでした。私たちは犯した罪を隠すこはできません。罪を告白し、神に許しを願えば、イエスの血だが本当に私たちの罪を許すことができるのです。

詩編 25:11、32:1、ローマ 5:8-9、一ヨハネ 1:8-

悩める王

サムエル記下 11：27～12：24

ウリヤが死んでしばらくしてから、ダビデは、バシェバに結婚してほしいと言いました。バト・シェは宮殿に行き、ダビデと結婚しました。それからか月後、男の子が生まれました。

ダビデとバト・シェバは、男の子が生まれたこと喜びましたが、神は喜ばれませんでした。ダビデ間違いを犯したからです。彼は、他人の妻を奪ただけでなく、その人の夫を殺したのでした。

それで神は、預言者ナタンをダビデのもとに遣しました。ナタンは言いました。「神はこう言われ『あなたの罪の結果、あなたの息子たちは互い戦うことになり、生まれた子は死ぬだろう。』」

ダビデはうなだれました。神のことばが、剣のように心をさしました。神が言われるとおりでした犯した罪は、神に隠し通すことはできません。ダビデは、神にあやまりました。「神よ、申し訳あ

せん。わたしは、この悪いことをするべきではあ
せんでした。」
生まれた子どもは死にました。けれども、バト・
ェバは、一年後に二人目の息子を産み、その子
ソロモンという名をつけました。すばらしい子ども
した。ソロモンは、この世でいちばん賢い人にな
よう、神が選んだ人でした。

ダビデは、自分がしたことはだれも知らないだろうと思いました。けれど、神は、預言者ナタンに、神がご存じだという事実
をダビデに突きつけるようにと言いました。ダビデは確かに神に対して罪を犯したのだと気づくと、悔い改め、許しを求めました。
神は、ダビデを許しましたが、子どもは死にました。罪を犯したとき、するべき一番良いことは告白して許しを願うことです。
詩編 38:18、*使徒言行録 10:43*、*エフェソ 1:7*、*ヤコブ 5:16*

い王

王記上 3:2〜5、*歴代誌下 1:7〜8*

ダビデが死ぬと、若いソロモンが王になりました。
や宝物に囲まれた王になるのは、すばらしいこと
と思えるかもしれませんが、何がいちばん人びと
ためになるかがわかる王になるのは、難しいこと
す。ソロモンは、王になっても不安でした。
ある夜、ソロモンは夢を見ました。その夢の中に
神が現れて、「ほしいものを何でもいいから言いな
い。それを与えよう。」と言われました。
遊びに必要なものとか健康、お金、権力など
望む人もいるでしょう。でも、ソロモンは、このよ
なものは望みませんでした。もっと、ずっと良い
ものを、神にお願いしたのでした。

ソロモンは、父親が亡くなると、突然、全国家を治めるという重い責任を負わなければならなくなりました。この仕事を手伝ってもらうのにだれが信頼できるでしょうか？　ソロモンは神に助けを求めました。神は答えました、「求めなさい。そうすれば与えられるでしょう。」イエスも同じことを弟子たちに言われました。そして、私たちが神の弟子であるのならば、同じことが私たちにも約束されています。
マタイ 6:7-8、*7:7-8*、*ヨハネ 15:7*、*16:24*

ソロモンの夢

列王記上 3：6〜15、歴代誌下 1：9〜13

ソロモンは、神から、ほしいものは何かと聞かれたとき、「神よ、あなたは父ダビデが王だったときに、父を助けてくださいました。父は、あなたを信頼していました。そして、今度はわたしを王にされました。わたしはまだ、若くて経験の少ない者です。父ダビデのようなよい王になるには、どうしたらいいのでしょうか。わたしは、ただ一つのことをお願いします。賢さに満ちた心をください。何が正しく、何が間違っているかわかるように、助けてください。あなたの望まれるとおりに、民を治めたいと思います。あなたの民を賢く裁けるよう、助けてください。善と悪を区別できるようにしてください」と答えました。

神はソロモンの答えを喜ばれ、「おまえは長生きとか金持ちになることを望まなかったので、おまえの願いをかなえよう。おまえに賢い心を与える。おまえほど賢く、偉大な王は、あとにも先にも出ないだろう」と言われました。

しかも、これですべてではありませんでした。神は、「おまえは、望まなかった富と名誉も得るだろう。わたしの道を歩むなら、おまえは長生きするだろう」と言われました。

今の世界では、私たち一人ひとりは、あまりにも多くの問題向き合わなければなりません。あまりにも多くの決断をしければなりません。仕事は何をしたらよいのか？　だれと結婚たらよいのか？　何かを決めなければならないときは、私たちはいつでも神に、「どうぞ正しい決断をするために助けてくださいと頼んだり、「私が何をすることをお望みですか?」と聞くことできます。

ヨブ 12:13、箴言 2:6、8:11、ヤコブ 1:

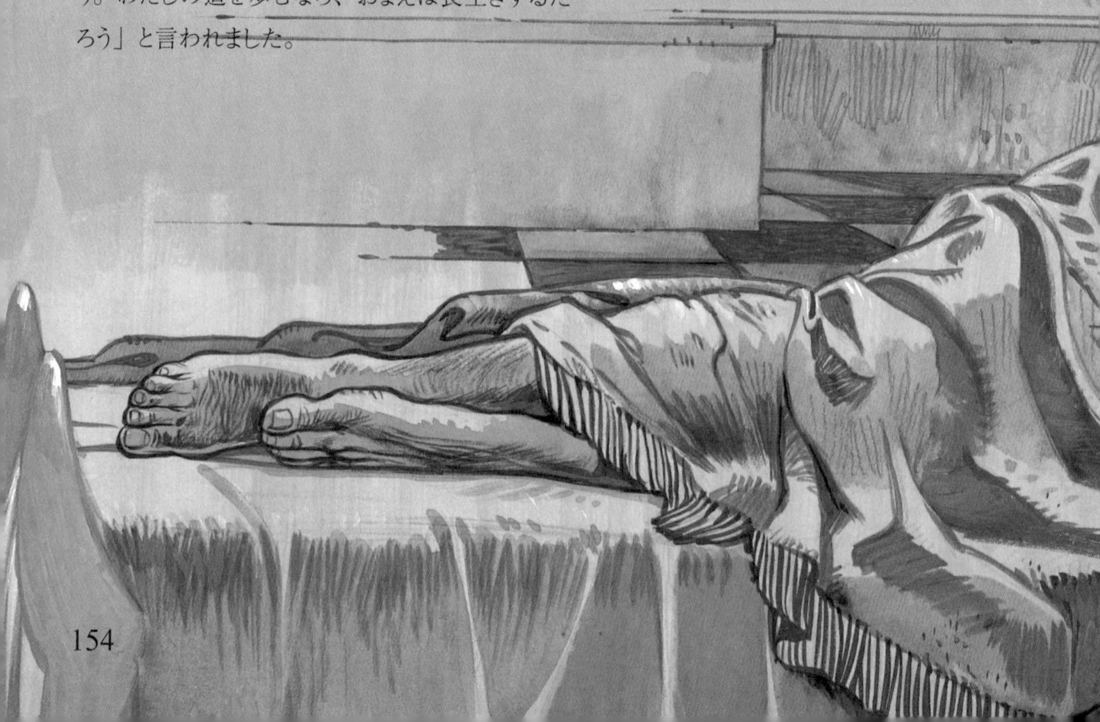

二人の母親

列王記上 3:16〜28

ある日、ソロモン王のところに、二人の母親がやって来ました。二人は、それぞれ、赤ん坊を抱いていました。一人目の女の人の赤ん坊は死んでいました。もう一人の赤ん坊は生きていました。二人はそれぞれ、生きている赤ん坊が自分の子どもだ、と言い張りました。

そこで、ソロモンは「生きている子どもを半分に切りなさい。そして、二人に半分ずつ与えなさい」と命じました。

一人目の女の人は叫びました。「やめてください。あの子が死んでしまいます。王さま、どうぞ、あの子をあの人にわたしてください。そうすれば、少なくともあの子は生きていられます。」

しかし、もう一人の女の人は「王さま、子どもを二つに分けてください。そうすれば、どちらのものにもならないですから」と言いました。

王はため息をつき、「生きている赤ん坊を、一人目の女の人にわたしなさい。ほんとうの母親だけが言えることを言ったのだから」と命じました。

ソロモンは赤ちゃんの問題のように難しい問題について賢い判断をすることで有名でした。ソロモンは赤ちゃんを傷つけたくありませんでした。ただ、二人の母親がどう反応するか知りたかったのです。ソロモンの知恵は、神からの贈り物でした。知恵が必要な時は神にお願いして与えていただきましょう。

列王上 4:29、10:24、ダニエル 2:21、コヘレト 2:26

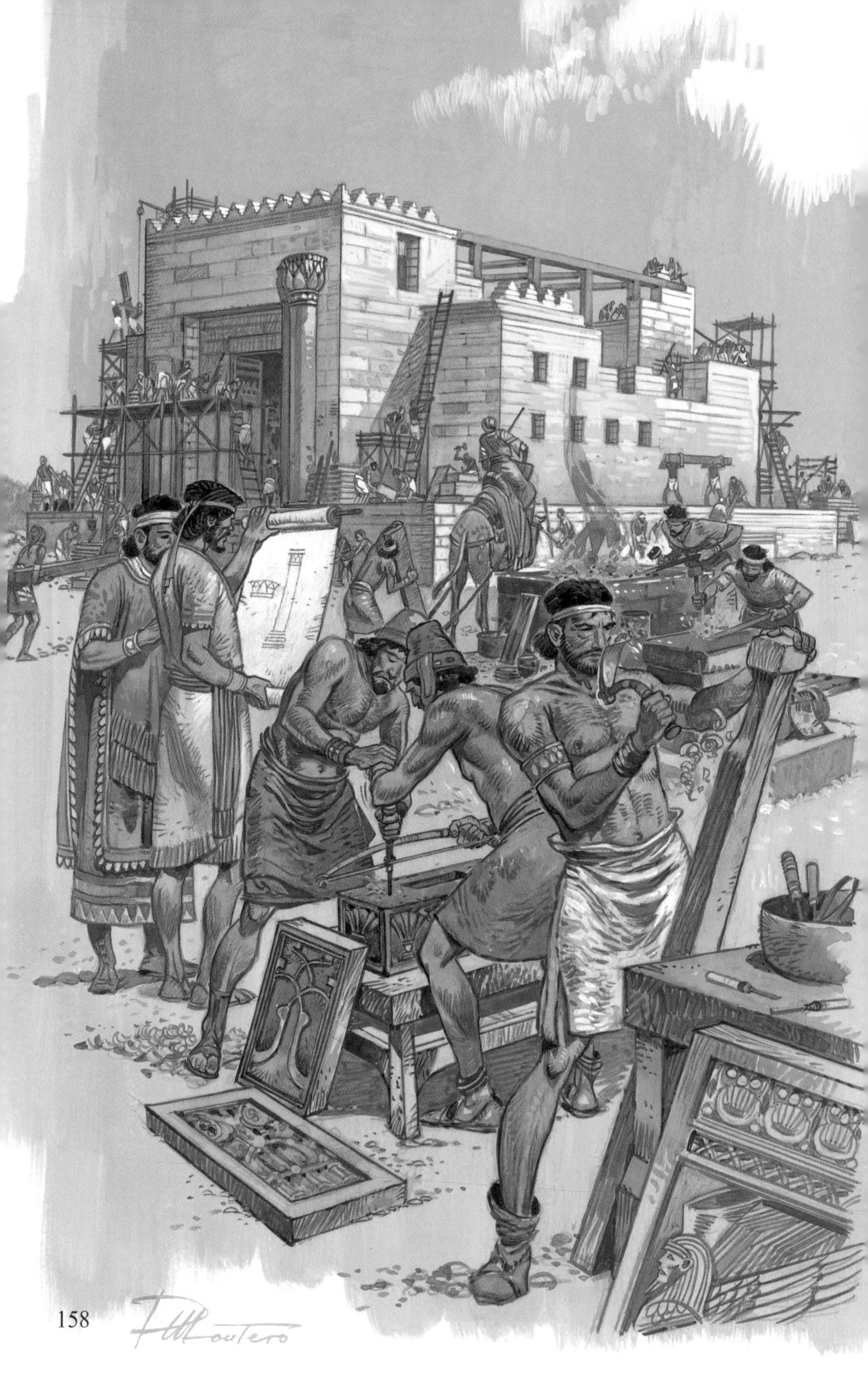

エルサレムの神殿

王記上 4:20〜5:8、6:1〜7:12、8:1〜9:28、
:14〜29、歴代誌下 1:14〜8:18、9:13〜28、
編 72

ソロモンのもっとも偉大な業績といえば、おそら、エルサレムに神の神殿を建てたことでしょう。そ大きな建物は、建てるのに七年かかりました。そて、四百年はもつことになります。

この神殿は、内も外も、杉と金でおおわれていまた。もっともすぐれた銅細工師や工芸家、彫刻が、美しい像を造り、てんじょうや壁をまばゆい案でかざりました。

神殿ができあがると、ソロモンは、神に選ばれ人びとをみな呼び集めました。祭司たちは十戒入った箱を運び込み、そのために造られた特別部屋に置きました。そのとき、神をおおっていたが、神殿の上に下りてきました。人びとは、神がすぐそばにおられるのを感じました。

ソロモンは祈りました。「神よ、あなたのためのこの神殿を建てさせていただき、ありがとうございまし。父ダビデにこの計画を立てさせてくださったこに感謝します。しかし、この神殿でもまだ十分ではありません。どれほど大きくても、またどれほど高くても、あなたのためには十分ではありません。あなたは、天と地を造られました。神よ、どうかこの神殿を、いつでも、あなたに会える場所にしてください。」

そのあと、神はソロモンに現れ、こう言われました。「わたしがおまえに言うことを実行するなら、わたしはこの神殿に住もう。この場所に来る者の祈りを聞き届けよう。」

ソロモンは、自分のためにも見事な宮殿を建てました。この宮殿は、できあがるまでに十三年かかりました。王座のある広間は金と宝石でかざられ、ほかに比べようもないものでした。

それから、ソロモンは、美しい宮殿を妻の一人のために建てました。この妻は、エジプトのファラオの娘でした。

ソロモンは、このような建築のために、たくさんの労働者を使いました。以前の敵の部族の人びとも、ソロモンの国の人びとも、ソロモンのために働きました。

ソロモンは、たいへんなお金持ちでした。毎日、金の椀や皿で食事をし、金のナイフやフォークを使いました。コップも、金でできていました。着物にも、布地に金の糸が縫い込まれていました。

ソロモンの治世でもっとも重要なことは、ソロモンがたいへん公平な裁判を行ったということでしょう。ソロモンは次のように書いています。「山々が人びとに平和をもたらしますように。王は貧しい人びとの子どもたちを救い、子どもたちを傷つける者を押さえつけることができますように。」何よりも、ソロモンは、神の民の世話をよく行うことを望んでいました。神のおきてに従っているかぎり、できることでした。

ソロモンは、教会であっても、神殿であっても、神は、建物に住んでおられないことを知っていました。建物はただ人々が神を礼拝するために集まる場所です。神は、人々の心の中に住んでおられます。神の教会は建物ではなく、神を礼拝する人々なのです。

ヨハネ 4:23-24、歴代上 *3:16*、エフェソ *2:19-22*

シェバの女王の訪問

列王記上 5：9～14、10：1～13、歴代誌下 9：1～12

ソロモンの富と賢さは、各地に広く知れ渡りました。ある日、ソロモンの偉大さを耳にしたシェバの女王が、今のイエメンという国のある所から訪ねてきました。女王は、聞いた話を信じることができず、ほんとうかどうかを調べるために長い旅をしてやって来たのでした。

シェバの女王は、たくさんのラクダに香料や金、ダイヤモンド、ルビーなどを積んできました。そして、ソロモンの宮殿に着くと、女王はソロモンに思いつくかぎりの質問をしました。

ソロモンは、神からいただいた賢さのおかげで、心も広く、精神も豊かでした。問題をあらゆる角度から見て、どれが正しいかを判断することができました。

シェバの女王は、「わたしがあなたについて聞いていたことは、半分しか当たっていませんでした。耳にしていたよりも、もっと賢く、豊かな方でした」と言いました。

そして女王は、たくさんの香料と宝石を、ソロモンに贈りました。それほどたくさんの香料が一度にイスラエルに運び込まれることは、その後もありませんでした。シナモン、塩、ニクヅク、チョウジ、こしょう、その他のたくさんの香料でした。どれも、たいへんめずらしく、貴重なものばかりでした。そのほかにも、女王は、ソロモンに金をたくさん贈りました。ソロモンも、たくさんのすばらしい贈り物をしました。

こうして、シェバの女王は別れを告げ、遠い国に帰って行きました。それといっしょに、ソロモンの知恵について、前よりもっと信じられないような話も広まっていきました。

ソロモンは現代の科学者、芸術家、運動選手、人気ロッ
歌手のように有名でした。重要な人々がソロモンに会うた
にやってきました。王たちは娘をソロモンと結婚させました。ソ
モンの妻たちは他の神々を礼拝していました。やがて、ソロモ
も彼女たちの仲間入りをし、主に従わなくなりました。ソロモンは
大変愚かなことをしました。神は、私たちが神に従順でなけれ
ば祝福してくださいません。

申命記 11:26-28、ヨシュア 8:34-35、列王上 11:4、9-1

競　争

列王記上 16：29〜33、17：1、18：19〜36

あるとき、エリヤという預言者がいました。預言者というのは、神のことばを人びとに伝えるために、神が選んだ人のことです。預言者のことばは人びとを神に近づけるはずですが、人びとに聞きたいという気持ちがなければだめです。

エリヤは、ソロモン王よりだいぶあとの時代の人です。そのころ、神の民は、ほかのいろいろな神を拝んでいました。そのときの王と王妃は、アハブとイゼベルと言いました。二人はたいへん悪い人たちで、人びとを神から遠ざけていました。

とうとう、エリヤは、イゼベルの祭司たちに挑戦することにしました。エリヤは、アハブ王に言いました。「うその神バアルを信じてはいけません。あなたの妻の食卓で食事をする預言者の中から、八五〇人を私のところへ送ってください。そうすれば、だれの神がほんとうの神かわかります。」

ほんとうの神はだれなのか、民が疑うことがないように、神が偉大な奇跡を起こすときが来たのでした。王と王妃は、三年の間、「バアルが雨を降らせる。待っていなさい」と言い続けていました。

人びとがどんなに祈り、いけにえをささげても、雨は降りませんでした。それは、バアルがほんとうの神ではなかったからです。主である神だけが、かわいた土地に雨を降らすことができるのです。神は、エリヤを通して、神だけを礼拝するよう教えたかったのです。

エリヤは、バアルの祭司たちに、雄牛を殺し、たきぎの上にのせるように言いました。ただし、火をつけてはいけない、とも言いました。そして、エリヤも同じことをしました。「あなたたちの神に、火をつけてくださいと頼みなさい。わたしは、わたしの神に頼みます。火をつけてこたえてくれるのが、ほんとうの神です。」

人びとはみな、これは公平な試合だといっ賛成しました。バアルの祭司たちは、いっしょうけめいでした。朝から昼まで、「バアルよ、こたえください」と祈りました。そして、祭司たちは祭の周りで歌い、おどりました。それでも、何も起こませんでした。雄牛の下に火はつきませんでした

こんどは、エリヤの番になりました。エリヤは祭壇に大きな水がめ四はいの水をかけさせまし祭壇の水溝がいっぱいになるまで、三回、これ繰り返しました。それから、死んだ雄牛の下のたぎにも水をかけさせました。

神の預言者エリヤは人々が神を信じなくなったので三年間は、雨が降らないだろうと告げていました。神は、人々に神が自然の力を支配する力があることを見せたかったのです。今日の状況もほとんど同じです。神を信じていないのに、自然災害が起きると、神のせいにする人々がいます。

出エジプト 14:21-22、レビ 23:3-4、18-20、ヨシュア 3:14-17

火と雨

列王記上 *18 : 37〜46*

　エリヤは天に向けて手を上げ、落ちついて、みんなに聞こえるようにゆっくりと祈りました。「主よ、アブラハムとイサクとイスラエルの神よ、あなたこそほんとうの神だということを示してください。わたしはあなたのしもべです。主よ、こたえてください。あなたが主であることを、この人びとに示してください。あなたの火でこたえてください。」

　そのとき突然、主の火が天から降りました。たきぎも石も土も雄牛も、火に飲み込まれました。たいへんな熱さでした。ぬれていても関係ありませんでした。

集まった人びとは、「見なさい、天から火が降っ
くる！　わたしたちの神だ！」と叫びました。

アハブ王のひざは、恐ろしさで震えました。エリ
は、王に「行って、飲み食いしなさい。雷の音
聞こえる」と言いました。

王は、言われたとおりにしました。もっと恐ろし
ことが起きないうちに、急いで家に帰りました。
スラエルの人びとが、主こそ神であると信じます
言ったので、エリヤは、神に雨を降らせてほし
と思いました。

エリヤは、召し使いに雲に注意しているようにと
いました。最初は何も起こりませんでしたが、エ
ヤは何度も雲を見に行かせました。とうとう、召し
使いが言いました。「ごらんください。人の手ほど
大きさの雲が見えます。海のほうからやって来ま
。」

やがて、雲と風で、空は暗くなりました。そして、雨が降ってきました。人びとは手を振り、歓声を上げました。三年たって、やっと雨が降ったのです。

神の奇跡は、それだけではありませんでした。雨が激しくなってくると、エリヤは、田園をできるかぎりの速さで走り始めました。主の手がエリヤを助けたのです！聖霊が降りてきて、エリヤの力になりました。神は、エリヤを超人的走者にしました！　エリヤはアハブ王の車を引く馬よりも速く走りました。エリヤは風よりも速く走り、アハブ王よりも前にイズレエルに着きました。

人々は奇跡を見たがりますが、信じたいとは思っていません。神が、神の力を見せると、人々は、本当は奇跡ではないと証明しようと、さまざまな自然の説明を持ち出します。神が私たちより偉大であると認めたくないのです。謙遜になって、私たちはすべてを知っているわけではないと認めましょう。

ヨシュア 10:11、サムエル上 12:16-18、出エジプト 7:1-5、ヤコブ 5:17-18

火の戦車

列王記下 2：1〜12

エリヤは歳をとりました。彼は、一生の間、人びとを神のもとに帰らせるために力を尽くしました。このエリヤには、エリシャという若い友達がいました。

そして、エリヤが天に昇るときが来ました。エリヤは、エリシャに、神が自分を天に連れ去るところをエリシャが見届けるなら、預言者として、自分の二倍の力が与えられるだろうと言いました。

二人が話しながら歩いていると、目がくらむような炎の馬に引かれた火の戦車が、二人の間に来ました。それは、太陽のように輝いていました。エリヤは、突風の中を天に上って行きました。それはまるで竜巻のようでした。

それを見ると、エリシャは「お父さん、お父さん！」と叫びました。けれどエリヤは、神のところに帰って行きました。

エリシャは祈りを捧げたときに神の奇跡を見たいと思いました。エリヤが祈ったときとちょうど同じように。それで、エリシャは先生のそばにいて、先生の言葉や行動のすべてに注意していました。そして神は、エリヤを迎えに来た火の戦車をエリシャが見えるように、エリシャの目を開かれました。神は、私たちに霊的なものを見るための目を与え、私たちが祈るときには奇跡を起こしたいと思っておられます。

列王下 6:17、イザヤ *6:5*、ダニエル *2:27-28*、
歴代下 *4:18*、黙示録 *1:12-17*

不思議な川の渡り方

列王記下 2 : 13～15

エリシャは、預言者エリヤが天に上げられるのを見ました。それは、目を見張るような光景でした。火のような馬が、燃えているように輝く戦車を引いて、空を走りました。エリヤは、燃えているような戦車に乗っていました。風が、エリシャの耳もとでうなっていました。あまりにまぶしくて、エリシャは手を目に当てました。砂が、竜巻になって、エリシャの周りに立ちこめました。

そして突然、静かになりました。エリシャは手下ろして、見上げました。エリヤはいませんでし空には何もなく風も静かでした。エリシャはあたり見回しましたが、だれもいませんでした。

エリシャはかがんで、エリヤの外套を拾いまた。それから、ヨルダン川まで行き、エリヤの套で水を打ちました。そして、「エリヤの神、主どこにおられますか？」と、大きな声で言いましすると、水が立ち上がり、波の壁ができました。リシャは、かわいた地面の上を渡ることができまた。エリシャが向こう岸に着くと、波は音を立てくずれました。

ェリシャの望みはかなえられました。神は、エリ
こ与えられたのと同じ預言者としての霊を、エリ
ーにも与えられました。預言者エリシャは、神が望
ιる所ならどこにでも行く用意ができていました。

ヨルダン川に到着したとき、エリヤはマントで水をたたきました。
今、エリシャはエリヤが天国に引き上げられた時、エリヤか
落ちたマントを抱えました。そして、エリシャはエリヤがやるの
見たことを、見たとおりにしたのです。先生がすることをまねす
ことから始めるのは良いことです。イエスの弟子たちもイエスの
たことをまねて学んだのです。

マタイ 10:8、マルコ 16:17-18、ヨハネ 14:12-14

底のない油のつぼ

列王記下 4：1〜7

エリシャは、国じゅうに出かけて行って人びとに神の教えを伝え、うその神を礼拝するのをやめさせようとしました。それから、王にも貧しい人にも忠告を与え、会う人には誰にでも、神の愛について話しました。聖霊の力によって、神の名において多くの奇跡を行いました。

奇跡の一つは、奴隷として売られるところだった、ある母親と二人の子どもを救いました。この女の人は、亡くなった神の預言者の妻でした。悪い女王イゼベルは、多くの神の民を殺しました。この女の人も、そうして殺された預言者の妻でした。二人の子どもがいましたが、お金がありませんでした。

この時代には、女の人が働いてお金を得るのはたいへん難しいことでした。この人には、助けてくれる人がいませんでした。「お願いです」と、その人はエリシャに言いました。「わたしの夫は死にました。夫は神を信じ、神に従いました。でも、わたしには借金がたくさんあるのに、お金がありません。わたしがお金を借りた人は、近いうちにお金を返さなければ、子どもたちを連れて行くと言っています。わたしと子どもたちは、奴隷になるよりほかありません。どうぞ、助けてください。」

エリシャは「どうしたらいいだろう？」と少し考えてから、「家の中に何がありますか？　売ってお金にできるものはありませんか?」と言いました。

女の人が悲しそうに首を振ると、髪が顔にかかりました。そして、二人の息子を抱きしめながら、その人は「つぼ一杯分の油があるだけです」と言いました。

エリシャは言いました。「近所の家に行って、つぼを借りてきなさい。見つけられるだけのつぼを集めて、家に持ち帰りなさい。子どもたちを家に入れ、扉を閉めなさい。それから、つぼの油を、集めてきたつぼに入れなさい。そして、それをとっておきなさい。」

女の人は、エリシャの言うとおりにしました。近所の家をみんな回り、あるだけのつぼを集めました。それから、扉を閉めて、油を注ぎ始めました。

女の人は、注ぎ続けました。最初のつぼがいっぱいになり、次のつぼも、またその次のつぼも満たされました。油の入った小さなつぼには、まるで底がないみたいでした。どうしてそんなにたくさんの油が入っているのでしょう？　最後に女の人は息子に言いました。「もう一つだけ、つぼを持っておいで。」けれども、息子は「今のが最後のつぼだよ」と答えました。

女の人は、油の入ったつぼが家の中をうめ尽くすようにたくさんあるのを見て驚き、首を振りました。それからエリシャのところに行き、何が起こったかを話しました。エリシャは、「油を売って借金を返し、残りのお金で暮らしなさい」と言いました。

その夫を亡くした女の人はほんとうの問題を抱えていました。けれど、預言者に忠告を求め、その指示に従いました。女の人は少ししか持っていないものを使ったら、神がもっと多くを与えられたことに気づきました。私たちにとっても同じことが言えます。祈れば、神は、何をしたらよいかを示されます。そしてそれを祝福し、増やしてくださいます。

マタイ 6:11、33、7:7-8、ヨハネ 6:9-13

神から逃げた人

ヨナ書 1：1〜3

ある時、神の民イスラエルにヨナという男の人がいました。ある日、神はヨナに言われました。「ニネベの町に行き、そこの人びとに、『行いが悪いから、わたしが罰を与える』と伝えなさい。」

ヨナはニネベがきらいでした。ニネベの人びとは神の民の敵でした。

けれども神は、ニネベの人びとが行いを改めれば、許すつもりでした。そのころのニネベの人びとは、世界じゅうでもっとも残酷でしたが、神は、許そうと思えば、だれでも許すことができるのです。

しかしヨナは、それでは気に入りません。「どうして神は、あんな人たちを心配されるのだろうか」と思いました。それで、ヨナはおろかなことをしまし神を無視したのです。ヨナは、ニネベとは反対方角へ行きました。そうすれば、ニネベの人びと神の怒りを伝えることはできません。ヨナは、ニベの人びとがほろべばいいと思っていました。

しかし、ヨナは間違っていました。どこへ行っも、神から隠れることはできないのです。神はどにでもおられ、すべてを知っておられるのです。

ヨナは、ヤッファの港に行きました。今のテルビブの町がある所です。

ヤッファに着くと、ヨナは波止場を歩き回りまし地球の反対側まで乗せて行ってくれる船を探しいたのです。そして、タルシシュに向かう船を見け、タルシシュなら十分だと思いました。

ヨナは、ニネベからできるだけ遠い所に行きまた。船が出港すると、ヨナはほっとため息をつ「これで、ニネベの人たちは当然の報いを受けぞ」と、ひそかに思いました。

ヨナは、神は、ニネベの人々に悔い改めるチャンスを与えるべきではないと思いました。ニネベの人々には罰を与えるべきだと思ったのです。それで、ヨナは神の呼びかけに耳をふさぎ、逆の方向に行きました。けれど、ヨナが痛い目に遭って理解したように、あなたは神から隠れることはできないのです。神は、人々を愛しておられます。悪い人でさえも。そしてすべての人にチャンスを与えたいと思っておられます。
詩編 139:1-12、エゼキエル 33:31、マタイ 5:43-45、ヨハネ 3:16

あらし

ナ書 1 : 17〜2 : 10

船に乗ると、ヨナは眠りました。神から逃れたの、のんびりできると思っていました。でも、それはちがいでした。

神は、強い風を吹かせました。ものすごいあらしなり、大きな波が立ちました。船は大揺れに揺ました。水夫たちは、「これには何かわけがあるちがいない。この船に、神を怒らせた人が乗っいるのだろう」と言いました。

それで、水夫たちは、それぞれの神に祈りまし。風はもっと強くなり、波はもっと高くなりました。

船底に下りた船長は、ヨナを揺すって言いまし。「こんなあらしの中で、よく眠っていられるな。おえの神に祈れ。もしかしたら、助けてくれるかもしない。」

船の上の人びとは、ヨナがヘブライ人だと知る、恐ろしくなりました。イスラエルの神のことは、聞たことがあったからです。それから、ヨナの話をくと、人びとは驚いて言いました。「神から逃げうとしたのか？」彼らも、そんなことはできないとっていました。神はすべてを見ておられるのですから。

「わたしたちに罰を与えているのは、おまえの神だ。どうすれば、このあらしを静めることができるのか？」

ヨナは、「わたしを船から投げ出せば、あらしはやむでしょう」と言いました。

水夫たちは、はじめはヨナを海に投げ込もうとしませんでした。でも、ほかに方法がありませんでした。人びとは、ヨナの神に祈りました。「神よ、どうぞわたしたちをこのあらしで殺さないでください。わたしたちは何も悪いことをしていません。悪いのはこの男です。」水夫たちはヨナを抱き上げ、荒れ狂う海に投げ込みました。すると、突然風がやみ、波も静かになりました。

神があまりにも激しい嵐を起こしたので、イスラエル人でない船員もそれが何かのしるしだとわかりました。ヨナは、自分が問題の原因だということを白状しなければなりませんでした。神に逆らったとき、私たちは、自分をごまかしているだけではありません。他の人々にも大変な迷惑をかけているのかもしれません。

創世記 3:17、出エジプト 23:20-21、民数 14:20-24

大きな魚

ヨナ書 1 : 17〜2 : 10

水夫たちに海に投げ込まれたとき、ヨナは、何かぬるぬるした冷たい物にぶつかったのを感じました。水の中でなければ、大きな声を上げるところでした。巨大な魚が周りを泳いでいたのです。

そのとき突然、魚が大きな口を開け、ヨナを「バクッ!」と吸い込みました。魚がヨナを飲み込んだのです。

その魚はたいへん大きかったので、ヨナはその中で立つことができ、おかげで息をすることができました。そこはたいへん暗く、すっぱいにおいがしました。

魚がヨナを飲み込んだのは、偶然のことではありませんでした。神が、ヨナをこらしめるために、この魚を選ばれたのでした。どこへ行っても、神から逃れることはできませんでした。神はヨナに、言いつけに従って、ニネベに神のことばを伝えに行ってほしい、と思っておられたのです。

しばらくして、ヨナは、逃げようとしたことを神にあやまりました。そして、神が自分を見捨てられなかったことに感謝しました。

三日三晩ののち、神は魚にヨナを胃袋からはき出させました。激流が魚の口の中でうずを巻き、ヨナは、その流れの中で、息を止めていました。そして気がつくと、かわいた砂浜に投げ出されていました。

もしかしたら、この巨大な魚は世界で一匹だけしかいないのかもしれません。あるいは他の多くの生き物のように遠い昔に絶滅したものだったのかもしれません。いずれにしても、ヨナは溺れずに助かり、休む時間を得ました。ヨナは自分の愚かさに気づき、許しを願いました。神は、慈悲深く、私たちが犯した罪を後悔すれば、許してくださいます。

詩編 32:1-2、130:4、ルカ 6:37v

ヨナ、考えを変える

ヨナ書 3：1～10

神はふたたび、ヨナに「ニネベに行って、わたしのことばを伝えなさい」と命じました。

ヨナは、今度は命令に従いました。ニネベは大きな町でした。町の周りを歩くのに三日かかりました。その間ずっと、ヨナは叫び続けました。「四十日のうちに、ニネベは滅びるぞ！」

これを聞くと、ニネベの人びとはたいへん動揺しました。それは、恐ろしい知らせでした。人びとは神の警告を聞き、信じました。そして、着ていたぜいたくな衣服を脱ぎ、質素な粗布でできた服を着ました。何も食べずに祈りました。もっとも貧しい人から大金持ちの地主まで、悪い生活をしたことを神にあやまりました。

ニネベの王も、粗布の服に着替えました。王は、すべての人に、自分と同じようにするように言い、「だれも食事をしてはならない。家畜もだ！」と命じました。

神は、人びとが心を入れ替えるのを見て、許すことにしました。

> 神は、人々を助けたいと思っておられます。それも良い人々だけではありません。けれども神は、罪には罰を与えなければなりません。それでヨナは、人々に悔い改めなければ滅ぼされると伝えなければなりませんでした。人々は状況を理解すると、悔い改め、神に祈り、お許しを願いました。ヨナは幸せではありませんでした。けれども神は、いつでも、私たちが悔い改め、神のもとに戻れば幸せに思われます。
>
> *エレミヤ 29:11、ルカ 15:7、一テモテ 2:1-4*

神は、良いお方

ヨナ書 4：1～11

神がニネベの人びとの命を救われることを知って、ヨナは不満でした。「神よ、なぜ、あのひどい町の悪い人びとを助けるのですか？　そんなのは不公平だ！」

神は、「ヨナ、何をそんなに怒っているのだ」と言われました。

ヨナは町の東へ行き、一人ですねていました。の日、ヨナが座っていた所には、熱い陽が当たっいました。神は木を生えさせて、ヨナに日陰を作てあげました。それで、ヨナはあまり暑さを感じに町をながめることができました。ヨナは、「自分人生でよいものは、この木だけだ」と思いました

けれども、神は、木を虫に食べさせて、次のの太陽が昇るころには、木を枯れさせてしまいまた。それから、熱い東風を吹かせ、ヨナの頭上太陽が照りつけるようにしました。その日、ヨナ気絶しそうになり、神にお願いしました。「神よ、たしは、この木に腹が立ってたまりません。木まわたしをがっかりさせました。お願いです。どうわたしを楽にさせてください。」

神は、ヨナにたずねました。「なぜ、木に腹をてるのか？」

「わたしに、木を返してください。」

「おまえは、木が枯れたので怒っている。おまが自分で植えた木でもないのに、お前は枯れないでほしいと願った。木はある晩に、自分で生えて、次の日に枯れた。それならば、どうして、わしがニネベに住む十万人もの人の命を、大切にわないでいられようか。あの人びとは、おまえが教えるまで、間違ったことをしていることを知らなかたのだ。

わたしは、このために、おまえを遣わしたのだ。の町の人びとは、善と悪の違いを知る必要があった。今では、おまえのおかげで、わたしのことを知った。」

やっと、ヨナは、神が非常に大切なことを教えてくれたことに気がつきました。

ヨナは死にたいと思うほど怒っていました。ヨナは自分が神に従わなかったときにどのように神がヨナの命を救ってくださったか、そして大きな魚のお腹にいたときに慈悲深い神がどれほど寛大であったか忘れていました。わたしたちは何と早く、神がどれほど私たちを許してくださったか忘れてしまうのでしょう。私たちも他の人々を許すべきではないでしょうか。

マタイ *6:14-15*、民数 *14:18*、ルカ *7:40-43*

町にとどまったエレミヤ

列王記下 25：8〜24、歴代誌下 36：18〜21、エレミヤ書 39：8〜14、40：1〜6、52：12〜30

神は、何年もの間、預言者を遣わして、「まちがった神を礼拝するのをやめないと、国は弱くなり、エルサレムはほろび、神の民は奴隷となる」と、人びとに警告しました。けれども、人びとは耳を貸しませんでした。

とうとう、バビロンの王ネブカドネツァルがエルサレムを包囲し、エルサレムがほろびるときが来ました。ネブカドネツァルは、神の神殿に火をつけるようにと兵士たちに命じ、王の宮殿もエルサレムの家々も、すべて燃やしてしまいました。バビロン人は少しでも価値のある建物には火をつけたので、町全体が燃えあがりました。

それから、バビロンの兵士たちはエルサレムの城壁を打ち破り、すべての人を捕まえ、奴隷にして、バビロンに送りました。

エルサレムが燃えている間、ネブカドネツァルは、兵士たちに宮殿や神殿の宝物を盗ませました。兵士たちは、燃えさかる火の中で、目につく金銀をすべて奪い、神殿には何も残しませんでした。ネブカドネツァルは、何もかも、巨大な銅の柱までも、バビロンに持ち去りました。

このころの神の預言者はエレミヤでした。ネブカドネツァルが捕まえなかったのは、貧しい人びと以外ではこの人だけでした。ネブカドネツァルは、エレミヤには危害を加えないようにと命じました。王の親衛隊長が、エレミヤに言いました。「すべて、おまえが預言していたとおりになった。神は、人びとが耳を貸さなかったので、災害をもたらした。しかしおまえは自由の身だ。わたしたちといっしょにバビロンに来てもよいし、ここに残ってもよい。好きなようにするがよい。」

エレミヤは、バビロンには行かないと言いました。すると親衛隊長は「わかった。人びとといっしょに、ここに残りなさい」と言って、食べ物とお金を与えて、エレミヤを自由にしました。エレミヤは、神の民といっしょに残ることにしました。破壊された町、エルサレムに残されたのは、もっとも貧しい人びとだけでした。

エレミヤは神の民に警告しました。人々は悔い改めませんでした。それで、神は、他国の軍隊にエルサレムを破壊させ、大勢の人々を人質として連れ去らせました。エレミヤはバビロニアでの安楽な生活を提供されましたが、その恵まれた立場を投げ捨て、残された貧しい神の人々と共に破壊された町にとどまりました。イエスは天国を投げ捨て、この地上に来られ、私たちを救われました。

フィリピ 2:6-11、歴代下 8:9、ヘブライ 11:25

特別な学校

ダニエル書 1:1〜6

ネブカドネツァル王は、いくつかのユダヤ人のグループを捕虜にし、奴隷として、無理やりバビロンに住まわせていました。そして、最後に捕虜になったのは、エルサレムがほろぼされたときに捕まった人びとでした。その十八年前に捕虜になった最初のグループの中に、ユダの金持ちの家庭の若者たちがいました。その一人が、ダニエルでした。

ダニエルと彼の友人三人は、ヘブライ人の指導的な家庭の出身でした。ネブカドネツァルは、囚人の中のたいへん美しくて、優秀で、賢い少年たちを、特別な学校に入れるように命じました。その少年たちは、三年の間、バビロンの先生から教育を受け、そのあと、いちばん成績の良い少年たちは、王のために働くことになっていました。

こうして、王のために働くことになったダニエルと三人の友人たちは、もう奴隷ではなくなりました。けれども、バビロン人の言うことは聞かなければなりませんでした。それに、彼らはユダヤ人であり、ほかの人びととは違っていたので、ときどき困難なこともありました。

戦争で囚人となり、家から遠く離れた国に連れて行かれることは心の傷となります。すべてはそれまで知っていたことと違いました。まず、新しい言葉を学ばなければなりませんでした。幸いにも4人の友達は一緒にいることを許されました。この例から、悪い状況の中にでもある良いことに感謝し、神に感謝することを学ぶことができます。

コヘレト 2:25、詩編 103:1-5、106:1、一テサロニケ 5:16-18

ほかの人と違うということ

ダニエル書 1:7〜8

ダニエルと三人の友人たちは、自分たちがほ
の人びとと違うことがわかっていました。でも、彼
は、神から選ばれた民の一員であることをほこり
思っていました。

ダニエルの友人たちの名前は、ハナンヤ、ミシ
エル、アザルヤでした。彼らは、バビロンに連れ
こられた少年たちの中でも、もっとも賢い人びと
した。バビロン人は、彼らにバビロンの歴史とこ
ばを習わせ、バビロン人の名前を付けました。
の侍従長アシュペナズは、ダニエルをベルテシ
ツァル、ハナンヤをシャドラク、ミシャエルをメシャ
アザルヤをアベド・ネゴと呼びました。

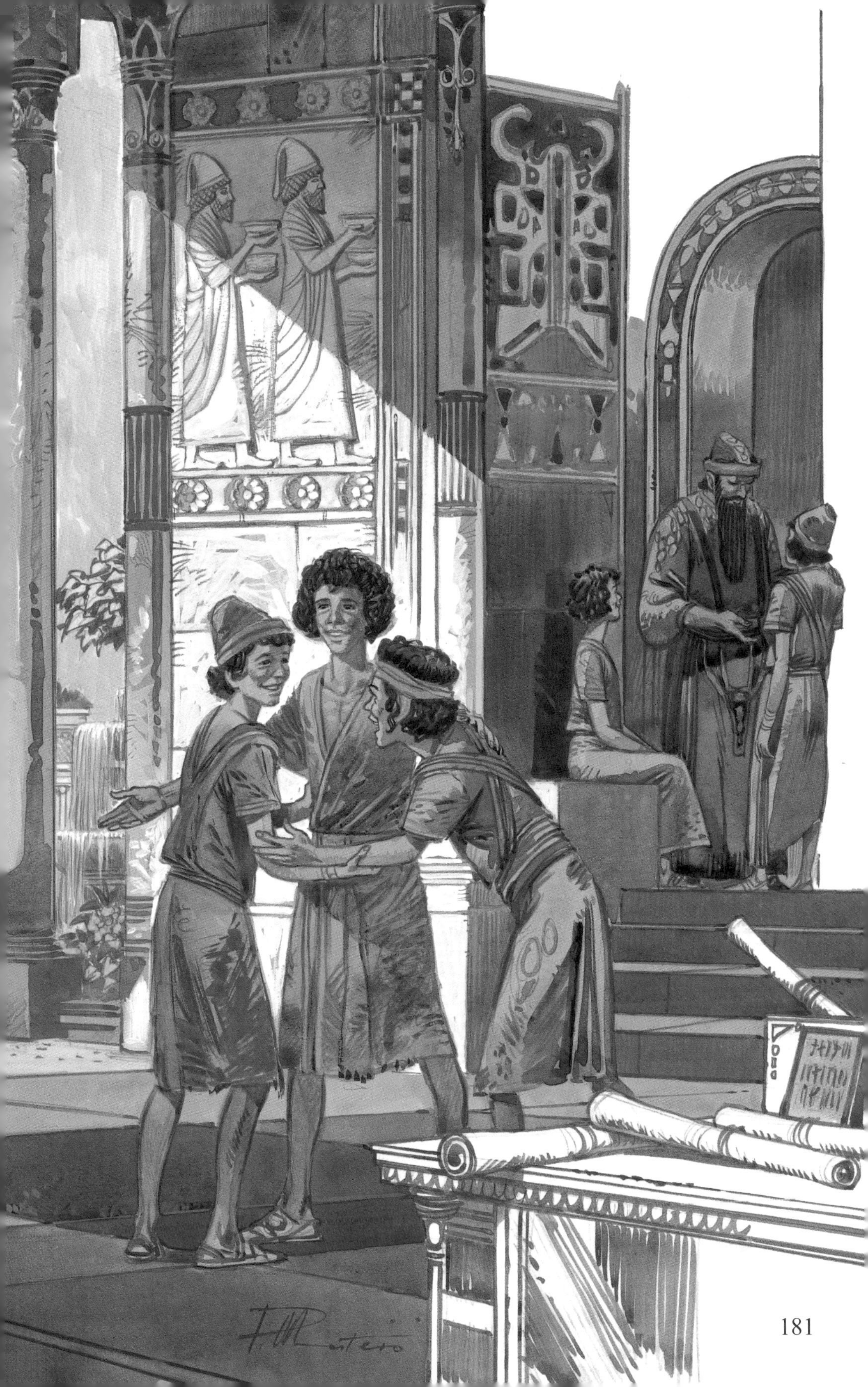

ネブカドネツァルは、その少年たちにはいちばん良い食事を与えるように命じました。新鮮な野菜や肉を食べ、ワインも毎日飲んでよいことになっていました。

ところが、一つだけ問題がありました。バビロン人がダニエルと友人たちに与えた肉は、神の民が食べることを許されている種類のものではありませんでした。神がモーセに与えられたおきてによれば、ヘブライ人は特別の肉しか食べてはいけなかったのです。それは、特別な方法で殺した動物の肉でした。

ダニエルと友人たちは、エルサレムで家族と暮らしていた小さいときに、この規則を教わっていました。ダニエルは神が与えた規則は破らない、と決心しました。

キリスト教の価値観に従って生きるのは同じ価値観を持たない人々の中では難しいと思うかもしれません。四人の友人たちは、常に神の教えに従うことと王の命令に従うこととのかねあいを取らなければなりませんでした。四人には難しい問題が起きることがわかっていました。そのような状況では勇気と知恵が必要ですが、神に頼んでいただくことができます。

レビ 11:1-25、イザヤ 28:29、コロサイ 3:17、ヤコブ 1:5

信仰の試練

ダニエル書 1 : 9～13

ダニエルは、アシュペナズのところに行き、食卓の食べ物を指さして言いました。「お願いです。どうぞ、助けてください。わたしは、王の命令に従うことはできません。」アシュペナズは、目の前の少年を見ました。神は、アシュペナズの心を優しくしてくれました。彼は、ダニエルの言うことに耳を傾けながら、どんなことがあってもこの子を助けようと思いました。

「ダニエル、それはできないのだ。もし、わたし命令どおりにあなたたちに食事を与えなかったとさまが知ったら、わたしは殺されてしまう。王さまあなたたちの顔色が悪くなり、やせているのを見ら、わたしはどうなるだろう。」

一瞬、ダニエルはだまってしまいましたが、「い考えがあります!」と言って、ほほえみました。

ダニエルは、アシュペナズが自分たちの世話に選んだ人のところに走っていき、「わたしとわたの友人に、十日ください。その間は、わたしたち野菜と水だけください。十日が過ぎて、わたしたが王さまのごちそうを食べている少年たちと違っいるかどうか、見てくだい。それから、どうするを決めてください。」世話係は、アシュペナズをました。アシュペナズはうなずき、テストが始まりました。

ダニエルは選択をしました。ダニエルは神に従うことにしました。そして、神は、ダニエルとその友人たちが、神が彼らを助けると信じたので、彼らにお恵みを与えました。神は、彼らが番人から特別扱いしてもらえるようにしました。野菜と水は確かに他の多くの食物より健康的です。でもこの食事の規則は今では義務ではありません。

ローマ 14:2-4;14-21、歴代上 8:13、ガラテヤ 2:11-21

テストに合格

ダニエル書 1 : 14～20

世話係は約束を守り、十日の間、ダニエルとハナンヤとミシャエルとアザルヤに、野菜と水だけを与えました。約束の日数が過ぎると、四人の少年たちはアシュペナズの前で体操をしました。

アシュペナズは、自分の目が信じられませんでした。ダニエルと三人の少年は、ほかの少年たちよりも太っていたのでした。それればかりでなく、彼らの目は輝き、他の少年たちが息切れしても、まだ、たいへん元気でした。

アシュペナズは、世話係に、この少年たちには野菜と水だけを与えることを許しました。神は四人の少年を祝福し続け、四人とも大きく、強く、育ちました。

神の恵みによって、四人はたいへん賢く、豊かな才能を持った人に育ち、バビロンの本や歴史、ことばについて、よく学びました。ダニエルは、夢の意味さえ言い当てることができました。

三年たつと、アシュペナズは、少年たちをネブカドネツァルのところに連れていきました。王は、少年たちが学んだことについて試験しようとして、いろいろな質問をしました。少年たちの中で、いつも、ダニエルとハナンヤとミシャエルとアザルヤがもっとも優れた、良い答えをしました。それで王は、この四人を自分の相談役にしました。

神は、彼らの神に対する信頼を尊重し、彼らを成功させました。神のやり方は王のやり方より良かったのです。常に神の指示に従うほうが良いのです。神は、私たちを造られました。そして、私たちにとって何が一番良いかご存じです。そして私たちが神の霊に従うとき、神は、私たちが本来持たない知識と知恵を私たちに授けてくださいます。

ルカ 12:11-12、歴代上 12:7-8

まじない師たち

ダニエル書 2 : 1〜13

ダニエルが王の相談役になってしばらくたったころ、ネブカドネツァル王は、ひどい夢を見続けました。王は、おかかえのまじない師たちを呼び集めました。「この夢が気になってしかたがない。」

まじない師たちは、「わかりました、王さま。夢のことをお話しください。そうすれば、その意味を解釈しましょう」と言いました。

しかし、王は言いました。「まず、おまえたちが、わたしがどんな夢を見たかを言い当て、そしてその意味を解きなさい。それができないのなら、おまえたちを八つ裂きにする。しかし、それができたら、たくさんの贈り物と名誉を与える。」

まじない師たちは、聞いたことが信じられませんでした。そして、また「王さま、どうか夢についてお話しください。そうしましたら、喜んで、その意味を解釈いたします」と言いました。

王はたいへん怒り、「それではだめだ！　おまえたちは、わたしをごまかそうとしている。聞け！　おまえたちはわたしの夢を言い当て、それから、夢が何を意味しているのか言うのだ！」

「そのようなことをまじない師に求めた王さまは、今までおられません。」

王はますます怒り、立ち上がると、ブツブツ言ったり、文句を言ったりしているまじない師たちを指さしました。「うるさい！　命令に従えないなら、おまえたちを殺す！」そして、まじない師を処刑せよ、という王の命令が下されました。

この命令は、「王の賢者たちすべて」ということで、その中には王の相談役も入っていました。それは、ダニエルとダニエルの友人たちも処刑される、ということを意味していました。

腹を立てた王は全ての相談役を簡単に殺すことができま
た。けれど、ダニエルは朝になったら夢を解釈する、と
に約束しました。ダニエルは、神がその間に意味を教えてくだ
ると信じていました。一人の人の間違った行いが他の人々の
を危険な目に遭わすことがあるのと同じように、一人の人の正
い行いが、大勢の命を救うことができます。

ローマ 5:18-19、歴代上 15:21-2

王の夢の意味

ダニエル書 2 : 14〜43

ダニエルと友人たちは、いっしょに祈りました。その夜遅く、ダニエルは幻を見ました。ダニエルは神にお礼を言うと、急いで王に会いに行きました。

「ほんとうに、おまえにはわたしの夢がわかり、その意味もわかるのか？」王はたずねました。

ダニエルは答えました。「いいえ。でも、天の神さまにはわかります。王さまは、恐ろしい像をご覧になりました。頭は金、胸と腕は銀、腹と腰は青銅、すねは鉄、そして足は鉄と陶土でできていました。

巨大な石が崖からくずれ落ちて、像を粉々に破壊しました。石は地球全体をおおうほど大きな山になりました。

その夢の意味は、こうです。像のそれぞれの部分は、王国を意味しています。あなたはバビロンの王さまで、頭です。あなたのあとにも王国が続きます。四番目の国は鉄のように強く、ほかの国を支配します。けれど、それは分裂した国になるでしょう。」

ダニエルと友人たちにとって生きるか死ぬかの問題でした。彼らは祈り、神は、祈りに応えました。神は、ダニエルに夢が何だったのか、そしてその意味を示されました。ダニエルは夢の意味を教えてくださった神を称える歌を歌いました。神は、誠実です。そして私たちの心からの称賛に値します。

ダニエル 2:20-23、アモス 3:7、ルカ 10:21、エフェソ 3:2-3

終わりのない王国

ダニエル書 2：44〜49

神は、バビロンの王に、バビロンがペルシアにほろぼされることを示されました。その後、ギリシアがその地域を支配し、そのあとではローマが支配することになります。分裂した国とは、ローマのことです。それから、神は、ご自分のおん子イエスをお使いになって、最大の奇跡を行われます。神の国は、他の国とは違い、戦争ではなく、平和に基づいた国になります。ダニエルは、ずっと先の未来に来るその時代について話し続けました。

「分裂した王国が支配する間に、神は、けっして破壊されることのない、もう一つの王国を造られます。この王国は、永遠に続くでしょう。巨大な石は、この王国のことです。山からその石を切り出したのは神で、その神が今、これらのことを王さまに示されたのです。」

王は、ダニエルに言いました。「おまえの神は、ほんとうに、もっとも偉大で、賢い！」それから、ダニエルに、バビロンで王の次に大きな権力を与えました。

だれも、王が何を夢に見て、それが何を意味するのか想像もつきませんでした。けれども神は、神を信頼する人々にそれを教えました。この重要な夢は聖書の一部となることになります。この夢は世界中に関わる将来の出来事を一目見せています。つまりわれらの救い主イエスによって神の国が来ることです。

詩編 93:1、イザヤ 9:6-7、ローマ 5:19、ルカ 1:32-33

三人の勇敢な人びと

ダニエル書 3 : 1〜18

長い年月が過ぎました。ネブカドネツァルはやがて、ダニエルの神こそ唯一の神であると言ったことを忘れ、金で巨大な像を造り、それを神としておがみました。

王は命令を出しました。「王の音楽が流れたときはいつでも、みな地面にひれふして、この像に祈らなければならない。従わない者は燃えさかる炉に投げ込む。」

ほどなく、王の家来たちは、ダニエルと三人の友人たちが金の像をおがんでいないことに気づきました。もし彼らがこの像をおがんだら、神のおきてに背くことになるからです。そのおきてとは「わたしはおまえの主、神である。わたしは唯一の神である。像を造っておがんではならない」というものでした。

ネブカドネツァルは、そのことを知ると、ダニエルの友人たちを呼び、こうたずねました。「シャドラク、メシャク、アベド・ネゴ、おまえたちが像をおがまないというのは、ほんとうか？」

三人は、きっぱりと言いました。「わたしたちは、けっしてあなたの神をおがみません。燃えさかる炉に投げ込まれても、わたしたちの神はわたしたちを救ってくださるでしょう。」

あなたはだれを礼拝しますか？ 神ですか？ それとも何か別のものですか？ 神は、私たちにとって一番大切な存在でありたいと思っておられます。そうして初めて、神は、この世でも永遠の世界でも、私たちを祝福できるのです。他の人々が皆、神を、そしてあなたのことも拒絶している時に神に従うことを選ぶのには勇気がいります。

詩編 23:4、イザヤ 43:2、一ペトロ 1:6-7

燃えさかる炉

ダニエル記 3 : 19〜30

ネブカドネツァルは怒って、兵士に三人をしば
ように命じました。「連れて行け！ そして火を七
にせよ！」

兵士たちは、ダニエルの友人たちを炉に投げ
みました。そのとき、あまりにも熱かったので、
士たちが死にました。しかし、そのあと、王はも
と驚くべきものを見ました。

三人はしばられておらず、炎の間を歩いていま
た。まったく苦しんでいませんでした。しかも、も
と驚いたことに火よりも明るく輝いている、四人目
人がいっしょにいたのです。それは、イエスご自
だったのでしょうか？

王は、彼らに、外に出てくるように命じました。
のときには、四人目の人は消えていました。ダニ
ルの友人三人は無事でした。

王は首を振りました。「とても信じられない。おまえたちの神は、もっとも偉大な神だ。神を信じる者を守ってくださる。これからは、おまえたちの神を悪く言う者は許さない。」

> イエスが三人の友人たちと共におられたのです。まさに彼らの大きな試練の真っ最中に。イエスは決して私たちを離れない、と約束なさいました。このことは、王に、ダニエルの神は、全能であるということを証明しました。けれど王は信者になりませんでした。王がへりくだって、神を信じるまでには、もう一つの夢と七年間の病が必要でした。
>
> *民数 14:11、イザヤ 64:1-4、マタイ 28:18*

王の宴会

ダニエル書 5 : 1〜12

年をとっていたネブカドネツァル王は、とうとう亡くなりました。その次のバビロンの王は、ベルシャツァルと言いました。ダニエルは、王の相談役として働いていました。ダニエルが老人になってから、不思議なことがありました。

そのとき、王は大きな宴会を開いていました。王は酔っ払って楽しい時を過ごしていました。何か変わった遊びをしたいと思った王は、エルサレムの神殿から運び出された金や銀のコップ、皿などを、すべて見たいと言い出しました。

王は、客たちに「今夜、われわれは、神のよ
に飲むのだ」と言うと、みんなで金や銀で造られうその神をおがみ、聖なる杯で酒を飲みました。

そのとき突然、どこからともなく、不思議な手が
出てきました。その手は、王の宮殿の壁に何か書き始めました。王は青ざめました。王の手は震
え、ひざがぶつかり合いました。

王は叫びました。「急げ！　まじない師と魔術
師、賢者たちを、ここへ呼べ。この手が何を書いたのか知りたい。これが読める者には、だれでもい
い、大きなほうびを与える。」魔術師たちは、壁
の字を読もうと、できるだけのことをしました。

王のおかあさんが言いました。「王さま、あなた
を助けることができるかもしれない人がいます。賢
者の頭で、ネブカドネツァルの夢を解釈した人で
す。ダニエルなら、あなたを助けることができるかも
しれません。」

> 新しい王は、客たちに強い印象を与えるために、偽の神の像を称賛しながら、エルサレムの神殿から持ってきた黄金の盃からお酒を飲みました。こうして神を侮辱したのです。自分の父親に起きたことを考えれば、もっとわかっていてもよかったはずですが、王は意固地になっていたのです。私たちは神聖な神を常に崇め、尊敬しましょう。
>
> *サムエル 22:28、詩編 18:27、ダニエル 4:1-37*

壁に書かれた文字

ニエル書 5 : 13〜31

ダニエルは、王の前に呼び出されました。「おま
は夢の意味がわかると聞いた。この恐ろしい手
壁に何を書いたのか、教えてくれ。そうすれば、
うびをやる。おまえに王の色である紫を身に着け
ことを許し、金の首かざりをやろう。」

「ほうびはいりません」と、ダニエルは言いまし
。「わたしがこの文字の意味を解くのは、それ
、高いところにおられる神の望みだからです。ネ
カドネツァル王が学ばなければならなかった教訓
おぼえておられますか？　ネブカドネツァル王は、
れが王になるべきかは神が決めることをご存じ
した。

けれども王さま、あなたはこのことがわかっておら
ません。むかし、ネブカドネツァル王がそう命じら
たのに、あなたは神を敬うことをしません。あなた
ごうまんになり、神の神殿の食器を持ち出し、そ
で女の人たちに酒を飲ませました。そこで、この
が、あなたに伝えることばを書いたのです。

ことばの意味はこうです。神はすぐにあなたの王国を終わらせます。あなたは審判にかけられ、落第したのです。あなたの王国は二つに分けられ、メディアとペルシアのものとなるでしょう。」

ダニエルが話し終わると、王はダニエルにほうびを与えました。その同じ夜、ダニエルが言ったことがすべて、そのとおりになりました。ベルシャツァルは殺され、ペルシア人がバビロン帝国を征服しました。

だれが王になるかは、神がお決めになります。ベルシャツァルは試験に失敗しました。傲慢過ぎたのです。彼は警告を受けましたが、聞き入れませんでした。そして、今では遅すぎました。最悪のことは、だれかが神を完全に拒否し、神がそれ以上、助けてくださらなくなることです。私たちがへりくだって、神を求める限り、望みはあります。

歴代誌下 32:26; ダニエル 2:21、エゼキエル 31:10-11、ハガイ 2:20-22

ライオンの洞くつ

ダニエル書 6 : 1～28

ベルシャツァルが殺されたあと、メディア人のダレイオスが王になりました。王は国を治めるために三人の大臣を選びましたが、その一人がダニエルでした。

ダニエルは老人になっていましたが、全身全霊、そして全力を尽くして神に仕えました。いつも祈り、神が偉大なことをされるのを見てきました。神は、そのようなダニエルに、知恵を授けました。

まもなく、ダレイオスは、ダニエルがほかの二人の大臣より優れていることに気がつきました。王は、ダニエルに、王国全体を治めさせようとしました。

このことは、ほかの大臣たちを不愉快にさせました。大臣たちは、ダニエルを陥れようとたくらみ、何か悪いことをしていないかと探しました。ダニエルをうそつきか悪人にしたかったのです。しかし、ダニエルは善い人だったので、何も悪いことは見つかりません。とうとう、大臣たちは、ある方法を考え出しました。

大臣たちはみんなで王のところに行き、「王さま、この命令書に署名していただきたいのです。これには、『王さまが神である』と書いてあります。これから三十日の間にほかの神に祈る者は、ライオンの洞くつに投げ込まれて処刑されます」と言いました。王は、この案が気に入りました。それで、命令書に署名しました。

ダニエルは、王の命令を知っていましたが、神に祈り続けました。一生の間、ダニエルは一日に三度、神に祈っていました。ダニエルは、エルサレムに向いた窓際にひざまずき、神の恵みに感謝し、イスラエルの民のために祈りました。ユダヤ人がエルサレムに戻れる日が早く来るようにと、神に願いました。

ダニエルの敵たちは、ダニエルが祈っているを窓の外から見ると、王のところに行きました。「なた以外の神をおがんではいけない、という命書を覚えておられますか？　ダニエルが、その則を破りました。今でも毎日、自分の神に祈ってます。」

これを聞くと、王は、わなにかけられたことにづき、何とかダニエルを助ける方法がないかと一じゅう考えましたが、何もありませんでした。命令は、署名して印が押されていたのです。

役人が、王の前にダニエルを連れ出しました。は言いました。「わたしには何もできない。おまえ神が救ってくれることを願うばかりだ。」ダニエル野生のライオンのいる大きな穴に投げ込まれ、穴大きな石でふさがれました。

次の日、太陽が昇るとすぐに、王はライオンのまで行き、入り口をふさいでいる石の前に立ちまた。そして、震える声で「ダニエル、生きてい神のしもべよ！　神はおまえを救ってくれたか？」たずね、息を止めました。

「はい、王さま、神はわたしを救ってくれましたという声がしました。ダニエルは無事だったのです。「わたしの神は、天使を遣わして、ライオンの口をふさぎました。神がわたしを守られたので、わたしは無事です。王さま、わたしは何も悪いことはしておりません！」

王はすぐに、穴の入り口を開くよう、番人に命じました。ダニエルを引き上げてみると、ダニエルはかすり傷一つ負っていませんでした。王は、ダニエルを陥れた人びとを呼びつけ、番人に、この人たちをライオンの穴に入れるよう命じました。悪い大臣たちは、穴の底に着く前に、ライオンに食べられてしまいました。

王は、「わたしの国のどこでも、ダニエルの神を敬うように。この神は生きている神だ。この神の国は永遠に続く。この神は奇跡を行う。ダニエルをライオンから守ったのだ」という命令を出しました。

ダニエルは新しい法律は怖くはありませんでした。ダニエルは自分が信頼する神を礼拝し続けました。王は、神が神の忠実なしもべのために奇跡を起こすのを見て、新しい法律を作りました。今では、すべての人がダニエルの神を崇め、尊敬しなければならないことになりました。「神は、生きている神です。神の国は永遠に続くでしょう。」

歴代上 29:10-13、*詩編 83:18*、*使徒言行録 4:19*

ごうまんな王

エステル記 1：1〜8、2：5〜7

バビロン人に捕まったユダヤ人がみな、都に連れていかれたわけではありませんでした。多くは、ペルシア帝国のほかの場所に住み着きました。美しいユダヤ人の娘エステルも、その中の一人でした。エステルには両親がなく、モルデカイという名のいとことといっしょに住んでいました。

そのころ、クセルクセスというペルシア人の王がいました。この王の国はエジプトからアフリカにまで及び、インドも含まれていました。

この王はたいへんごうまんで、人びとに自分のを見せつけるのが大好きでした。一年の半分王国の重要な人々に、自分の富と力を見せて過しました。宝物や宮殿、馬、軍隊などを見せたとで、七日間もの大宴会を開いていました。

人びとは、王の園遊会に招かれ、金、銀、石で作られたイスに座りました。金の糸で織られ壁掛けをながめ、金のコップでワインを飲み、ふ水の周りで、話したり、おどったりしました。

仕事をし、食物、衣類、そして住み家に必要な収入を得る能力を私たちに下さるのは神です。私たちが正直で、自分の富を良い目的に使っているかぎり、神は、私たちが金持ちになってもかまいません。良い目的とは困っている人を助けることです。夫を亡くした人、孤児、寂しい人、老人、病人、貧しい人、難民、そして囚人です。

申命記 8:18、コヘレト 5:19、ヤコブ 1:27

妃ワシュテイの退位

ステル記 1 : 19～22

クセルクセス王は、自慢して言いました。「わた
ょ、歴史上いちばんの金持ちの王だ。わたしの
隊はいちばん大きく、王妃は世界でいちばん美
い。」

人びとは、ため息をつきました。王妃の評判は
いたことがありました。人びとは、「王妃を見せ
ください。会わせてください」と、口ぐちに言い
した。

王の召し使いは、王妃が自分の宴会を開いてい
ところに走っていき、こう言いました。「王さまより、
客さまの前に出るようにとのご命令です。」

王妃は手を腰に置き、「なぜ？」と言いました。
「王さまは、あなたがどんなにお美しいか、お見
になりたいのです。」

しかし、驚いたことに、王妃は首を振り、「いい
、王には『あとで行く』と伝えなさい。わたしが、
、いそがしいのが見えないの？」と言いました。

驚いた召し使いは、急いで王のところに戻り、こ
ことを伝えました。これには客たちも驚きました。
んな、王がどうするかを見守っていました。王は
激怒しました。すぐに顧問たちを呼ぶと、「わたしの
命令に従わない王妃に、どんな罰を与えようか？」
相談しました。

顧問たちは、「急いで行動なさるべきです。さも
ないと、国じゅうの妻たちがみな、夫に従わなくなり
ます。それでは困ります。ワシュテイには、もう王
妃ではない、という王さまのおことばを告げ知らせ
るのがよいでしょう。そして、別の王妃を探すので
す。」

王はこの案が気に入り、王さまからの命令のおこ
とばを出しました。王さまからの命令のおことばは、
だれにでもわかるよう、いろいろな民族のことばで
書かれていました。王は、新しい王妃を探しました。

その時代、ペルシャの文化では妻は夫に従わなければなりませんでした。多くの文化では今でも同じです。それで、女王が王の命令に従わないということは聞いたことのないことでした。聖書の教えは、夫婦は常に互いに尊敬し合い、子どもたちは目上の人を尊敬するということです。子どもたちも尊敬されなければなりません。

レビ 19:32、マタイ 18:10、エフェソ 5:21、コロサイ 3:18-21

ミス・ペルシア

エステル記 2 : 1〜20

王は、もっとも信頼している家来たちを、王国中で特に美しい娘たちを集めるために遣わしまた。その娘たちの中に、ユダヤ人の娘エステルいました。

エステルとほかの娘たちは宮殿に連れていれ、そこですべて最高の物、美しい着物や香などを与えられました。召し使いたちは娘たちに事を与え、服を着せ、美しく化粧させました。そから一年の間、娘たちはお姫さまのように扱われした。

エステルは、宮殿で暮らしている間、自分がダヤ人であることがだれにもわからないように気つけていました。これは、いとこのモルデカイか教えられたことでした。モルデカイはいつも、父のように世話をしてくれていたので言われたとおにしました。

エステルが宮殿に連れていかれるとき、モルカイはついて行き、それから毎朝、宮殿の外のを歩きました。こうしていれば、彼女のようすがかったからです。

一年が過ぎると、王はコンテストを行いました。優勝した人が王妃になるのです。

とうとう、エステルが王に会うときが来ました。これほど美しい人は今まで見たことがないという意見に、だれもが賛成しました。王は、「エステルのような人は、ほかにいない」と言いました。美しいエステルが、ペルシアの新しい王妃となりました。

エステルが美人コンテストに勝ったのは、彼女の柔らかい肌、輝く長い髪、そして香水の香りだけのおかげではありませんでした。それは神の計画とエステルの神に喜んで従いたいという意志によるものでした。神は、心を見られます。神は、あなたと私が生まれる前に、すでに私たちが神のものだと決めておられました。神は、私たちに美しい心であってほしいと望んでおられます。神は、私たちにイエスのようであってほしいのです。

ローマ 8:29、エフェソ 1:4-6、4:22-24、コロサイ 3:12-14

ユダヤ人は死ななければならない

エステル記 2 : 21〜3 : 15

モルデカイは毎日、宮殿の外を歩き、エステルがどうしているかわかるのを待ちました。エステルは王妃で、望むものは何でも手に入りました。それでも、やはり、モルデカイは父親のように心配していました。

宮殿には、ハマンという権力者がいました。ハマンは王の次に権力があり、自分が通るときにはだれでもひれふすようにと命令しました。

けれども、宮殿の門のところに、ひれふさない人がいました。モルデカイです。ハマンは繰り返し、モルデカイのそばを歩きましたが、モルデカイはひれふしませんでした。

ハマンは腹を立てて、王に言いました。「命令に従わない民族がいます。わたしに、その者たちを殺させてください。そうしたら、王さまにたくさんのお金を差し上げます。」

ハマンは、モルデカイだけでなく、すべてのユダヤ人を殺そうとしました。王は、ハマンがだれのことを言っているのかも知らずに、同意しました。それで、王の書記官が、ペルシアじゅうに手紙を送りました 、一年のうちに、すべてのユダヤ人を、若者も老人も女の人も子どもも、みんな殺すように、という命令が出されたのです。

自分は重要な人物なので、神と同じように礼拝されてもいいと思っている人たちがいます。その人たちに賛成しないと、彼らはあなたに罰を与えようとします。人々を尊敬するのは良いのですが、礼拝されるのは神だけです。神の民を滅ぼしたいと考える勢力は常にありました。けれど神の民に危害を加える人々は、神が行動を起こすであろうと思っていてよいです。

出エジプト 20:3、マタイ 4:10b、ローマ 11:11-12、28-32

エステルの計画

エステル記 4 : 1〜5 : 12

モルデカイは、ユダヤ人殺害の命令を知ると、分の衣服を裂き、町の通りを行ったり来たりしなら、大声をあげて嘆き悲しみました。

モルデカイは、エステルに「王に、わたしたち命を助けてくれるよう頼みなさい」と伝言しました

エステルは、恐ろしくて真っ青になりました。「王まは、自分で召し出した人にしか会いません。もしたしが、呼ばれもしないのに王さまに会いに行っりしたら、殺されてしまいます。王さまが金のしゃをわたしに差しのべ、わたしの話を聞こうとしてくさらないかぎり、わたしの命はないのです。」

しかし、モルデカイの気持ちは変わりませんでし。「王妃だからといって、自分だけ助かろうなど思ってはいけない。もしおまえが何もしないのな、神はだれか別の人を使って、ユダヤ人を救わるだろう。おまえが王妃になったのは、おそらくこ日のためだったのだ。」

エステルは祈りました。それから「モルデカイに、かりましたと伝えてください。死ななければならなのなら、死にましょう」と、使いの人に言いまし。

三日後、エステルは王の部屋に行きました。王、エステルを見るとほほえみ、しゃくを差しのべ、「エステル、何か用か？　おまえには何でも与るぞ。わたしの王国の半分でもな」と言いました。

「もしよろしければ、王さまに、今夜、ハマンとっしょに、わたしのところにお食事においでいたきたいのですが。」

「もちろん、いいよ。」王は答えました。

その晩とその次の晩、エステルは、王とハマンいっしょに食事しました。最初の晩、ハマンは家帰ると、周りの人びとに、自分の財産を見せて自慢しました。「わたしは偉大なのだ。王も王妃もわたしといっしょに食事をするほどだ。」

断食とはしばらくの間、食べ物を食べずに過ごすことです。断食は祈りに集中することを助けます。空腹の痛みを感じるたびに、祈ることを思い出させられます。私たちが本気だということを示します。子供は断食をする必要はありません。彼らは成長するために、食べ物が必要ですが、彼らも祈ることはできます。神は、私たちが断食をしてもしなくても、私たちの祈りを聞いてくださいます。

歴代下 20:3-4、*詩編 34:17-18*、*106:43-46*、ネヘミヤ *1:4*

エステル、イスラエルの民を救う

エステル記 7 : 1〜6

二度目に食事をしたとき、エステルが待ち望んでいた時が来ました。その夜も、エステルは最高の食事を出していました。王は、美しい妻を見て、たいへん良い機嫌でした。

王は、エステルに「さあ、言ってごらん。何か望みなのか?」とたずねました。

エステルは、心の中から込み上げてくるものを感じました。そして、深く息を吸うと、「お願いでございます。わたし自身の命と、わたしの民の命をお助けください。わたしたちは皆、殺されてしまうのです!」と言い、頭を下げました。

「それはいったい、どういうことだ？」王は叫ひ
した。「そんな悪いことをするのはだれだ？」

エステルは立ち上がり、ハマンを指さしまし
「悪人は、この男です。ハマンです！」ハマン
驚いて、ワインにむせました。

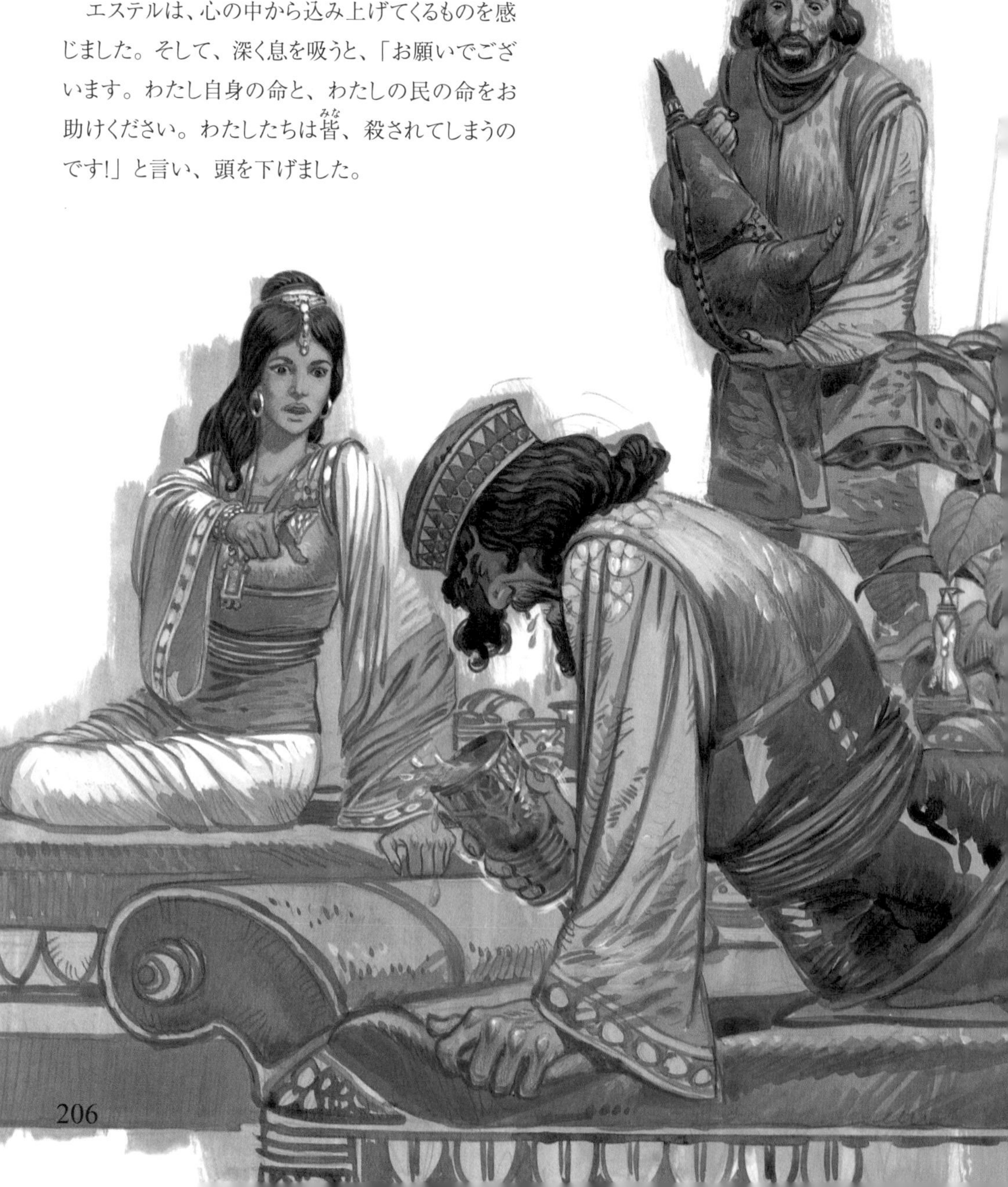

エステルは機会があれば、はっきりと意見を言い、王に何でも話しました。時々、私たちには正しいことを言ったり、行ったりする機会があります。ためらっていると、機会は通り過ぎるかもしれません。そして、その機会を使わなかったことを後悔するかもしれません。与えられた機会を使う勇気と知恵を与えてくださるよう神に頼みましょう。

ルカ 21:12-15、使徒言行録 19:8-10、ガラテヤ 6:10

ハマン、処刑される

エステル記 7 : 7〜8 : 2

王は激怒し、部屋を出て庭に行き、ハマンはエステルの足もとに身を投げ出し、許しを願いました。

王は、部屋に戻ってくると、ハマンがエステルにしがみついているのを見て、怒りを爆発させました。「王妃を襲うとは何事だ！　手を離せ！」王の番兵が走ってきました。一目見て、兵士たちは、ハマンの命が長くないことを悟りました。

王は、「この男を処刑せよ！」と叫びました。

それから、王は、ハマンの家と全財産を、王妃エステルに与えました。そこへ、モルデカイがやって来ました。エステルは、王に、モルデカイがいとこであること、けれども、父親のように愛してくれていることを話しました。

王は、自分の指から特別の指輪をはずすと、モルデカイに与えました。エステルは、ハマンの全財産を、モルデカイにあげました。

うぬぼれの強いハマンは、自分の悪い決断の責任を取らなければなりませんでした。ハマンがモルデカイに計画した悪事はハマン自身に降りかかってきました。悪事、特に神の民と神を信じる子どもたちに対して行われた悪事は、常にそれを犯した人に戻ってきます。私たちは復讐をしてはいけません。神が私たちのために行動してくださるのに任せたらよいのです。イエスは敵のために祈りなさい、と言われました。

箴言 10:12、26:27、エゼキエル 35:11、ローマ 12:17-19

生きのびる機会

エステル記 8 : 3〜17

モルデカイがほうびをもらったあとで、王妃は、もう一度、王のところに行きました。王妃はまた、命を危険にさらしたのです。王が金のしゃくを差しのべなければ、その日のうちに殺されることになります。

エステルは、王を見るとすぐに足もとにひれふし、泣き出しました。王は、金のしゃくを差しのべました。王妃は助かりました。「お願いでございます。ハマンが出したひどい命令から、ユダヤ人を助ける方法はないのでしょうか？」

エステルは、王が一度出した命令は変えられないことがわかっていました。王はよいことを思いつき、モルデカイを呼びにやりました。「モルデカイ、今ではおまえがわたしの指輪を持っている。もう一つ命令を出して、ユダヤ人を救いなさい。」

モルデカイは命令を出しました。「全ユダヤ人は、戦いの日に敵を退けることを許される。」

知らせが伝わると、ユダヤ人たちはたいへん喜びました。ユダヤ人でない人がユダヤ人になりたがったほどでした。きたるべき戦いの勝者がだれか、人びとにはわかっていたのです。

> 悲しいことに、ユダヤ人が全滅の危険にさらされたのはその時だけではありませんでした。けれども神は、どこかの勢力が神の民を滅ぼそうと、どれほど努力したとしても、常に生き残る人がいると約束なさいました。神を信じる人々は決して無残な負け方をすることはありません。
>
> *詩編 5:11-12、25:3、27:1-3、13-14*

ユダヤ人の復讐

エステル記 9 : 1〜10、9 : 20〜10 : 3

戦いの日が来ました。それはまさに、ハマンユダヤ人皆殺しの日と決めていた日でした。しし、その結果は、ハマンが望んでいたのとはまたく違っていました。神はユダヤ人を祝福し、い戦士にしました。その日、死んだのは、神のの敵でした。戦いの日、諸侯や将軍たちはモデカイの味方になり、神の民が自分自身を守るを助けました。

モルデカイはまた、もう一つの命令を出しまし王国じゅうのユダヤ人は神が不思議な力強い法でユダヤ人を助けられたことをけっして忘れていけない、ということでした。また、毎年そのこと思い出し、祭りを行い、貧しい人びとに食べ物贈り物にする、ということでした。

その後、長い間、エステルは、王といっしょにルシアの国を治めました。

> 彼らの役割は逆転しました。ハマンがユダヤ人を殺すために選んだ（くじ引きによって）まさにその日に、ユダヤ人は、彼らを殺そうとする人々から自分たちを守ることが許されました。今日、ユダヤ人は今でも神が彼らを敵から救われた日を記念してプリム（「くじ引き」の意味）を世界中で祝います。
>
> *箴言 26:27、ゼカリヤ 2:8b、2:10-13*

新約

天使の訪問

ルカ 1 : 26〜38

ユダヤ人たちは、いつの日か、神が救い主メシを送ってくれる、ということがわかっていました。メアは、神を人びとに近づけてくれるはずでした。そて、イエスこそが、このメシアでした。イエスは、の地球上に赤ちゃんの姿で来られ、世界の救いとなられました。

イエスの母親は、マリアと言いました。ある朝、リアが目を覚ますと、あたりが明るくかがやいていまた。天使ガブリエルがマリアの部屋に来て、「マア、あなたはほかのどんな女の人よりもすばらしい人です」と言いました。

マリアは恐ろしくなりましたが、ガブリエルが言い

た。「こわがることはありません。神は、そのおん
メシアの母として、あなたを選ばれたのです。」
マリアは、ヨセフと結婚することになっていましたが、
使のことばを聞いても反対はせずに、「はい、おっ
ゃるようにいたします」と言いました。神が、よいよ
にしてくださることが、わかっていたのです。
ガブリエルは、エリサベトにも子どもが生まれること
伝え、「神にできないことは一つもありません」と言
ました。
マリアは、天使のことばを信じました。

神の救いの計画を始める時が来ました。神は、マリアが神を信じない人々から軽蔑される危険を冒すことができるほど、神を愛していると知っておられました。イエスが神の子で、乙女から生まれたというと、私たちは人々に笑われるかもしれません。それは奇跡でした。けれど神にとって不可能なことはありません。

創世 18:14、民数 11:23、エレミヤ 32:27

マリアのあいさつ

ルカ 1 : 5〜25 ; 39〜45

マリアの親せきのエリサベトは、とても年をとっていました。長い間、彼女も夫も子どもをほしがっていましたが、今、やっと生まれることになったのです。神は、その子どもは特別な人になる、と言われました。
マリアは、天使の訪問を受けたあと、ガリラヤのナザレにある家を出て、南のユダという町に住むエリサベトを訪ねました。
エリサベトの家に着くと、マリアは「こんにちは!」と、声をかけました。
マリアの声を聞くと、エリサベトは久しぶりに家

から走り出て言いました。「マリア、あなたは祝福された方です。あなたは、わたしの主のお母さまです。あなたがあいさつの声をかけたとき、わたしのおなかで子どもが喜んではねたので、それがわかりました。マリア、あなたは特別な方です。あなたのおなかには、神のおん子がいらっしゃるのです。」

エリサベトにも奇跡が起きていました。マリアがエリサベトに会いに来た時、エリサベトのお腹の赤ちゃんがマリアのあいさつの声を聞いて反応しました。その時、マリアは神の奇跡を称える歌を歌い出しました。理解してくれる人と、私たちの経験を分かち合うことができるのは恵まれたことです。私たちの神を信じる気持ちを確かなものにし、より強くします。

詩編 9:1、66:16、72:18、92:5

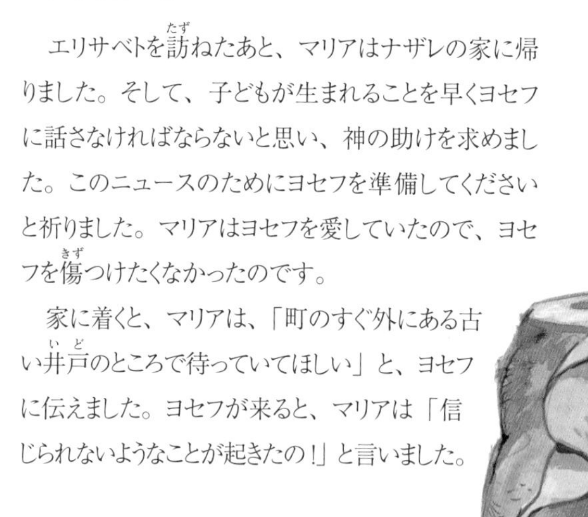

井戸のそばで

マタイ 1:1〜19

エリサベトを訪ねたあと、マリアはナザレの家に帰りました。そして、子どもが生まれることを早くヨセフに話さなければならないと思い、神の助けを求めました。このニュースのためにヨセフを準備してくださいと祈りました。マリアはヨセフを愛していたので、ヨセフを傷つけたくなかったのです。

家に着くと、マリアは、「町のすぐ外にある古い井戸のところで待っていてほしい」と、ヨセフに伝えました。ヨセフが来ると、マリアは「信じられないようなことが起きたの！」と言いました。

ヨセフは、どうしてマリアがこんなに真剣な顔をしているのか、なぜ、こんなところで会わなければならないのか、わかりませんでした。

マリアは続けました。「神は、わたしを祝福してくださいました。神はわたしを、神の子メシアの母に選ばれたの。わたしの胎内の赤ちゃんは、もう三か月になるのよ。」マリアは息をのみました。ヨセフに、わかってほしいと思いました。

「マリア……」ヨセフは顔をそむけました。〔とても愛しているのに……。でも、もう結婚するわけにはいかない〕と思いました。ヨセフは、マリアを信じていいのかどうか、わからなかったのです。

振り向くと、自信に満ちた顔をしているマリアが見えましたが、ヨセフは歩き去りました。マリアを傷つけないで結婚を取り消す方法はないか、と考えました。たくさんの夢や希望を育ててきたのに、今では何もかもくずれてしまいました。

時々、神は、私たちに特別な方法で神に仕えることを求めます。私たちの最も親しい友達さえ、私たちが立てた計画が完全に変わったら、理解しないかもしれません。それどころか、傷つき、腹を立てるかもしれません。けれど、私たちが彼らのために祈れば、神は、彼らの心に働きかけ、彼らは私たちが正しいことをしていると受け入れるようになるでしょう。

ヨブ 11:7、詩編 25:4-5、イザヤ 41:20

ヨセフの夢

マタイ 1 : 20〜24

それから間もないある晩のこと、主の天使がヨセフに現れました。「ダビデの子よ、マリアと結婚することを恐れてはいけません。あの人の言ったことはほんとうです。マリアの子どもは人びとを罪から救います。イエスと名づけなさい。」

目覚めたヨセフは、天使のことばを信じることにしました。

その間、マリアは、ヨセフのために祈っていました。

夢を見たあと、ヨセフはマリアのところに行き、心配することはないと言いました。マリアの祈りは聞き入れられたのです。それからしばらくして、二人は結婚しました。

> **神**は、さまざまな方法で私たちに話しかけられます。聖書、状況、他の人、夢、天使によって、そしてその他のさまざまな方法で。ヨセフは、「その子は、人々を人々が犯した罪から救うことになるので、イエスと名付けます」という天使の言葉を信じるかどうか、また、決断しなければなりませんでした。私たちは救い主イエスを信じるかどうか、決断しなければなりません。
>
> *マルコ 16:16、使徒言行録 2:38-39、16:31、ローマ 10:9*

イエスの誕生

マタイ 1:25、ルカ 2:1〜7

ある朝早く、ヨセフがロバに荷物を積むと、マリアはその上に乗りました。そして、ユダヤの町ベツレヘムに向かって出発しました。

ローマ皇帝アウグストゥスが、イスラエルの部族の人口を調べるために、すべての民に自分の出身地に戻るよう命じたからです。ヨセフの家族は、ベツレヘムの出身でした。それで、二人はベツレヘムに行かなければならなかったのです。

「きょうでなければよかったのに。赤ちゃんが今にも生まれそうだから」とヨセフが言いました。

マリアも、うなずきました。マリアはロバにつかまっていましたが、おなかの赤ちゃんがとても重くて、すぐに落ちそうになりました。

何時間も過ぎ、太陽が昇って、暑くなってきました

マリアは眠くなりました。でも、眠ればロバから落ちてしまいます。それで、しばらく歩きましたが、すっかり疲れて、またロバに乗りました。

こうして二人は、やっとの思いで、ベツレヘムにたどり着きました。道には人びとがあふれていました。子どもたちが走り回っています。たいへんなさわがしさです。そのとき突然、マリアは、おなかが引きしまるのを感じました。

「ヨセフ、赤ちゃんが生まれそうなの。」

ヨセフは真っ青になり、「人混みを出て、どこか静かな場所を探さなければ」と言いました。

二人は、家から家へと歩き回って、泊めてもらえないかと頼みましたが、どこでも断られました。

とうとう、ヨセフは「今夜、泊まれるところはないのだろうか」と叫びました。

すると、ある宿の主人が「町はずれの牧場のそばに、丘がある。わたしはそこの洞くつで動物を飼っているのだが、その洞くつに行きなさい。新しい飼い葉を敷いて、そこで休みなさい。少なくとも、あそこなら静かだよ」と言ってくれました。

ヨセフはお礼を言うと、マリアのところに走って戻りました。マリアはヨセフに寄りかかりながら、町を出ました。

ヨセフは、マリアを洞くつに連れていくと、ほっとしました。ヨセフは、すべてがうまくいくよう、いっしょうけんめい祈りました。ヨセフは、妻が動物のための洞くつで赤ちゃんを産まなければならないことがとても残念でしたが、ほかに方法がありませんでした。

赤ちゃんが生まれると、ヨセフはその小さな坊やを腕に抱きました。マリアは「これはイエスです」と言いました。

神が、人々との親交を取り戻す方法は一つしかありませんでした。イエスは、この世に来られ、人として生きて亡くなり、その死によって、私たちの犯した罪の罰を引き受けなければなりませんでした。イエスは、天国の最も高い所の権力の王座から、最も低い所、地球という星の家畜小屋で生まれた赤ちゃんとして、来られました。これ以上の愛のある方はいらっしゃいません。

ヨハネ 3:16、ローマ 5:6-11、フィリピ 2:5-11

羊飼いたち

ルカ 2：8～17

イエスが生まれた晩に、不思議なことがありました。近くの丘で寝ていた羊飼いたちは、突然大きな音がしたので目を覚まし、起き上がりました。

その中の一人が空を指さして、「見ろ！」と叫びました。見上げると、ほかのどんなに大きな星よりも明るい星が、一つありました。その星は、だんだん近づいてきて、ますます大きくなりました。

「聞いてごらん、音がするよ。」みんなは、話すのをやめて、静かにしました。すると、遠くのほうから、歌声が聞こえてきます。それは、だんだん近づいてくるようでした。

それから、空全体が光りかがやいて、天使が羊飼いたちの前に現れました。天使は「恐れることはない。今夜、救い主が生まれたのです。飼い葉桶の中に寝ている赤ちゃんを見れば、それがほんとうのことだとわかるでしょう」と言いました。

突然、羊飼いたちは、大勢の天使に囲まれました。天使たちは「いと高きところには栄光、神にあれ。地には平和、み心にかなう人にあれ」と歌いました。天使の音楽は静かでしたが、地面が揺れるように感じられました。

羊飼いたちはひざまずいて、この不思議な出来事を現してくださった神に感謝しました。そして、ふたたび暗くなると羊飼いたちは互いの顔を見合わせ、「夢を見たのだろうか？」と言い合いました。しかしそれは、ほんとうの出来事でした。羊飼いたちは、自分の羊を集めると、ベツレヘムへ向かいました。

村に近づくと、大きな星が、ある丘の上に静かに止まっているのに気づきました。そこには洞くつがあって、中に人がいます。羊飼いたちは、洞くつの中に入ってみました。そこには、天使が言っていたとおりの赤ちゃんがいました。

羊飼いたちはひざまずき、赤ちゃんを王さまとして、また救い主として、おがみました。マリアとヨセフじっと見ていました。マリアは、この夜のことはけって忘れないだろうと思いました。

救い主誕生の良い知らせは、まず、社会の最も貧しい人々に属した羊飼いたちに届けられました。彼らはすぐに行きイエスを見つけ、おがみました。多くの人々が良い知らせを聞きましたが、イエスのもとへ来るようにという招待を無視しました私たちはお金持ちかもしれませんが、イエスがおられなければ、実は貧乏です。

イザヤ 53:1、61:1-3、使徒言行録 4:12、ガラテヤ 2:21、ヘブライ 4:

星に導かれて

タイ 2：1〜10

しばらくして、マリアとヨセフは、大切なお客さまをえました。それは、東の遠い国から来た博士たちした。夜空にかがやく明るい星を見つけ、何かたへんな出来事が起きたと思い、はるばる旅をして、って来たのでした。博士たちはまず、ヘロデ王のころに行きました。

博士たちは、ヘロデに「わたしたちはユダヤ人の王がお生まれになったと思っています。王の星が東の空に見えたのでおがみに来たのです」と言いました。

ヘロデは、イエスの誕生については、何も知りませんでした。それで、祭司たちを集めて、「ユダヤ人の王は、どこで生まれることになっているのか」と、

たずねました。祭司たちは、「ベツレヘムです」と答えました。ずっと前から、預言者たちがそう言っていたからです。

「星が現れたのはいつだ？」ヘロデは博士たちにたずねました。ヘロデは、新しい王について、できるだけ多くのことを知ろうとしました。王位をだれにもわたしたくなかったからです。ヘロデはある計画を思いつき、博士たちに命じました。「新しい王をおが
で来なさい。王のいる所がわかったら、わたしに
らせてくれ。わたしもおがみに行きたいから。」

博士たちは、ベツレヘムに行きました。そし
導いてくれる星が止まるまでそのあとをついて行きま
た。博士たちが、星が止まった所の家に入ると、
エスを抱いたマリアがいました。博士たちは喜びま
た。長い旅をしたかいがありました。王さまを見つ
ることができたのです。

博士たちは新しく生まれた王を探しました。彼らはすべてを
置いて、星を追いかけるために長い旅をしました。彼らは
これが他のどんなことより大事だと知っていました。イエスを探し
当てたとき、博士たちの一番の望みはかないました。今日、人々
は満たされることを求めています。イエスだけが、私たちの一番
の望みを満たすことがおできになります。

詩編 119:105、マタイ 7:7-8、ヨハネ 10:1

王のための贈り物

タイ 2 : 11〜12

博士たちは、この小さな家族のために、めずらして美しい贈り物を持ってきていました。マリアとヨセは、驚きました。「これは、王さまに差し上げる贈物です。」マリアがヨセフにささやくとヨセフもうなずました。

博士の一人が、マリアにおじぎをしました。「遠いからやってまいりました。星が道を示してくれました。の金は偉大な王さまへの贈り物です。」

二人目の博士が進み出て、「あんなに大きな星が然現れることは、めったにありません。この赤ちゃは、世界でもっとも偉大な人になるでしょう」と言う、ミルラの入ったびんをマリアの足もとに置きました。ルラは、偉い人だけが使う、特別の香水です。

三人目の博士は、マリアとヨセフにほほえみまし。「これは香です。部屋の中を、よい香りにします。神も、香を喜ばれるでしょう。この赤ちゃんは、王でると同時に、神です。」

マリアとヨセフは博士たちにお礼を言いました。博たちは頭を下げて祈り、イエスをこの世界に与えてださった神に感謝しました。

博士たちは、家に戻る前の晩、不思議な夢を見ました。夢の中で、神は、ヘロデのところに戻らないように注意しました。博士たちは夢を信じ、来た時とは別の道を通って国に帰りました。

イエスを礼拝するために、金や高価な贈り物を持って行く必要はありません。イエスが何より望んでおられるのは、私たちの心、心からの献身です。イエスが私たちに望まれるのは、私たちがイエスと共に時を過ごし、イエスを知り、イエスのようになり、イエスがなさるようにすることです。イエスは私たちに、唯一のほんとうの王であるイエスと共にいることを楽しんでほしいと思っておられます。

ルカ 6:35-36、エフェソ 5:1-2、コロサイ 3:12、一ヨハネ 4:7-12

彼はナザレの人と呼ばれる

マタイ 2：13〜23；13：55、ルカ 2：39〜40

博士たちが帰ったあと、マリアとヨセフとイエスは休みました。小さなイエスはよく食べて、よく眠りました。日ごとに大きく、強くなっていきました。

ある晩、ヨセフは夢を見ました。夢の中で、神が言われました。「起きなさい。赤ちゃんとその母親を連れてエジプトに逃げ、わたしがよいと言うまでエジプトにいなさい。ヘロデが赤ちゃんを殺そうとしているからだ。」

ヨセフは、びっくりして目を覚ましました。夢はとてもはっきりしていたので、ほんとうのことだと思いました。以前から、神はすべてをご存じだとわかっていたので、ヨセフは頭を下げて祈りました。「神よ、よくわかりました。あなたの言われるとおりにいたします。」

ヨセフはマリアを起こし、夢のことを話しました。二人は、大急ぎで、少ない荷物をロバに乗せました。ヨセフは、そっとイエスを抱き上げてマリアにわたすと、ロバを引いて家を出ました。小さな家族は、夜のやみに消えていきました。

その間、ヘロデ王は三人の博士たちが戻ってくるのを待っていましたが、戻らないとわかると、ひどく腹を立てました。ヘロデは三人をわなにかけるつもりでしたが、逆に出し抜かれてしまったのです。

「ユダヤの王がどこにいるかを、わたしに教えてくれるはずだったのに。」ヘロデは、自分のほかに王がいるなどとは、考えるのもいやでした。「このユダヤの王がだれでもいい、わたしが殺してやる。どこにいるかは知らないが、まだ赤ん坊だということはわかっているからな！」

ヘロデは、兵士たちに、ベツレヘムじゅうを探すようにと命じました。しかし、兵士たちがヨセフの家に着いたときには、もう家の中はからっぽでした。ヨセフとマリアは、無事にエジプトに向かっていました。

それから数年がたち、危険なヘロデ王が死にました。そのころ、ヨセフとマリアとイエスは、エジプト
安全に暮らしていました。

ある晩、主の天使がまたヨセフの夢の中に現れ
こう言いました。「起きて赤ちゃんと母親を連れて、
スラエルに戻りなさい。」

次の朝、ヨセフはマリアによい知らせを告げまし
三人はすぐに故郷に向かい、ナザレの村に落ち着
ました。ずっとずっと前に、一人の預言者が「メ
アはナザレの人と呼ばれるだろう」と言ったとおりに
りました。

ナザレで、ヨセフは大工として店を持ちました。
びとは、壊れたイスや机を持ってきました。ヨセフ
一日じゅう、のこぎりを引いたり、かなづちでたたい
りしていました。家具も作りました。少年になった
エスは、仕事場に来て、ヨセフが働くのを見てい
した。必要なときには、ヨセフの手伝いをしました。

夜になると、ヨセフとマリアは、ユダヤの歴史と神
の愛についてイエスに教えましたが、イエスがすでに
たくさんのことを知っていることに気がつきました。
エスがまだ子どもだったこの時期には、この家族は
お互いにいろいろなことを学び合いました。

今日の大勢の人々と同じように、イエスも難民になりました。イエスはヘロデに迫害されました。神は初めから、このことが起こることをご存じで、イエスを見守っておられました。イエスのエジプトへの旅は、実は預言者が予言していました。神は悪いことが起きても、驚かれません。神は、神を信ずる人々を助ける方法をもう計画しておられます。

詩編 34:7-8、ホセア 11:1、ヘブライ 4:15

マリアとヨセフ、イエスを見失う

ルカ 2：41〜52

十二歳になったとき、イエスは、マリアとヨセフといっしょにエルサレムに行きました。ちょうど過越祭のときだったので、町は多くの人であふれていました。

祭りの最後の日、マリアとヨセフは、家に帰るために町を出ました。二人とも、イエスはナザレに帰るほかの子どもたちといっしょにいるのだろうと思っていました。

一日、旅をしたあと、ほかの子どもたちに「イエスを見ませんでしたか？」とたずねましたが、だれも知りませんでした。

マリアとヨセフは顔を見合わせました。そのときイエスは、まだエルサレムにいたのです。どうやったら見つけることができるでしょうか。二人は、急いで町に引き返しました。それから町じゅうを探しました。子どもはたくさんいましたが、イエスはどこにもいませんでした。

三日間探し回ったヨセフとマリアは、どうしようもありませんでした。大切な息子、神のおん子を、見失ってしまったのです。最後に二人は、ユダヤ人が安息日と祝日に礼拝をする神殿に行きました。

神殿に入ると、ヨセフは、学者たちが集まって、だれかの話を聞いているのに気がつきました。その人たちの真ん中には、イエスが座っていました。みんなはイエスの話を聞いているのでした。

マリアとヨセフは、人混みをかきわけて、イエスのところに行きました。そばまで行くと、マリアは「どうしてこんなことをしたの？　お父さんもわたしもほんとうに心配して、ずいぶん探したのよ！」と言いました。

イエスは、「なぜ、わたしを探したのですか？　わたしが父の家にいることは、おわかりのはずでしょう」と答えました。

イエスは、自分は神の子なのだから父の家である神殿にいるのがあたりまえだと言いたかったのです。イエスが神殿を立ち去るとき、「どうしてあんなに幼い子が、あんなに賢く話ができるのだろう」と、人とが言うのが聞こえました。

イエスは両親とナザレに戻り、彼らの言うことを聞良い子として暮らしました。この頃は、特別の歳月した。

> 他のユダヤ人の子どもたちと同じように、イエスは十二歳の時には旧約聖書のたくさんの部分を暗記していました。イエスにはナザレに居る先生たちでは答えられない質問があったに違いありません。それなら、神殿の偉い先生たちに聞いたらよいのではないですか？　神のことばを暗記すること、そして、わからないことがあったら質問することは大切なことです。
>
> *詩編 119:11、105、114、119:114、マタイ 4:10*

洗礼を受けたイエス

マタイ 3:1〜17、*マルコ 1:1〜11*、*ルカ 3:1〜22*、*ヨハネ 1:29〜34*

イエスには、洗礼者ヨハネという、いとこがいました。ヨハネは、マリアの親せきのエリサベトの息子でした。

ヨハネがおとなになると、神はヨハネに、特別なメッセージを人びとに伝えるように命じました。ヨハネは、人びとに「これから来られる方のために、準備をしなさい」と言いました。

群衆は、川辺に座ってヨハネの話を聞きました。ヨハネは人びとに洗礼を授け、神が罪をきれいに洗い流してくださることを教えました。「神に許しを願いなさい。そして、新しい生活を始めるのだ。」

ヨハネは、並んでいる人びとを見ました。次はイエスの番でした。いとこ同士の二人は、互いに見つめ合いました。

イエスは、洗礼を受けられました。そのあと、水から出たイエスが祈っていると、突然、空が二つに割れたようになり、神の霊が降りてきました。聖霊は、ハトのように、イエスの上にとどまりました。

そのとき、空から「これはわたしの愛する息子。わたしの心にかなう者」という声がしました。神は、人びとに、イエスの語ることをよく聞くように、と言われたのです。

洗礼とは、ある種の埋葬と復活です。私たちが、過去に、何をしていたとしても、もう関係ありません。私たちは、今では、私たちがその名によって洗礼を授けられた、その方、神なる父と子と聖霊のものです。洗礼を受け、聖霊に満たされることが大切なのはそのためです。

マルコ 1:8、16:15-16、使徒言行録 2:37-39、ローマ 6:3-14

イエスの友達

ヨハネ 1：19～34

ヨハネが説教をしていると、長老たちがやって来て、じっとようすを見ていました。ヨハネがほんとうに神から遣わされた預言者なのか、知りたかったのです。「川の中で説教をしている、この不思議な人は、いったいだれなのだろう？」と、みんな、お互いにたずね合いました。

祭司たちは、ヨハネに「あなたはだれですか？」とたずねました。

「わたしはキリストではありません。」ヨハネには、イエスがメシア、つまりキリストであるとわかっていました。

ファリサイ派の人たちが「あなたはキリストでも預言者でもないのに、なぜ人びとに洗礼を授けるのですか？」と言うと、ヨハネは答えました。「わたしは水で洗礼を授けるが、ここに集まっている人びとの中に、一人のお方がおられる。わたしは、その方の奴隷になるのさえふさわしくない。」ファリサイ派の人びとはあたりを見回しましたが、特別偉そうな人は見当たりませんでした。

数日後、ヨハネは集まった人びとの中にまたイエスがおられるのを見つけ、こう言いました。「あそこに、世の罪を取り除く神の小羊がおられる。わたしは水で洗礼を授けるが、あの方は、聖霊で洗礼をお授けになる。あの方は神の子だが、あなたたちはまだそれを知らない。」

ファリサイ派の人たちは、これを聞くと腹を立てました。イエスが群衆の中を歩いておられるのを見て、「ヨハネに人びとが従うだけでもよくないのに、このイエスに人気が出たら、たいへんなことになる」と思いました。そして、ヨハネとイエスを見張ることにしました。

人々は、神殿で動物をいけにえとしてささげました。これは何か良いことが起きたとき、「ありがとうございます」と言い、罪を犯したとき、「ごめんなさい」と言うためでした。人々が罪を犯し続けたので、多くの動物が死ななければなりませんでした。イエスはもっと良い解決法を差し出されました。イエスが「神の子羊」となられたのです。このいけにえは全世界のために、すべての罪の許しを確実なものとするのに十分なものでした。

イザヤ 53:5-7、ヘブライ 9:12-14、黙示録 7:9-10

神の敵、イエスを誘惑する

タイ 4：1～12、14：3～5、マルコ 1：12～14、17～20、ルカ 3：19～20、4：1～13

イエスは、川で洗礼を受けられたあと、荒れ野にりに行かれました。そこでは、神の敵がイエスをっていました。神の敵の悪魔は、神の計画をだめするつもりでした。悪魔は、人間が神と親しくなるがいやでした。

イエスは神の子でしたから、どんなことでもできまし。神の敵はイエスのその力を悪いことに使わせよう思って、誘惑したのです。

イエスは、四十日間、荒れ野におられました。その、何も食べないで、神のことだけを考えていました。悪魔は、イエスが空腹だとわかっていました。それで、食べ物で誘惑しようとしました。「もしほんとうに神の子なら、この石をパンに変えてみろ。」

イエスは、神が望まれることをすることが大切だということを、よくご存じでした。それで、「食べ物は、いちばん大切なものではない。それよりも、神のそばで、神のことばを行うべきだ」と答えられました。

すると、悪魔は、イエスを高い所に連れていき、世界じゅうの城と王国を指さして言いました。「わたしをおがむなら、あの王国をみんな、おまえにやろう。」

イエスは「わたしは、わたしの主である神にしか仕えない」と答えられました。

最後に、神の敵は、イエスをエルサレムに連れていき、神殿の屋根の端に立たせました。とてもとても高い所でした。悪魔は「ここから飛び降りろ。もし神がほんとうにおまえを愛しているのなら、天使を送っておまえを助けるはずだ。」

イエスは「あなたの主である神を試してはいけない。退け！　おまえの望むことをするつもりはない。神の望みだけを行うつもりだ」と言われました。

悪魔が去ると、天使が来て、イエスに仕えました。

荒れ野から戻ったイエスは、洗礼者ヨハネがヘロデ王の手で牢に入れられたことを知り、たいへん悲しまれました。

悪魔は、いつも、神の計画を台無しにしようとしています。彼はアダムとエバを誘惑して、神に逆らわせました。今度は、イエスを誘惑して、同じようにさせようとしましたが、イエスは抵抗しました。「わたしは神が望まれることをするために来たのだ」とイエスは言われました。悪魔は、神の私たちの人生への計画も台無しにしようとしています。悪魔が私たちを誘惑しても、私たちは抵抗できます。イエスと同じように。

エフェソ 6:10-12、ヤコブ 1:13-15、4:7、一ペトロ 5:8

最初の弟子たち

ヨハネ 1：35〜51

牢に入れられる前、ヨハネは、二人の弟子に「イエスに従うように」と言いました。一人はアンデレという名でした。アンデレとその友人は、イエスを見つけると、あとについて行きました。イエスは振り返って、「何を求めているのか？」と言われました。

二人は､イエスがその晩泊まられる所について行ってもいいですか、とたずねました。イエスの話が聞きたかったのです。イエスは、それを許しました。

ヨハネの弟子たちは、真実を聞くことの大切さを教えられていました。ヨハネは「やがて、わたしよりも偉大な人が現れる。その人に従いなさい」と言っていました。アンデレは、イエスの話を聞きながら、「この方が、ヨハネが言っていた方にちがいない」と思いました。

アンデレは兄弟のシモンのところに行き、「シモン、メシアを見つけたよ。その方のところに行こう」と言いました。

シモンを見ると、イエスは「あなたはヨハネの息子シモンだが、これからはあなたをケファ（ペトロ）と呼ぼう」と言われました。ケファもペトロも、「岩」という意味です。このとき以来、シモンは「ペトロ」と呼ばれるようになりました。

次の日、イエスはガリラヤに行き、そこでフィリポに会いました。イエスが「わたしについてきなさい」と言われると、フィリポはイエスに従いました。

フィリポは、友人のナタナエルのところへ行き、こう言いました。「モーセや預言者たちが言っている方を見つけたよ。ナザレのイエスだ。」

ナタナエルは笑いました。ナザレに良い人はいないというのです。でも、実際にイエスに出会ったとき、イエスが「ナタナエル、あなたのことは知っている。あなたは神を信じ、神のみ心にかなうことをしようとしている。たった今、フィリポがあなたを呼んだとき、

なたはいちじくの木の下で考えごとをしていた」と
われると、ナタナエルはびっくりして、「わたしは信
ます。あなたは神の子、イスラエルの王です」と
いました。

イエスはほほえんで、「そんなに簡単に信じるの
？　あなたはもっと偉大なことを見ることになる」と
われました。

洗礼者ヨハネがイエスについて言ったことを聞いて、イエスに従い始めたヨハネの弟子たちが何人かいました。彼らはイエスに大変感動して、イエスに会わせるために、家族や友人を連れてきました。イエスを知ると、家族や友人にもイエスを知ってほしい、と思います。こうして良い知らせは世界中に広まったのです。

詩編 34:1-10、マタイ 28:18、マルコ 16:15-18

魚のとり方

マタイ 4 : 18〜22、マルコ 1 : 16〜20、ルカ 5 : 1〜11

イエスに会ったあと、アンデレとペトロは家に帰りました。二人は漁師で、舟と網の手入れをしに帰ったのです。

ペトロは、多くの人びとが近づいてくるのに気がつきました。その先頭にはイエスがおられました。

イエスは、ペトロのそばに来て、ペトロの舟に乗り、岸から少し離れるように言われました。それから、舟の中に座り、人びとに向かって話し始められました。

話し終わると、イエスはペトロに向かって、「深いところまで舟を進め、網を降ろしなさい」と言われました。

ペトロは、「先生、夜通し働いても何もとれませんでした。でも、おっしゃるとおりにします」と答えました。

ペトロは網を降ろしました。それから網を引き上げようとして、とても驚きました。網が破れそうになるほど、たくさんの魚がかかっていたのです。それで、ほかの舟に助けを求めて、魚をぜんぶ引き上げると、舟は沈みそうになりました。

これを見たペトロは、こう叫びました。「あなたは主です。でも、わたしは善人ではまったくありません。どうぞ、わたしを放っておいてください!」

イエスは、ペトロとアンデレに言われました。「恐れることはない。わたしについてきなさい。あなたたちは人間をとる漁師になるのだ。」そこで、ペトロとアンデレは、魚でいっぱいの舟を岸に着け、網を捨ててイエスに従いました。

岸辺でイエスは、ペトロの仲間のヤコブ、ヨハネの兄弟に出会いました。イエスは、二人に「わたしについてきなさい」と言われました。二人は、イエスの顔を一目見て心が動き、すぐに従いました。

この人たちは、イエスのいちばん親しい友人となりました。四人は、どこでもイエスの行かれるところに

ついて行き、イエスの話を聞き、その姿を見て、学びました。四人は、イエスの助手であり、弟子でした。

イエスの最初の弟子は、漁師たちでした。彼らは皆、ガリラヤ湖の近くに住んでいました。ある朝、一晩中漁をした後、一匹も獲れていなかった時、イエスは、もう一度、網を投げるように言われました。彼らが従うと、奇跡が起きました。イエスは、神を信じ、神のことばに従えば、奇跡は起きるのだという秘密を彼らに教えたかったのです。

マタイ 13:58、マルコ 16:20、ルカ 9:1-2、10:17

もう、ぶどう酒がありません

ヨハネ 2：1〜11

数日後、イエスと弟子たちは、ナタナエルの故郷の町、カナでの結婚式に招かれました。とても大きな結婚式で、披露宴は何日も行われました。イエスの母マリアも招かれていました。

大勢の人がいて、食卓にはごちそうがたくさん並んでいました。肉や木の実、パンやお菓子に、果物がありました。

お客さんは、ぶどう酒をたくさん飲みました。宴会の途中で、花むこは、ぶどう酒が足りなくなってきたのに気がつき、「これは困った！」と思いました。

ぶどう酒が十分あるように気をつけるのは、花むこの責任でした。ぶどう酒がなくなれば、宴会はすぐに終わってしまいます。

マリアは、花むこが困っているのに気づき、イエスに「ぶどう酒がなくなりました」と言いました。イエスは、「どうして今、わたしにそう言われるのですか。わたしがだれか、みんなに教える時は、まだ来ていません」と答えられました。

でも、マリアは召し使いを呼び、イエスの命じるとおりにするようにと言いました。イエスは、召し使いに、六個の大きなかめを水で満たすように命じました。それから、「その水をくんで、世話役のところに持って行きなさい」と言われました。世話役は、ぶどう酒に変わった水の味見をして、花むこのところに持っていきました。

世話役は、花むこに言いました。「こんなにおしいぶどう酒は飲んだことがありません！」花むこは、ぶどう酒がどこから来たのかわかりませんでしが、マリアは知っていました。

イエスは、まだ、人々に神のことを教える仕事を始めていませんでした。しかし、マリアはイエスが助けてくださる、と知っていました。それで、召し使いたちに、イエスに言われたことは何でもするように言いました。マリアの忠告は、今でも私たちにとって重要です。「イエスが言われることは何でもしなさい!」イエスは、普通のものを使い、普通の人々を巻き込んで、奇跡を行われました。私たちがイエスに従い、イエスの言うことを聞けば、イエスは今でも同じことをなさいます。

マルコ 16:16-18、ヨハネ 14:12-14、使徒言行録 6:8

汚されたけが神殿しんでん

ヨハネ 2：13～25

イエスと弟子たちは、エルサレムに行きました。ユダヤ人の過越の祭りが近づいていたので、まっすぐに神殿に行きました。イエスが子どものとき、マリアとヨセフが、迷子になったと思ったイエスを見つけた、あの神殿でした。

イエスが父の家に入ってみると、人びとは、神に祈ったり、モーセの律法を学んだりはしないで、神殿を市場として使っていました。

人びとは、羊や馬、鳥などを売っていました。神殿の中は、メエメエ、モーモーという動物の泣き声や人びとの声で、たいへんなさわぎでした。弟子たちは、イエスの顔を見て、たいへん怒っておられるのがわかりました。

突然、イエスはむちをつかむと神殿の中庭を走り抜けました。弟子たちは口を開けて見ていました。イ

エスは動物や人びとを追い出し、「出て行け！　こんなものは持って行け！　わたしの父の家を市場にするとは、なにごとだ！」と叫びました。

イエスは、両替人の台を倒しました。周りにお金が散らばりました。動物は逃げ回り、人びとは叫び声を上げました。

商人たちを追い出されると、イエスは少しの間休みました。それから、ついて来た人びとに、話をされました。過越の祭りの間の数日、イエスは人びとに神のことを教えられました。奇跡も行われました。多くの人びとはイエスを信じ、もっと学びたいと望み、イエスに従うことを約束しました。

かつて、神は神殿におられました。そのときはまだ、人々が祈ったり、いけにえを持って来たりする場所でした。長老たちの中には、いけにえにする動物を売って得るお金のほうが大事な人々がいました。イエスは、神殿は人々が邪魔をされずに神に祈ることができる場所であってほしかったのです。

詩編 27:4、135:1-2、イザヤ 56:7、エレミヤ 7:11

命の水

ヨハネ 4：1〜26

イエスと弟子たちは、サマリア地方を通っていました。サマリア人は、昔からユダヤ人の敵で、ユダヤ人はサマリア人とは話をしませんでした。

イエスは、井戸のところで、サマリアの女の人と話を始められました。長い旅で疲れていたので、イエスは「水をいっぱいもらえませんか？」と、その女の人に頼みました。

その人は、ユダヤ人に話しかけられたので、驚きました。井戸から水をくむと、イエスにわたしながら「どうして、ユダヤ人のあなたが、わたしに話しかけるのですか?」と言いました。

イエスは、「もしあなたが、神が与える命のことを知っていたら、もし、わたしがだれなのか知っていたら、あなたのほうが、わたしに水をくださいと頼むはずだ。そうすれば、わたしはあなたに、神の、生きる水を与えるだろう。もしあなたが、わたしが与える水を飲んだら、あなたは永遠の命を受け、二度とかわくことはないだろう」と言われました。

サマリアの女の人は、不思議に思いました。生きるために、水はだれにでも必要です。特に、サマリアのように暑い地方では、水はとても大切です。見つけるのが難しいときもあります。イエスは、「わたしの与える水を飲む者は、けっしてかわくことがない」と言われました。

「その水をください！」と、女の人は言いました。

すると、イエスは「夫を連れてきなさい」と言われました。女の人が、夫はいないと答えると、イエスは、その女の人の生涯のことをすべて話されました。イエスは、その人に何人の夫がいたかまで言い当てて、「たしかに、今、あなたがいっしょに暮らしている人は、あなたの夫ではない」と言われました。

女の人は混乱していました。どうしてこの人は、たしの秘密を知っているのだろうか？　そして、イスのことが恐ろしくなり、話題を変えようとしました。エスは、女の人が何を考えているかがわかっていので、助けてあげたいと思いました。その人は、のことはあまり知らないが、いつの日かこの世に現るはずのメシアのことは聞いている、と言いました。

すると、イエスは「メシアは、もう現れている。なたが今、話しているのが、その人だ」と言われした。

私たちは、食べ物と水がなければ死にます。けれど、人生には、飲んだり食べたりするよりも大切なものがあります。愛、平和、喜び、人との結びつき、そして目的などの、栄養を与えるものも必要です。けれど、それでも十分ではありません。神は、神がおられることによってだけいやされる空腹と渇きを持った存在として私たちを、造られました。イエスが下さる命の水は、この神との密接な関係があるのです。

詩編 36:7-8、イザヤ 12:3、申命 8:3、ヨハネ 7:37-39

井戸のそばの女の人

ハネ 4 : 27〜42

「あの井戸のそばにいる女の人は、だれだろう？」
べ物を買いに町まで行っていた弟子たちは、帰っ
来ると、イエスが女の人と話しているのを見て心配
、「あれはサマリア人だ。イエスさまは、あの人と
をしてはいけない。ユダヤ人はだれも、あの人た
と話をしないのだから」と言いました。

女の人は、弟子たちの怒った顔を見ると、家に帰っ
ほうがいいと思いました。イエスは、彼女に考える
き、多くのことを教えられました。女の人は水がめ
置いて、急いで町まで行き、こう言いました。「わ
しの今までの暮らしをぜんぶ言い当てた人を、見
いらっしゃい。そんなことができるものでしょうか？
の人は、もしかして、ほんとうにキリストなのでしょう
？」

女の人の話を聞いた人びとは、たいへん興味を持ちました。人びとは、女の人について行って、井戸のところでイエスに出会いました。そして、イエスの話を聞き、その教えを心から受け入れました。「どうぞ、わたしたちといっしょにいてください。そして、もっとお話を聞かせてください」と頼みました。

弟子たちは、これが気に入りませんでした。サマリア人とは、いっしょにいたくなかったのです。でもイエスは、すべての人に愛を示される方ですから、その町に二日ほど、とどまりました。人びとは、イエスがメシアだと信じました。井戸のところにいた女の人の話を聞いて信じた人もいましたが、多くの人は、実際にイエスの話を聞いて信じました。イエスは愛について話され、ご自分はユダヤ人であっても、サマリア人といっしょに過ごされました。

イエスは、どこでも神に祈ることができる、とはっきり示されました。場所は重要ではありません。教会の中にいる必要はありません。ひざまずいたり、手を合わせたり、目を閉じる必要はありません。言葉を声に出す必要もありません。大切なことは、心から正直に祈ることです。

ダニエル 6:11、マタイ 18:19、使徒言行録 8:15、ローマ 8:26

屋根の上の四人の男の人

マタイ 9：2〜8、マルコ 2：1〜12、ルカ 5：18〜2

ある日、イエスが友人の家で話をしておられる
たくさんの人が聞きに来て、小さな家にあふれるほ
になりました。

そこへ、四人の男の人が担架を担いでやって
て、人混みをかき分けながら「通してください！
エスさまのそばまで行かせてください！」と叫びまし
とても中に入れないとわかると、二人が屋根に登
あとの二人が綱を投げて、担架を屋根の上に引
上げました。

担架には、重い病気にかかった人が寝ていまし
その人は、まったく動けませんでした。　四人の
人たちは、イエスなら病気を治してくれるだろうと
い、連れてきたのでした。

四人は、屋根をはがし始めました。屋根に穴
開けていたのです。家の中でイエスの話を聞いて
た人たちは、バリバリという音で天井を見上げまし
突然、ほこりとタイルのかけらが落ちてきました。そ
て次に、病人を乗せた担架が降りてきました。

イエスは、病人の友人たちが、いっしょうけん
いなのがわかりました。イエスは、病人に「あな
の罪はゆるされた。新しい生活を始めなさい。さ
起きて家に帰りなさい」と言われました。

その人は、病気などしたことがなかったかのよう
言われたとおりにしました。その人と四人の友人た
は、「神に栄光あれ！　あの方は、ほんとうに神の子
だ！」と叫び、歌いながら、家に帰って行きました。

病人の友達たちは、イエスが病人を治してくださると信じていました。何事も、彼らがイエスのところに病人を連れて行くのを止めることはできませんでした。そのような友達がいるのはお恵みです。イエスのもとに来たい人は大勢いますが、なぜか、来ることができません。少し励ましてあげればいいのでしょうか？いっしょに行ってあげる必要があるのでしょうか？

マルコ *7:31-35*、*8:22-26*、*9:17-27*、ヨハネ *1:42*

イエスに従う徴税人

タイ 9：9〜13；マルコ 2：14〜17；ルカ 5：27〜32

イエスは、徴税人が収税所に座っているところを
りかかりました。ユダヤ人は、敵のローマ人のた
に働いている、ずるい徴税人はきらいでした。

イエスは、マタイという名の徴税人の前を通られた
き、「わたしについて来なさい」と言われました。

マタイは、イエスについて聞いたことがあり、弟子
なりたかったのですが、徴税人なので断られると
っていました。ところが、「わたしについて来なさい」
言われたので、マタイは飛び上がり、帳簿もお金
箱も置いて、イエスに従いました。

数日後、イエスは、マタイの家で食事をしていまし
。そこでは、徴税人や罪びとが同席していました。

これを見た長老たちは、「なぜイエスは、悪い人
ちといっしょに食事をしているのか？」と、イエスの
子たちに言いました。

イエスは「健康な人に医者が必要だろうか？
いや、病人こそ、助けが必要なのだ」と答えられ、
びとを苦しめるだけの規則にしばられて時間をむ
にするより、問題をかかえている人の世話をするこ
のほうがどれほど大切か、ということを語られました。

これは、長老たちにとっては、新しい教えでした。
れまでは、神の律法は人びとを裁き、罰するため
道具だと考えられていました。神が律法を与えた
は、何が正しく、何が間違っているかをわかるた
なのだ、とイエスは教えました。みんな、お互いに
し、助け合わなければいけないのです。

あまりにもたくさん悪いことをしてしまった、と思っている人々がいます。彼らは、イエスに従うのにふさわしくない、と感じています。けれど、イエスは、助けが必要だとわかっている人々を救うためにいらっしゃったのです。イエスが呼ばれると、マタイはすぐ立ち上がり、従いました。イエスが呼ばれたとき、機会を逃さずに応えることが大切です。

イザヤ 55:1-2;6-7、二コリント 6:2、ヘブライ 3:7-9

跡を待つ

ハネ *5:1〜9*

ある日、イエスは、エルサレムにあるベトザタという別の門のところに行かれました。その門のそばに池があり、そこに階段がありました。たくさんの病がその階段に横たわって、池の水が動くのを待っいました。ときどき、神の天使が来て水を動かしすが、そのあとに最初に水に入れば病気が治る、と信じられていたからです。

イエスは、池のそばで、たくさんの病人がうめき、苦しんでいるのを見ました。その中に、三十八年間、水が動くのを待ち続けている男の人がいました。

イエスは、その人に「よくなりたいか？」とたずねられました。

それに対して、男の人は「水が動いても、わたしを池に運んでくれる人がいません」と答えました。

しかし、イエスは、そんなことを聞いたのではありませんでした。その人に、病気を治してほしいのか、と聞かれたのです。それでも、イエスは「起きなさい。ベッドをかついで歩きなさい」と言われました。

その人は、体が温かくなるのを感じ、病気はすぐに治り、ベッドをかついで歩き始めました！

この男の人は三十八年間病気でした。でも、諦めませんでした。彼は頑張りました。彼は、いつの日か、治されると希望を持ち、祈りました。するとイエスが通りかかり、他の病人たちの中に彼を見つけました。イエスは一つ質問をし、命令なさいました。すると、奇跡が起きました。三十八年の後にまた歩けた時、どのような気持ちだったかを想像してみてください。

ローマ 5:4、一コリント 13:7、コロサイ 4:2、ヘブライ 6:11-12

選ばれた十二人

マタイ 10:1〜23、マルコ 3:13〜19、ルカ 6:12〜16

イエスは、たくさんの人の病気を治されたあと、山に登って祈るために、一人で出かけられました。夜の間じゅう、イエスは、神に祈られました。

太陽が昇ると、イエスは弟子たちを呼び寄せて、その中から十二人を選ばれました。この人たちは、特別の助手となる、イエスにもっとも近い人たちでした。イエスが天の国に昇られたのち、イエスの仕事を受け継ぐことになる人々でした。

イエスが選ばれたのは、いろいろな人たちでした。ペトロとヤコブ、そしてヨハネは、イエスともっとも親しい人たちでした。この三人とアンデレは、漁師でした。マタイは徴税人で、シモン（ペトロではないもう一人のシモン）は、ローマ人と戦うことに熱心な人びとの一人でした。あとはフィリポ、バルトロマイ、トマス、もう一人のヤコブ、イスカリオテのユダ、それにもう一人のユダでした。

十二人を選ばれると、イエスはみんなを座らせ、特別なことを命じられました。「ユダヤ人のところに行き、病人をいやし、死人を生き返らせ、重い皮膚病を治し、悪魔を追い払いなさい。ただで与えなさい。金持ちになろうとしてはいけない。神を信じて、お任せしなさい。食べる物は十分あるはずだから。」

イエスは、彼らがのちに行うことになる仕事のために、彼らに使徒となる準備をさせておられたのです。使徒とは、神の「良い知らせ」を広めていく人のことです。

十二人の人はいつもイエスと共にいました。イエスが言われ、行われることすべてを見て、イエスがなさることをするように、学びながら。それから、イエスは、実際の経験をさせるために彼らを送り出しました。彼らはイエスの名において奇跡が起きるのを見て興奮しました。イエスは、私たちがいつでもイエスと共にいて、イエスの仕事を私たちに教えたいと思っておられます。

詩編 143:8-10、マタイ 28:19-20、マルコ 9:28-29、ルカ 11:1

ほんとうの幸せ

マタイ 5:1〜12;ルカ 6:20〜23

ある日、イエスは、山の上で重要な話をされました。教えを、よく説明したかったのです。たくさんの人びとが、イエスについて行きました。このときの話を、山上の説教と言います。

その山の上で、イエスは、ほんとうの幸せについて話されました。人びとはイエスが言われることは何でも、普通とは逆だということに気づきました。イエスは、強くて声の大きい人が勝つのではなく、弱くて神に頼る人がほんとうに幸せな人だ、と言われました。これは、今までに聞いたことのない教えでした。

イエスは言われました。「神の目で見れば、一番大切なのは貧しい人たちだ。痛みを持つ人、優しい人は、特別の人たちだ。彼らこそ正義を望む人たちであり、他の人を心にかける人たちだからだ。

わたしを信じているために迫害される人は、喜びなさい。かならず、天の国で報いを受ける。」

幸福とは、あなたの罪が許され、あなたの名前が生命の本の中に書き込まれていると知っていることです。幸福とは、あなたの人生に神のお恵みがあることです。神を信じ、神に頼れば、神は私たちを祝福してくださいます。神は、私たちが正しいことをしたとき、不当な扱いを受けても慈悲深く、寛大だったときに、私たちにほほえみかけてくださいます。

民数 6:24-26、マタイ 5:43-48、ルカ 10:20、ヨハネ 15:11

どうしたら塩になれるか

マタイ 5:13〜16

イエスの話を聞いた人びとは、驚きました。今までに聞いたことのある教えとは、まったく違っていました。人びとは、神に愛されていて、必要とされていると感じることができました。

「あなたたちは地の塩である。」

人びとは、「わたしたちが塩であるとは、どういう意味だろう?」と言い合いました。

その答えは、普通の人がこの世界を特別な場所にする、ということです。父と母は、子どもを育てます。仲裁者は、人びとを仲直りさせます。いっしょけんめい働く人は、家に帰ったら子どもたちと遊びます。このような人びとがいるから、世界は続くのです。この人たちは、塩と同じです。塩は、肉が悪くなるのを防ぎます。そして、塩は味を良くします。金持ちや権力のある人ではなく、普通の人びとが、世の中の「味」をよくするのです。

イエスは言われました。「あなたたちは世の光だ。山の上にある町は隠せない。」町の明かりは、遠くから見えます。

火をともして桶をかぶせる人はいません。それはまったくむだなことです。同じように、神に従う人は、イエスの教えを実行することを恐れてはいけません。おとなでも、子どもでも、神を愛する人は、神がどんな方かを、ほかの人たちに教えることができます。周りの人を愛すれば、それができるのです。

イエスは、私たちが周囲にどのように影響を与えるかを、塩と光を使って説明されています。小さなろうそくでも、暗闇を追い払うことができます。光は隠されているものを明らかにします。けれど、光が隠されていては、役に立ちません。塩は私たちの食べ物を清め、保存し、味を良くします。塩が塩辛さを失えば役に立ちません。私たちの人生が無益なものにならないようにしましょう。私たちの人生で出会う人々に影響を与えましょう。

マルコ 4:21-22、ルカ 12:35-36、ヨハネ 1:7-9、8:12

宝探し

タイ 6 : 19〜34、ルカ 12 : 22〜32

山上の説教のとき、イエスは、隠された宝物をど
したら見つけることができるかについて話されました。
宝物のある場所は、あなたの心があるところだ」と、
エスは言われました。これは、どういう意味でしょうか。
人が望んだり夢みたりするもの、それが、その人
愛しているものです。もっとおもちゃがほしいとか、
金がほしいとか、速く走れたら……などと夢
ることがありますか？　世界じゅうの何よ
もほしいと思うものがありますか？

イエスは、このような宝物はどれも消えてなくなるものだ、と教えられました。隠された宝物は、天の国にあります。イエスは、「お金を愛しながら、神を愛することはできない」と言われました。

「食べ物や飲み物がじゅうぶんにあるか、新しい服を買おうか、などと心配することはない」というのが、イエスの教えです。神のことをまず第一に考えれば、すべてがうまくいきます。どんなに大きな問題でも、神には難しすぎるということはありません。だから、それを神に話せばいいのです。

イエスは、空を飛んでいる鳥を指さしながら、「鳥を見なさい」と言われました。「あなたたちの天の父が、食べ物を与えてくださる。あなたたちは、鳥よりはるかに価値のあるものではないのか？　それなのに、着る物のことなど心配する必要があるだろうか？

神は、ソロモン王のいちばん良い服より、もっと美しい花を作られたのだ。」

神は、人びとが何を必要としているか、ご存じです。大切なのは、神に従い、周りの人を神と同じように愛することです。あとは、神にお任せすればいいのです。

家を建(た)てるには

マタイ 7 : 24～29、ルカ 6 : 46～49

山上(さんじょう)の説教(せっきょう)を終えたイエスは、こう言われました。「生き方を変えれば、あなたたちは、かたい岩の上に家を建(た)てた、賢(かしこ)い人に似(に)ている。」

岩の上に建(た)てた家は、雨が降(ふ)っても、風が吹(ふ)いても、倒(たお)れません。

「わたしのことばを聞いても生き方を変えない人は、砂(すな)の上に家を建(た)てたおろかな人に似(に)ている」と、イエスは言われました。

砂(すな)の上に建(た)てた家は、どうなるでしょうか？　りっぱな家でも、あらしが来たり洪水(こうずい)になったりしたら、すぐに壊(こわ)れてしまいます。

イエスの教えを聞いた人は、選ぶことができます。そのまま背(せ)を向け、それまでのように生きていくこともできますし、あるいは、教えに従(したが)って行動することもできます。イエスの教えによって生活を変えることができるのです。

家はその土台と同じぐらいしか強くありません。あなたの家が、どんな天候の中でも、何年間でも建(た)っていることを望むなら、岩のようにしっかりした土台の上に建(た)てるべきです。イエスは、イエスの教えを聞くだけでは十分ではない、と言われました。イエスを信頼(しんらい)し、イエスの言われることをする必要があります。そうすれば、私(わたし)たちは揺(ゆ)らぐことはないでしょう。

詩編 18:2-3、32:6-7、イザヤ 26:4、ヤコブ 1:22-25

必要以上のお金を稼(かせ)ぐために多くの時間と労力を使う人がいます。その人たちは、人生はゲームで、死ぬときに一番たくさんおもちゃを持っている人が勝ちだと思っているようです。それよりも天国に宝物(たから)を集めるほうが良いです。イエスに従(したが)い、イエスがなさったことをすれば、この人生での喜びと満足となり、天国にも宝物(たから)を積むことになります。

マタイ 6:19-21;33、ルカ 12:33-34、使徒言行録 8:4-8

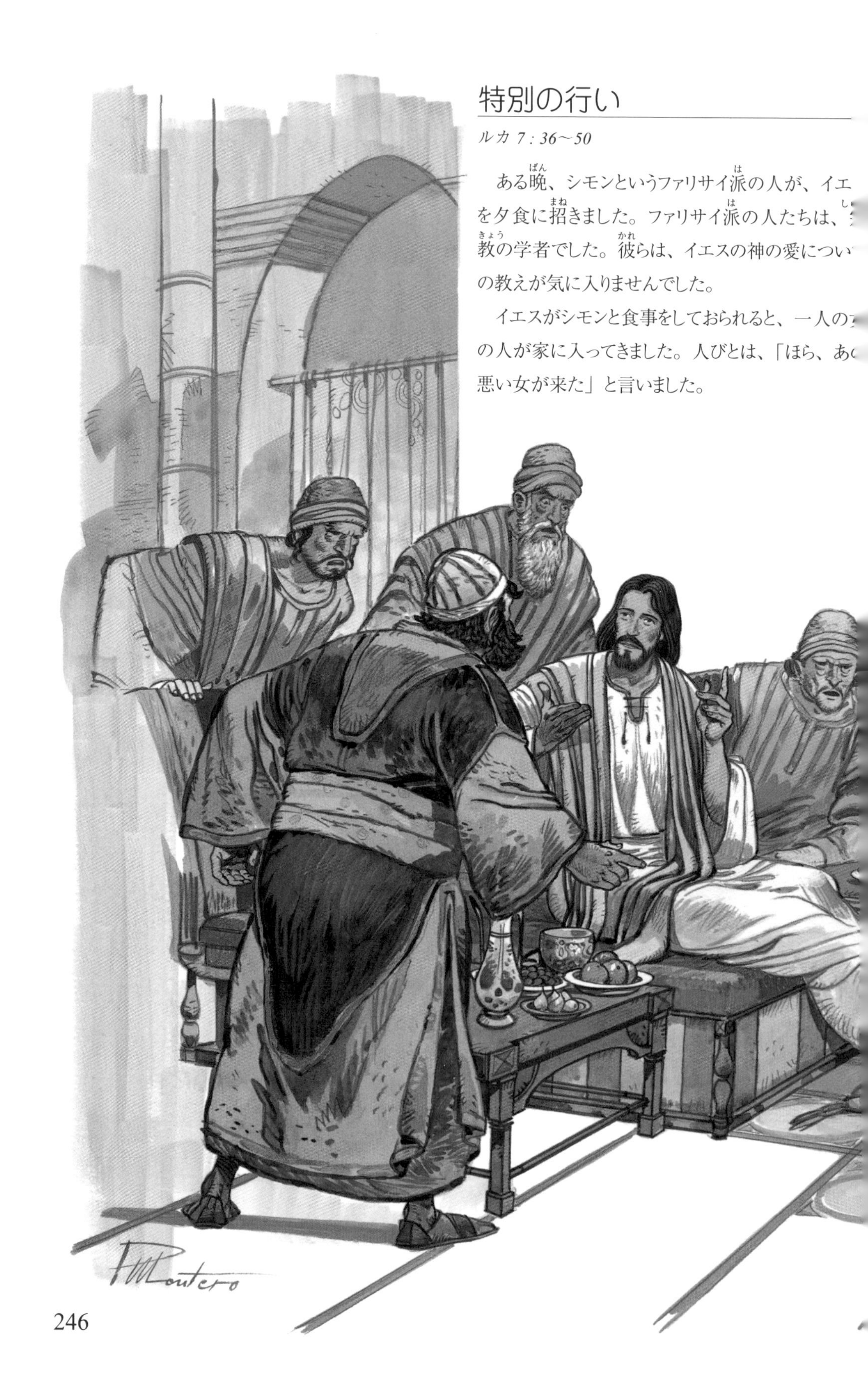

特別の行い

ルカ 7：36〜50

ある晩、シモンというファリサイ派の人が、イエ
を夕食に招きました。ファリサイ派の人たちは、
教の学者でした。彼らは、イエスの神の愛につい
の教えが気に入りませんでした。

イエスがシモンと食事をしておられると、一人の
の人が家に入ってきました。人びとは、「ほら、あ
悪い女が来た」と言いました。

女の人は、イエスのところに来て、ひざまずきました。「あの女は何をしているのだ」と、シモンが言いまた。

イエスは、何も言われませんでした。女の人は泣ていました。涙が顔から落ちて、イエスの足をぬらました。すると、その人は、自分の髪の毛でイエの足をふきました。

それでも、イエスは何も言わずに、女の人がふきわるのを待っておられました。シモンは、「もしイエが預言者なら、この女がどんなに悪い人か、わかっいるはずだ」と思いました。

そのとき、女の人は、服の中から、とても高価香油の入ったびんを取り出しました。その香油は、ダヤ人の女の人が、特別の日のために大切にとっておく特別な物でした。　その女の人は、高価な香油をイエスの足にふりかけました。それは、その人にとっては、イエスは王さまと同じだ、という意味でした。部屋は、すばらしい香りで満たされました。

シモンは、ますます不安になりました。イエスは、シモンが何を考えているかわかっておられました。そして、「シモン、話を一つしよう」と言われました。

「あるとき、二人の男の人がいた。一人は金貸しにお金をたくさん借りていて、もう一人は少しだけ借りていた。金貸しは、二人ともお金を返せないことがわかると、二人に、お金を返さなくてもいい、と言った。どちらが、その金貸しを多く愛するだろうか？」

シモンは、「たくさんお金を借りていたほうです」と答えました。

すると、イエスは、こう言われました。「そのとおりだ。では、この女の人を見なさい。わたしがこの家に来たとき、だれもわたしに足を洗うための水をくれなかった。この人は自分の涙でわたしの足をぬらし、髪の毛でふいてくれた。

あなたは、わたしにあいさつの口づけもしなかったが、この人はわたしの足に、繰り返し口づけをしている。この人は、わたしを強く信じている。犯した罪は多いが、ゆるされている。ゆるされることの少ない人は、愛することも少ない。」

イエスは、この女の人がだれなのかをよくご存じでした。彼女の涙は、後悔と信仰を示していました。彼女は、自分がどれほど許されていたかに気づき、イエスに対する大きな愛をはっきりと示しました。けれどシモンは、彼が許しを必要としていることに気づきませんでした。私たちは、自分で気づいたイエスの私たちへの愛と同じだけしか、イエスを愛することができません。イエスは、お願いしさえすれば私たちのすべての罪を許してくださいます。

ヨハネ 3:16、使徒言行録 10:43、ローマ 5:6-8、一ヨハネ 3:1-3

種をまく人の話

マタイ 13 : 1〜9; マルコ 4 : 1〜9; ルカ 8 : 4〜8

イエスはよく、たとえ話をされました。「あるとき、ある人が、畑で種をまいていた。ある種は、道ばたに落ちた。鳥が飛んできて、それを食べてしまった。

ある種は、土の少ない、石の土地に落ちた。芽は出たが、水をすい上げる根を張ることができなかったので、暑くなると、すぐに枯れてしまった。

ある種は、いばらの中に落ちた。いばらが押しかぶさってきたので、伸びることができなかった。ほかの種は、良い土地に落ちて、強く、大きく育ち、三十倍から百倍の実を結んだ。」

イエスは、聞いている人びとを見回しました。うなずく人もありました。この人たちは、イエスの話を理解したのです。でも、多くの人は首を振りました。意味がわからなかったのです。それで、イエスは説明されました。

> 穀物を手でまくと、広い範囲に広がります。こうしてさまざまな場所に種が落ちます。耕された畑に植えられたものだけが収穫できます。収穫の分量は土地の質によります。私たちは、人生で何を栽培するか選びます。神のことばか、他のものか。あなたは、あなたが植えたものを収穫するでしょう。
> *創世 26:12、イザヤ 55:10-11、二コリント 9:10-12、ガラテヤ 6:7*

良い場所に種をまくこと

マタイ 13 : 10〜23、マルコ 4 : 10〜20、ルカ 8 : 9〜

イエスが種をまく人のたとえ話をされたとき、弟たちを含めて、多くの人たちが話の意味を理解でませんでした。

イエスは、このたとえ話は、だれがイエスに従たいと思っているかを見分けるためのものだ、と言れました。話の裏にあるほんとうの教えを求める人とは、イエスが望むように生きたいと心から思っています。心を閉ざしている人びとにとっては、イエス話はただの美しいことばにすぎません。

イエスは言われました。「種は、わたしの示す教えだ。ある人たちは、神のみことばを聞いても、

を信じない。すると、悪魔が来て、たとえの中の
のように、その人たちが受けた教えを盗んでしまう。
の人たちは、道ばたに落ちた種と同じだ。

石の土地に落ちた種は、わたしの話を喜んで聞
人たちだ。しばらくはわたしに従うが、ちょっとした
練に出会うと、すぐに、もとの生活に戻ってしまう。
ばらの中に落ちた種は、わたしの話を聞いて理解
るが、毎日の悩みの中で、新しい命を殺してしまう。
い悩み、お金のことを心配して、せっかく受けた
えを役立てることができないのだ。

最後に、良い土地にまかれた種がある。それは、
たしの話を聞き、教えを実行する人びとのことだ。
の人たちは、過去のあやまちを悔い改め、ほかの人びとにも、わたしに従うようにと教える。口で言うだけでなく、行動でも教える。」

イエスを信じる者は、真実の種をまく場所を選ぶことができることを、イエスは教えられました。あなたは、教えられたみことばを、良い土地にまきますか、それとも石の土地にまきますか?

人々は、神のことばにさまざまに反応します。聞いたことをすぐに忘れてしまう人がいます。耳は傾けても行動しない人もいます。その人たちは、他の人たちがどう考えるか怖いのです。行動し始める人もいますが、他のことで忙しすぎて、あまり進みません。イエスは、私たちに神のことばに注意を集中し、結果が出るまで、そのことばに基づいて行動し続けてほしいと思っておられます。

マタイ 9:37-38、ヨハネ 4:35-38、二コリント 9:6、ガラテヤ 6:9-10

麦と毒麦の違い

マタイ 13 : 24〜30 , 36〜43

イエスはふたたび、弟子たちにたとえ話をされま
た。今度も、種まきの話でした。

「天の国は、これに似ている。ある人が良い種
まいたが、敵が来て、毒麦の種を同じ畑にまいた。

麦の芽が出ると、毒麦の芽も出た。召し使いた
が来て、毒麦を抜き取りましょうか、と主人にたず
た。主人は、麦の苗も抜いてしまうといけないか
収穫のときまで待ち、それから、毒麦を抜いて焼
そのあとで、麦を収穫すればよいと言った。」

それから、イエスは、説明されました。「麦の種
をまいたのは人の子、畑は世界、麦はわたしに従
う者だ。毒麦はわたしに従わない者で、わがまま
ほかの人を苦しませてばかりいる。敵は悪魔で、収
穫は世の終わりのことだ。」

小麦のように見える雑草があります。若い間は区別するのが難しいことがあります。けれど、成長するにつれて、どの草が小麦で、どれが雑草か、わかるようになります。人の場合も同じです。いろいろな状況の中で、だれがキリスト信者でだれがそうでないか、区別できません。神だけが、だれが神に従う者かをご存じです。

ヨハネ 6:64-65、一コリント 8:3、ガラテヤ 4:8-9、二テモテ 2:19

からし種とパン種

タイ 13:31〜35、マルコ 4:30〜34、ルカ 13:18〜21

あるとき、弟子たちがイエスに、神の国についてずねました。彼らはイエスに従えば、だれでもすぐこの国に入ることができ、神がその国の王さまだ、いうことはわかっていましたが、それはどんな国なでしょうか？

イエスは、天の国はからし種に似ていると言われまた。からし種は、小さな種の中でも特に小さいが、度根を出したら、どんどん大きくなって、大木になます。からしの木は、しばしば、庭の中でももっと大きな木です。鳥は、からしの木に巣を作るのがきです。

イエスは、同じことを教えるのに、もう一つ話をさました。「神の国は、女の人がパンに入れるパンに似ている。」

一つまみのパン種には、一塊のパン生地をパン変える力があります。

この二つのたとえ話は、神の国で始まった小さなこが偉大なことにつながることを意味しています。だしかが、「はい、わたしは信じます」と小さな声でさやいただけでも、それがほんとうの大きな信仰の始りとなるかもしれません。

イエスは、人びとを導かれるとき、たとえ話をされました。それで、話の中身は目に見えるようでした。イエスは、あとから、弟子たちに意味を説明されました。弟子たちに、もっと賢く、もっと多くのことを理解するうになってほしいと思っておられたからです。

神の力は、私たちの理解をはるかに超えています。ほんの少しの神の力にも大変な可能性があります。ちょうど、小さな種が背の高い草木になり、一塊のイーストがパン生地を膨らませ、パンにする力があるのと同じように、神を信じる気持ちがほんの少しあれば、偉大なことを成し遂げることができるのです。

マタイ 8:13、17:19-20、マルコ 11:22-25、使徒言行録 3:16

あらし

マタイ 8:18；23〜25、マルコ 4：35〜38、ルカ 8：22〜24

一日を病人を治して過ごされたイエスは、近くの小舟を指さして、弟子たちに言われました。「さあ、向こう岸に渡ろう。」それが、人の群れから逃れるたった一つの方法でした。イエスは疲れていたので、休息が必要でした。

出発するころは、波は静かでした。一人の弟子が、空を見上げながら「楽に渡れるな」と言いました。

すると、ほかの弟子が言いました。「わからないよ。この湖はすぐに荒れるから。今のところは静かだけどね。」弟子たちは舟に乗り込んで、それぞれの場所に座りました。

舟がもう少しで転覆しそうになったのは、その直後のことでした。あらしが来たようでした。弟子たちは、すぐに恐ろしくなりました。

一人が、急いで舟のかじをつかみました。風向きは、あちこち変わりました。弟子たちは舟の中で振り回され、舟のへりにつかまって、波にさらわれるのを何とか防ぎました。

舟の両側から同時に波がかかり、弟子たちは舟の中を走り回り、船頭はかじと格闘しました。舟はあっちへ傾き、こっちへ傾きしました。弟子たちはどうしたらよいかわからず、互いに顔を見合わせました。「イエスさまに申し上げなければ！」

そこで、一人の弟子が、舟のへさきのほうで眠ておられたイエスを起こして、こう言いました。

「先生！ 湖が荒れ狂っています。ひどいあらしす！ とても無事には向こう岸に渡れそうにありませ助けてください！」

イエスは、心配そうにしている弟子たちの顔を見と、立ち上がって腕を大きく広げました。風がイエの顔に髪を吹きつけました。イエスの大きな声が響ました。「静まれ！」

とても危険な目に遭い、どうしたらよいかわからなかったことがあったかもしれません。もしかしたら、できることが何もなく、怖かったかもしれません。弟子たちはその日、船の中でまさに、そう感じていたのです。彼らは、完全に無力でした。けれど彼らは、正しいことをしました。イエスに助けを求めたのです。私たちは、怖いときは、いつもそうすればよいのです。

詩編 23:4、40:1-3、ヨナ 2:7

向こう岸

マタイ 8:26〜27、マルコ 4:39〜41、ルカ 8:25

イエスが「静まれ！」と言われると、風はやみ、水面は平らになりました。ペトロは、甲板の端に走って行きました。

そして、舟の外を見ると、暗い海の上に自分が映っているのが見えました。ペトロは、イエスのところに駆け戻り、ほっとしてひざまずきました。

イエスは「なぜ信じないのか？　わたしといっしょにいるのだから、恐れることはないのだ」と言われると、舟の反対側の端のほうに行かれました。

だれも、声を出す勇気がありませんでした。みんな、だまり込んでしまいました。驚き、恐れていたからです。

「わたしたちがついて行こうとしているこの方は、いったいどういう方なのだろう？　風や波まで、命令に従うではないか」と目を見張って、互いにこの問いを繰り返しました。

弟子たちは、溺れるのではないかと怖がっていました。彼らはイエスに呼びかけ、イエスは、彼らを救いました。けれども彼らは前よりも、もっと怖くなりました。イエスの自然の力に勝る力に驚いたのです。神の超自然の力は、恐ろしいほどのもので、人々をしばしば怖がらせます。けれども超自然はイエスにとっては、普通のことでした。そして、私たちにとってもそうあるべきです。

詩編 46:1-3、イザヤ 61:1-2、ヨハネ 14:12-14

悪霊に取りつかれた男

マタイ 8 : 28〜34、マルコ 5 : 1〜20、ルカ 8 : 26〜39

イエスと弟子たちが舟を岸につけると、不思議なものが目に入りました。悪霊に取りつかれた人がいたのです。

その男の人は、すっかりおかしくなっていました。裸で、しばっている鎖のために手足は血だらけでした。汚れていて普通に話をすることもできませんでした。墓地に住み、山の中をまるで野性の人のようにさまよっていました。

その人は、イエスを見ると走ってきて、足もとにひざまずきました。イエスはその人が正気でないことに気づき、「悪霊よ、この男から出て行け！」と言わました。

そばでは、豚の群れが放し飼いにされていまし
イエスは悪霊に、男の人から出て、豚の中に入る
うに命じました。イエスのことばに従って悪霊が豚
取りつくと、豚はすぐに崖を走り下って、海に落ち
しまいました。

豚飼いたちは、急いで町に戻りました。人びと
何が起きたのかを見に来ると、悪霊に取りつかれ
いた男の人は正気に戻り、服を着て、イエスの足
とに静かに座っていました。

人びとはイエスの力を恐れ、来た所に帰ってほ

いと頼みました。

イエスと弟子たちが舟に乗り込もうとすると、悪霊に取りつかれていた人が、いっしょに行きたいと頼みました。イエスは「それよりも、家に帰って、神があなたを助けてくださったことを、人びとに伝えなさい」と言われました。

それで、その人は、近くのすべての町の人びとに、イエスがどのようにして正気に戻してくださったかを伝えました。それを聞いた人びとはみな、たいへん驚きました。

悪霊はとても荒々しく、すべての豚を湖に溺れさせました。けれど、イエスの力はもっと強かったのです。そのため、人々は怖くなり、イエスにそこから去ってほしいと頼みました。けれど、悪霊から解き放たれた男の人は、イエスが彼のためになさったことをすべての人々に話しました。イエスを信じない人でも、イエスが私たちに個人的にしてくださったことには、耳を傾けるでしょう。

詩編 22:22、ヨハネ 1:5、3:19、12:35

さらに多くの人をいやす

タイ 9：27〜31

イエスの時代には、目の見えない人は普通の生活ができませんでした。手で触って読める点字の本ありませんでした。

目の見えない人を導く盲導犬もいませんでした。イエスの時代の盲人は、物乞いをするよりほかに、生ていく方法はありませんでした。仕事を見つけることはできず、まったく無力でした。

イエスが行かれる所にはどこにでもたくさんの病人がついて来て、病気を治してほしいと頼みました。ある日、二人の目の見えない人がついて来て、「ダビデの子よ、わたしたちをあわれんでください！」と叫びました。

イエスが友人の家に入られると、二人はそこにもついて行きました。イエスは振り返って、「わたしがあなたたちの目を見えるようにすることができると、ほんとうに思っているのか？」とたずねました。

二人は、友達同士でした。イエスが病人を治されたと聞いて、あの方はメシアにちがいないと思い、人にぶつかったり、転びそうになったりしながら、イエスについて来たのでした。二人とイエスだけになりました。「主よ、信じます」と、二人は答えました。

イエスは、手をのばして二人の目に触れ、「あなたが起こると信じていることは、そのとおりになる。それを信じなさい」と言われました。

突然、二人は、光や色が見えるようになり、それから、かすんで動いていたものがはっきりしてきました。イエスのほほえんでいる顔を見て、叫び声を上げました。それまでは暗かったのに、明るくなったのです。

二人は大喜びで外に出て、会う人ごとに、その出来事を伝えました。

人々がイエスをダビデの息子と呼んだ時、それは、イエスが、神が送ると約束なさった救い主、メシアである、と彼らが信じていたことを意味していました。これら目の不自由な男の人たちはイエスを信じていました。彼らは諦めませんでした。彼らは家の中までイエスについてきました。彼らは信じる心があったので治癒されたのです。神は、神を信じる私たちに同じような信頼を求めています。

マタイ 13:16-17、21:21-22、ヨハネ 14:12-14

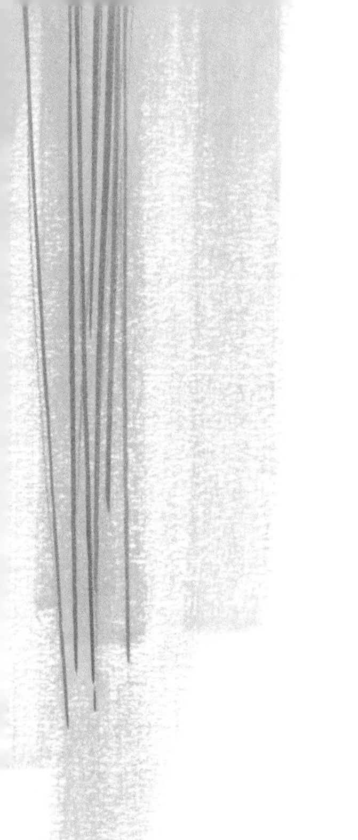

弱い王

マタイ 14：1〜12、マルコ 6：14〜29

イエスが旅をし、教えを広めている間、大切な友人の洗礼者ヨハネは牢の中につながれていました。ヘロデ王が捕らえたのでした。ヘロデは兄弟の妻と結婚し、それをヨハネにいけないことだと言われたからでした。

妻の名はヘロディアといいました。ヘロディアはヨハネをきらい、殺したいと思っていました。ヨハネが牢から出られなかったのも、そのためでした。

ヘロデ王は、誕生日に盛大な宴会を開き、友人や家族、大臣や将軍など、王に仕える人びとを皆呼びました。宮殿では、大勢の人が笑ったり、飲んだり、食べたりしていました。

音楽家たちが、不思議な美しい音楽を演奏し始めました。若く、美しい女の人がおどり始めると、みんな振り返ってながめました。その女の人の足は、ほとんど床に触れていないように見えました。だれも、こんなに美しいおどり子を見たことがありませんでした。

ヘロデ王は、ほほえんで言いました。「彼女こそ、わたしの娘だ。こんなにうまくおどれる者は、ほかにはいるまい。」

ゆっくり、しかし確実に、娘はヘロデの食卓に近づいていき、そのすぐ前でおどり始めました。最後に、くるりと回ると、ヘロデの前にひざまずきました。

娘の目を見ると、ヘロデはすっかり酔いが回ったようになり、「ほしい物を言いなさい。何でもあげよう」と言いました。そして、「かならずそうする」と誓いました。

娘は母親のところに走って行き、「何を頼みましょうか？」と聞きました。

ヘロディアは、意地悪く笑いました。「『洗礼者ヨハネの首を、盆にのせて持ってきてほしい』と言いなさい。」

娘がヘロデのところに戻り、望みを言うと、王はあわてました。「ヨハネは良い人間だ。殺したりしてよいものだろうか？」と、心の中で考えました。周りを見渡すと、重要な人たちが見ています。ヘロデはしかたなく「よかろう」と言い、番兵に「ヨハネの首を盆にのせて持ってきなさい」と命じました。

ヨハネの弟子たちと友人たちは、ヨハネが死んだことを聞くと、牢に行って、遺体を引き取り、葬りました。弟子たちは、イエスにヨハネの死を伝えました。

イエスは、親友の死を知ると、とても、とても悲しまれました。

洗礼者ヨハネは、救い主の道を準備するために来ました。ヨハネは、仕事を成し遂げたと確信したい、と思いました。それで、イエスがほんとうに救い主なのかを尋ねさせるために、弟子たちをイエスのところに送りました。イエスの答えはヨハネを安心させました。ヨハネは、安心して死ぬことができました。神は、私たち一人ひとりに、仕事を用意しておられます。私たちは、神が私たちのために計画されたことを行うとき、大きな喜びを感じます。

イザヤ 40:3、マラキ 3:1、マタイ 11:4-5、ヨハネ 3:27

静かな場所へ

マタイ 14:14〜15、マルコ 6:34〜36、ルカ 9:11〜12

洗礼者ヨハネの死の知らせを受けた数日あとには、イエスは、出かけていってたくさんの人びとを助けなければなりませんでした。食事をする時間もありませんでした。イエスは、いとこのヨハネが亡くなったので、とても悲しんでいました。群衆がイエスを求めて叫べば叫ぶほど、疲れを感じました。

それで、イエスはペトロを呼び、近くの岸辺にあった小舟を指さして、「一人になりたい。どこかへ行って、しばらく休もう」と言われました。

イエスと弟子たちは、舟で人里離れた所に行き、それぞれのために祈りました。神は、弟子たちをもっと強く、そして自信が持てるようにしてくださいました。

けれども、群衆はイエスがどこかに行ってしまわれたことに気づき、どこに行かれたのか探しました。湖のほとりに群衆が集まるのに、時間はかかりませんでした。みな、舟を探しました。イエスの舟が岸に向かっているのが見えると大きな歓声が上がりました。いろいろな町から来た人びとが、岸辺を走って、行ったり来たりしていました。

イエスは、洗礼者ヨハネが殺されて、大変悲しまれました。イエスは、弟子たちに、ヨハネはイエスのために道を準備したのだから、だれよりも重要な仕事をしたのだ、と言われました。そうであっても、神の子たちの中で、最も取るに足りない人でもヨハネより偉大です。今日、私たちは皆、イエスの道を準備するように神から呼び出されているのです。

マタイ 11:9-11、28:18、ヨハネ 20:21-22、使徒言行録 1:8

何千人もの人を教える

マタイ 14 : 14〜15、マルコ 6 : 34〜36、ルカ 9 : 11〜12

イエスの一行が乗った舟が岸に着くと、大勢の人が水の中にまで入ってきて出迎え、「イエスさま、イエスさま！」と呼びました。

その日の午後いっぱい、イエスは話をし、神の愛について教えられました。群衆は、何キロにもわたって広がるほどでした。日が照り、鳥が鳴き、すばらしい良い天気の一日でした。人びとは、砂や草の上に座って、イエスの話に耳を傾け、イエスが病人を治し、みんなのために祈られるのを見ていました。ある意味では、まるで大きな遠足のようでした。

でも、一つ足りないものがありました。遠足には、お弁当が欠かせません。時間が過ぎるにつれて、人びとは、おなかがすいたと不平を言い始めました。とうとう夕方になり、弟子たちがイエスのところに来て、みんなが何か食べられるよう、家に帰すべきだと言い、「せめて、近くの村に何か食べ物を探しに行かせてください」と言いました。

イエスがどこへ行っても、人々はついて行きました。イエスは、彼らのことをかわいそうに思い、すべての病人を治し、彼らに、神について教えました。遅くなってきたので、弟子たちはイエスに人々を帰すように頼みました。けれどもイエスは、人々のことを大変大事に思われていたので、空腹のまま帰すことはできませんでした。しかし、これほど多くの人に食事をさせるのには、奇跡が必要でした。けれどもイエスに不可能なことはありません。

出エジプト 33:19、マタイ 9:36、マルコ 1:41、ルカ 7:13

空腹の人びとのための食べ物

マタイ 14：16～18、マルコ 6：37～38、ルカ 9：13、ヨハネ 6：4～9

イエスは、周囲の何千人もの人びとを見回しました。みんな、その日の話で感動していました。イエスは、まだ終わりにしたくありませんでした。そこで、フィリポに「この人たちのために、どこで食べ物を買えばよいだろうか？」と言われました。

フィリポは、イエスをじっと見ると、「これだけの人に行きわたるほどの食べ物は、八か月働いたお金で、やっと買えるぐらいです。それでも、一人当たり、ほんのいくつかのパンのかけらにしかなりません」と言いました。

そこへ、ペトロの兄弟のアンデレがやって来て、「小さな少年が、パンを五つと魚を二匹持っています。でも、それでは足りないでしょう？」と言いました。

弟子たちは気づきませんでしたが、イエスが人びとに食べ物を与えなさいと言われたのには、理由がありました。今度もまた、神を信頼することを教えようとしておられたのです。

イエスは、弟子たちに関わらせたいと思っておられました。「何か食べる物をあの人たちに与えなさい!」イエスは弟子たちが信じる心を使うことを期待していました。けれど弟子たちが考えたのは、十分な食べ物を買うのにどれだけお金が必要かということでした。少し信仰があるアンデレが、少しだけ食べ物を持っている男の子のことを言いました。ほんの少しでもイエスに渡せば、どれだけにでもなるのです。

マタイ 17:20、ルカ 12:29-31

数千人の食事となった少年の昼食

マタイ 14：19～21、マルコ 6：39～44、ルカ 9：14～17、ヨハネ 6：10～14

イエスは、小さな組に分かれて座るよう、人びとに言われました。そして、イエスは、パンと魚を持っていた少年にお礼を言うと、五つのパンと二匹の魚を手に取りました。

みんな、話すのをやめました。イエスは空を見上食べ物を与えてくださったことを神に感謝すると、べ物を祝福して、パンを裂きました。それから、パを弟子たちにわたして、人びとに配るように命じまし

そのとき、たいへんなことが起きました。イエス弟子たちに、次から次へと食べ物をわたされたのす。かごが空になると、弟子たちはイエスのとこに戻り、イエスはまた、かごにパンと魚を入れましいくらでもありました。最後に、何千人という人たち男の人も女の人も、子どもも、みんな、すっかり満しました。

弟子たちは、パンのくず、魚の骨や頭なの、人びとの食べ残しを集めました。集め終わる十二のかごにいっぱいになりました。奇跡が起きのです。

イエスは、そのほんの少しの食べ物を祝福し、与えてくださったことに、神に感謝しました。そして、食べ物は、ただ足りただけではなく、すべての人が食べて、満足するほどたくさんあったのです。そして、最初にあった分量よりもっと多くの食べ残しがありました。私たちが持っている少しのものを神に差し上げると、神は、それを増やし、多くの人々にお恵みを与えるために使われます。

二コリント 9:10-11、フィリピ 4:19

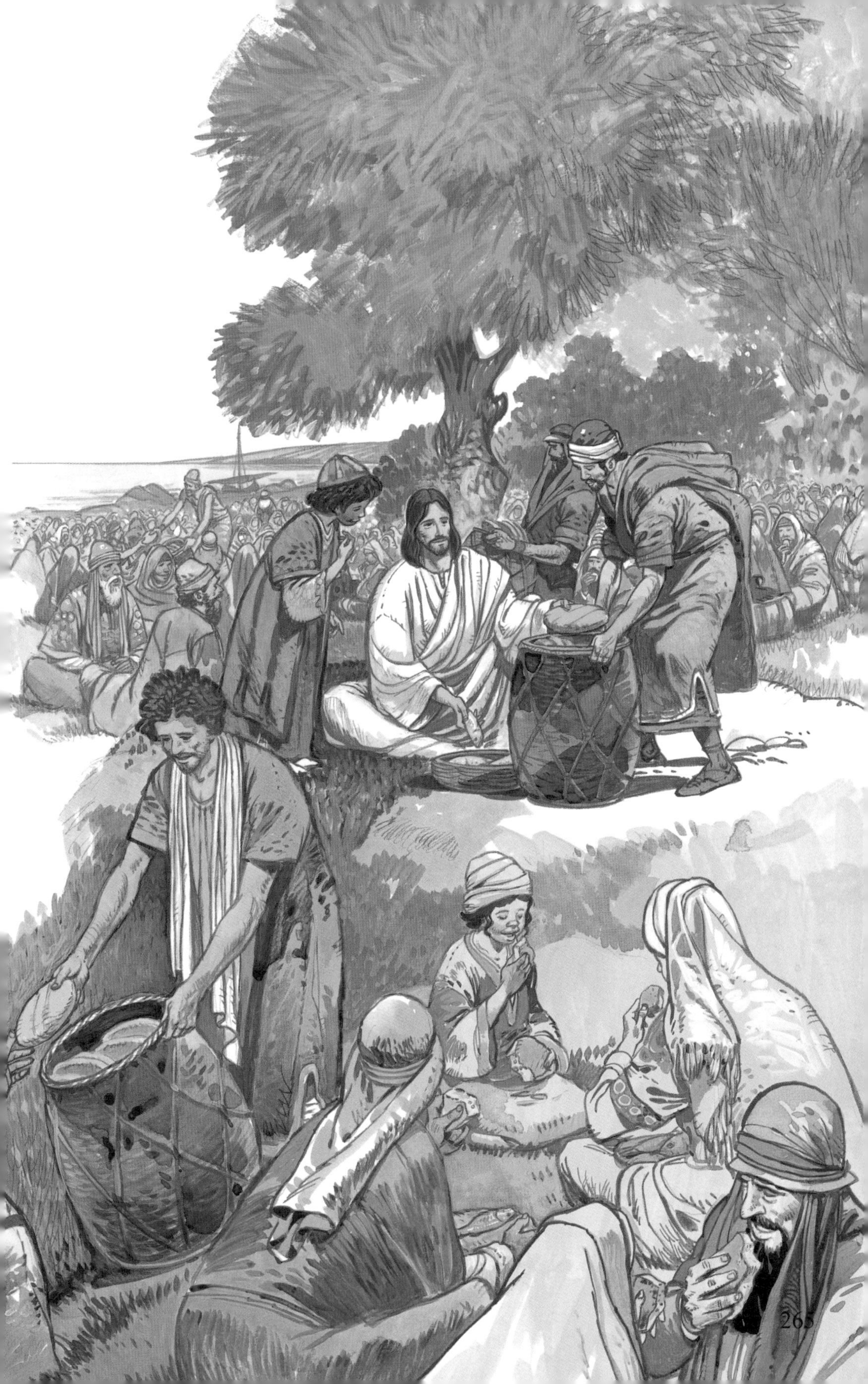

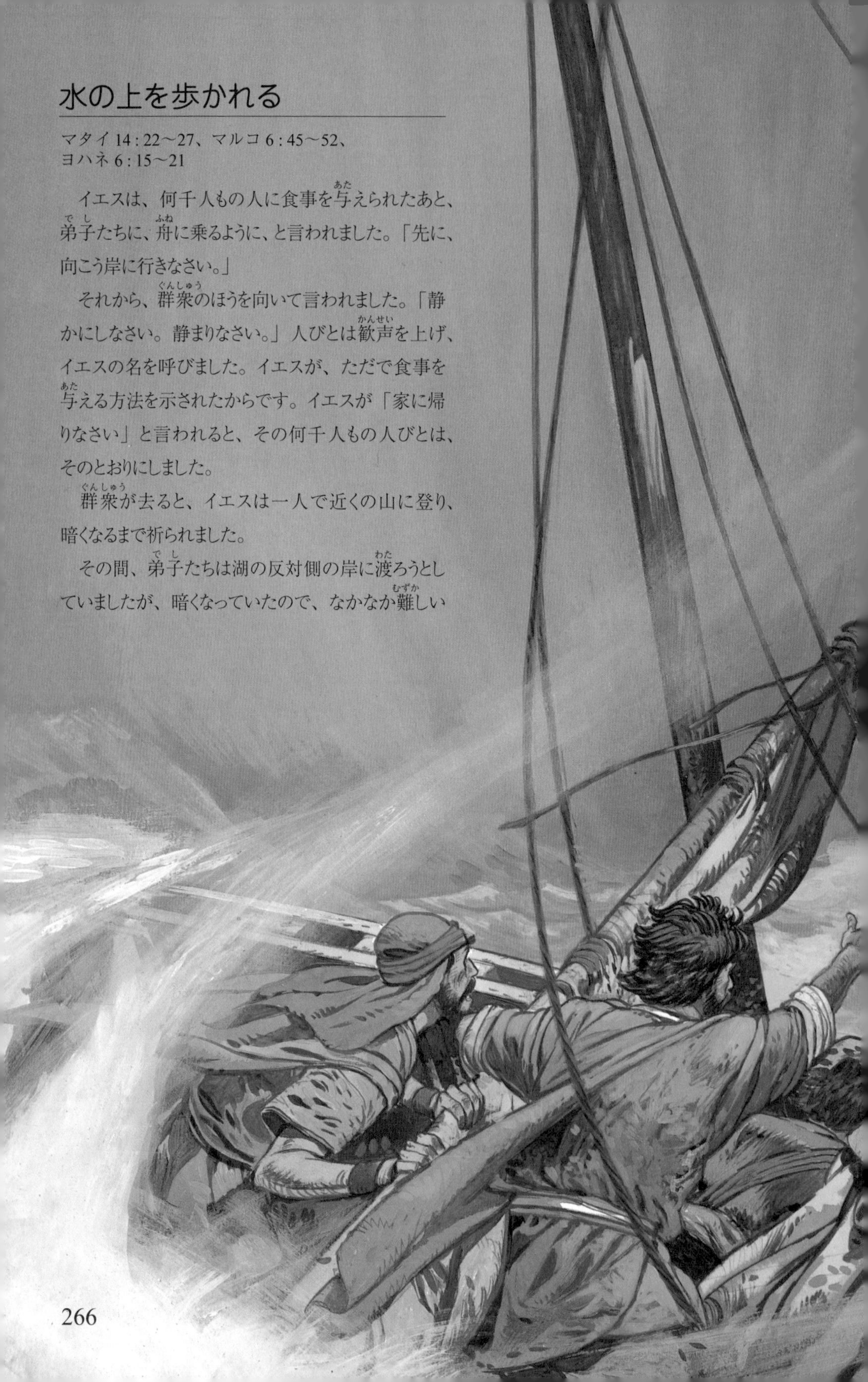

水の上を歩かれる

マタイ 14 : 22〜27、マルコ 6 : 45〜52、
ヨハネ 6 : 15〜21

イエスは、何千人もの人に食事を与えられたあと、弟子たちに、舟に乗るように、と言われました。「先に、向こう岸に行きなさい。」

それから、群衆のほうを向いて言われました。「静かにしなさい。静まりなさい。」人びとは歓声を上げ、イエスの名を呼びました。イエスが、ただで食事を与える方法を示されたからです。イエスが「家に帰りなさい」と言われると、その何千人もの人びとは、そのとおりにしました。

群衆が去ると、イエスは一人で近くの山に登り、暗くなるまで祈られました。

その間、弟子たちは湖の反対側の岸に渡ろうとしていましたが、暗くなっていたので、なかなか難しい

ことでした。風の向きが変わり、突風が吹き始めました。

夜の暗やみの中で、あらしは激しくなりました。風があらゆる方角から吹いてきます。岸からやっと五、六キロほど離れたところで、ヨハネが叫びました。「幽霊だ！　何かが水の上を歩いている。」もちろん、それは幽霊などではありませんでした。舟の横を通ったのは、イエスでした。

イエスは、「恐れることはない。ここにいるのはわたしだ」と言われましたが、弟子たちは舟の端にうずくまっていました。恐ろしさのあまり、信じることができなかったのです。

弟子たちは、また嵐の中で湖を渡っていました。イエスは、彼らが苦労しているのを見られると、水の上を歩いて彼らのところに来られました。彼らは怖くなりました。弟子たちは、イエスには自然の力を超える力があるのだということを忘れていました。イエスにとっては、超自然が自然なのだということを忘れていたのです。イエスが万能で、そして常に私たちと共にいらっしゃるということを私たちは忘れがちです。

ゼカリヤ 8:6、マタイ 28:18、ルカ 1:37

ペトロ、水の上を歩く

マタイ 14:28〜33

風がうなり、波が舟の回りに壁を作りました。みんながおびえている中で、一人だけ立ち上がった人がいました。ペトロでした。ペトロは、「イエスさまだ！」と言うと、舟のへりに近づいて、もっとよく見ようとしました。

主の足は、ほとんど水に触れていないようでしたが、沈みませんでした。イエスは、舟に近づかれました。ペトロは「主よ、もしほんとうにあなたなら、水の上を歩いてそちらまで行くよう、わたしに命じてください」と叫びました。

イエスは「来なさい」と言われました。

ペトロは、片足を舟の外に出しました。足は水の中に沈みましたが、すぐに止まりました。それから、

う一方の足を舟から出して立ち上がりましたが、沈
ませんでした。

ペトロは、ずっとイエスの顔を見ながら、一歩、ま
一歩と進みました。ペトロは水の上を歩いていた
のです！

ところがペトロは、何歩か歩いたあとで、風がうな
のが聞こえました。それで、足もとを見てしまいまし
。すると、イエスを見て信じていたのに、恐れが
み上げてきました。ペトロは、周りの波を見て「ど
してわたしが水の上を歩けるのだろう？」と思いま
した。不安になりだすと、すぐに沈み始めました。ペトロは「主よ、助けてください！」と叫びました。

イエスは、手を差しのべてペトロをつかまえ、「ああ、ペトロ、おまえの信仰はどこに行ったのか？ どうして疑ったのか？」と言われました。

イエスとペトロが舟に乗ると，すぐに風がやみました。弟子たちは驚き、ひざまずいてイエスをおがみました。みんな、ペトロが水の上を歩くのを見ただけではなく、イエスが風と波を思いのままに動かされるのを見たのです。

ペトロが船から足を踏み出すのには、信仰が必要でした。イエスを見ている間は大丈夫でした。けれど急に怖くなり、沈み始めました。恐れと信仰は相反するものです。恐れより、信仰のほうが強い時があります。その逆の時もあります。けれど、ほんの少しでも信仰があれば、多くのことが成し遂げられます。

マタイ 13:58、17:20、マルコ 5:36、ルカ 17:6、ヨハネ 14:11

異邦人の信仰

マタイ 15:21〜28、マルコ 7:24〜30

神の計画は、神の愛についての良い知らせを、イエスがまずイスラエルの人びとに教え、その後、世界じゅうのすべての人に広めるというものでした。

多くのユダヤ人はイエスを信じませんでしたが、逆にユダヤ人以外でも、イエスが神の子であることを信じる人びともいました。その中に、重い病気の娘がいる女の人がいました。

この人は、イエスが泊まっておられる家に来ました。そして、イエスの足もとにひざまずいて、叫びました。「助けてください。娘が重い病気なのです！」

イエスは何も言われませんでした。その人がどれだけ信じているか、見極めたかったからです。

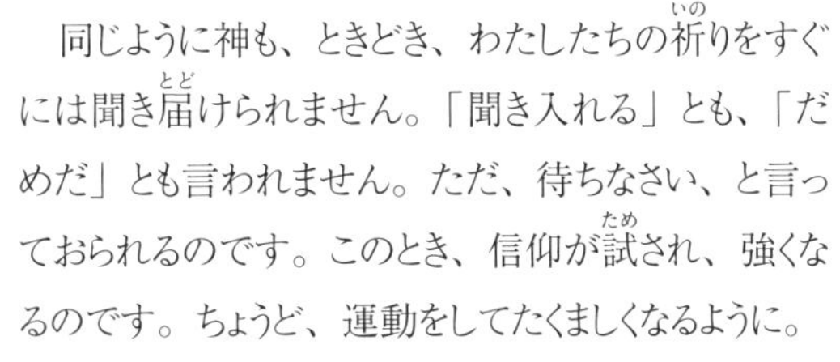

同じように神も、ときどき、わたしたちの祈りをすぐには聞き届けられません。「聞き入れる」とも、「だめだ」とも言われません。ただ、待ちなさい、と言っておられるのです。このとき、信仰が試され、強くなるのです。ちょうど、運動をしてたくましくなるように。

イエスがだまっておられたもう一つの理由は、その人がユダヤ人ではなかったからでした。ユダヤ人以外の人を救い、いやす時は、まだ来ていなかったのです。でも、イエスにとっては、その人をこばむことは難しかったのです。

弟子たちは、「その人を追い払ってください。うるさすぎます」と言いました。

イエスは「今、わたしは、ユダヤ人のためだけに働かなければならない。神の子どもたちからパンを取り上げて、子犬にやってはいけない」と言われました。

すると、女の人は「主よ、そのとおりです。でも、子犬も主人の食卓から落ちるパンくずは食べます」と言いました。

イエスは、その答えを聞かれると、胸が熱くなりました。「婦人よ、あなたの信仰は偉大だ。あなたの今の答えで、あなたの娘は治った。家に帰りなさい。」

女の人は、イエスの言われたとおりにしました。家に帰ってみると、娘は眠っていましたが、病気は治っていました。

イエスと弟子たちは人目を避けるため、他の地方に行きました。けれども人々はイエスに気づき、一人の女の人が娘を助けてほしいと頼みに来ました。イエスは、すぐには応えませんでした。イエスは、その人の信仰と諦めない心を試しておられたのです。私たちが諦めずに祈るとき、神はご褒美を下さいます。神は私たちが神と話すのが好きなのです。

マタイ 7:7-8、18:19、ルカ 11:9-10、18:1-8

ベトサイダの盲人

マルコ 8：22～26

イエスがベトサイダという小さな村に来られたと
人びとが、目の見えない人を連れてきました。「先生
この人に触って、治してあげてください。」

イエスは、その目の見えない人の手を取って、村
の外に連れていかれました。

盲人は、イエスについて行きながら、どう考えた
よいのかわかりませんでした。自分の手の中に、
エスのゴツゴツした手を感じることができました。その
人は、友人たちから「イエスは、ほかの人びとを治
したのだから、君も治せるよ」と言われていました。

イエスは、立ち止まりました。盲人は、イエスの手
が離れるのを感じました。それから、つばをはく音が
聞こえ、次にイエスのぬれた、温かい手が目に触れ
るのを感じました。

イエスは、その人の目から手を離すと、「何か見
えるか？」とたずねられました。

その人は頭を左右に振り、「人が見えます。でも
ただ動いていて、木のようにしか見えません」と答え
ました。

イエスは、もう一度、その人の目に手を当てました
その人は目をパチパチさせました。今度は、何でも
はっきり見えました。色がおどり、友人たちがほほえ
んでいました。「見える！見える！」その人は、みんな
に向かって叫びました。人びとは集まって、その人
を抱きしめました。そして、イエスに感謝しました。

イエスは、大勢の人を治しました。イエスは、時々、ただ「治りなさい！」または、「あなたの信仰があなたを元気にしました」と言われました。時にはイエスは、その人に触りました。ある時、イエスは目の見えない男の人の目に泥を塗り、行って洗い落とすように言われました。イエスには、決まった方法はありませんでしたが、いつも思いやりがありました。私たちも、だれかを助けようとするとき、同じようでなければなりません。

マタイ 11:5、ルカ 18:35-43、ヨハネ 9:1-7

「岩」という名前の人

タイ 16：13〜19、マルコ 8：27〜29、ルカ 9：18〜20

イエスは、弟子たちをガリラヤ湖の北側の静かな所まで連れて行き、大切な質問をされました。「人びとは、わたしのことを何者だと言っているか？」

「洗礼者ヨハネが生き返ったのだという人がいます。ある人はエリヤだと言い、ほかの人たちは、エレミヤか預言者の一人だと言っています。」

そこで、イエスは言われました。「それでは、あなたたちはわたしを何者だと言うのか。」

すると、ペトロが進み出ました。ペトロは、「答えない！」と、心の底から強く感じていました。「あなたはキリスト、生きている神の子です。」

イエスは、「ペトロ、あなたは祝福されている。あなたがそのことを知ったのは、天のわたしの父があなたに示されたからだ」と言われました。

イエスは、ペトロの肩に手を置き、「ペトロ、あなたの名前を覚えておきなさい」と言われました。

ペトロとは「岩」という意味です。その上に家が建つような大きな、しっかりした岩です。イエスは続けて言われました。「わたしの教会は、あなたのような人びとによって造られる。あなたたちは、神がわたしを遣わされたことを知っている。あなたは、わたしの教会の土台となる岩だ。」

同じように、イエスを信じる人びとは、イエスの真実というしっかりした「岩」の上に人生を築くのです。岩の上に建てた家は、あらしが来ても倒れません。

弟子たちは、イエスが自然の力を支配されたので、イエスがだれなのか不思議に思っていました。イエスが彼らに、ご自分をだれだと思うかとたずねられると、ペトロには突然、答えがわかりました。神しか、ペトロに答えを明かすことはできなかったはずです。イエスは、この啓示の上にイエスの教会を建てておられるのです。ペトロは大きな岩でした。そして私たちは皆、教会を建てている生きた石のようなものなのです。

イザヤ 28:16、一ペトロ 2:4-7、マタイ 11:25-26、マルコ 4:11

モーセとエリア

マタイ *17:1〜9*、マルコ *9:2〜10*、ルカ *9:28〜36*

六日ののち、イエスは、ペトロと兄弟のヤコブとヨハネを呼びました。イエスは、この三人にほんとうにびっくりすることを見せようとしておられたのです。四人は、祈るために、近くの山に登りました。山頂に着くと、ペトロとヤコブとヨハネは横になって休みました。

三人が眠っている間、イエスは祈っておられました。そのとき突然、イエスの姿が変わりました。顔はかがやき、服は真っ白になり、稲妻のようにかがやいていました。

すると、どこからともなく、二人の男の人が現れました。それは、イスラエルの民をエジプトから連れ出し、神の十戒を受け取ったモーセと、もっとも偉大な預言者エリヤでした。モーセが死んでから約千五百年、エリヤが天に昇ってからは約一千年ぐらいたっていました。今、二人は、イエスと話すために、少しの間、この地上に下りてきたのでした。

三人の弟子は、驚いて目を覚ましました。「何が起きたのだろう？」三人は息を止めました。イエスがエルサレムに行き、やがて、人びとのもとを去られることについて話しているのが聞こえました。

ペトロは、恐れを感じました。「先生、すばらしいことです。テントを三つ作りましょう。一つはあなたのため、一つはモーセのため、もう一つはエリヤのために。」ペトロは、二人の偉大な人に、もっと長くそこにいてほしかったのです。

けれども、ちょうどそのとき、山を越えて、かがやく雲が現れました。足もとでうずを巻く霧のようでした。そして、雲の中から声がしました。「これはわたしの子、選ばれた者、これに聞け！」

この声を聞くと、弟子たちは恐ろしくなって、地面にひれふしました。

声がやむと、イエスが近づいてこられ、こう言われました。「大丈夫だ、起きなさい。恐れることはない。」

弟子たちは、ゆっくり目を開けました。まるで、何ごともなかったかのようでした。

イエスが祈ったとき、その姿は完全に変化しました。三人の弟子たちは、イエスの天国の栄光を少し見て、神の声を聴きました。それはあまりにも恐ろしく、彼らは怖くなりましたが、同時に心を奪われました。弟子たちはその栄光の中にとどまりたいと思いましたが、イエスを必要としている下界に戻らなければなりませんでした。この世界は、いまだイエスを必要としています。そして私たちはイエスの弟子です。

ヨハネ *1:14*、*20:21*、二コリント *3:18*、ヘブライ *1:3*

いちばん大切なのは子どもたち

マタイ 18：1〜14、マルコ 9：33〜37、ルカ 9：46〜48

弟子たちは、イエスと歩きながら、互いにささやき
した。「わたしたちの中で、だれがいちばん偉い
だろう。」ある人はペトロだと言い、ほかの人はヨ
ネだと言って、言い争いを始めました。

そこで、イエスにたずねてみましたが、イエスはす
には答えませんでした。その近くで、子どもが遊ん
いました。イエスは子どもを呼び、ひざにのせると、
この小さな者が見えるか？」と言われました。「子
ものように信頼し、謙虚になれる人はだれでも、天
国でいちばん偉大になれる。

そして、子どもを大切にし、わたしのことを子ど
に教える人は、わたしを受け入れている。しかし、
子どもを傷つけ、わたしを信じないように教える人は、
いへんなことになる。そんな人は、首に大きな石を
つながれて、水の中に放り込まれたほうがましだ！」

弟子たちは、それを聞いて震えました。イエスの
ひざの上の小さな子どもを見て、どうして子どもがそ
んなに偉いのかと不思議に思いました。

イエスは、続けて言われました。「子どもを大切
にして、羊飼いが自分の羊を愛するように、愛しな
さい。羊飼いはたった一匹の羊でも見えなくなれば、
夜じゅう、探し回るだろう。神にとっては、どの子も、
一人一人が大切なのだ。どの子も皆、愛しておられ
るからだ。」

神の国で偉大でありたいのなら、私たちは子どもたちのように謙遜になり、信じる人でなければなりません。最も謙遜な人が最も偉大な人なのです。名誉ある席に座りたいのなら他の人に仕えることを学ばなければなりません。イエスご自身も、奉仕するためにいらっしゃいました。奉仕されるためではありません。イエスは、この世の子どもたちすべてを愛しておられます。子どもたちを大事にすれば、イエスは喜ばれます。

マタイ 18:10、ルカ 22:24-27、二コリント 12:10、フィリピ 2:6-8

独りぼっちではない

マタイ 18：15〜20

弟子たちは、イエスにたずねました。「もしだれかがわたしたちをだましたら、もしだれかがほんとうに悪いことをしたら、どうすればよいのですか？」

イエスは、もしだれかが罪を犯したら、まず一人でその人のところに行くのがよいと言われました。二人の間で、うまく治めるよう努力するのです。「それがだめなら、友人を連れて行きなさい。」その人がどうしても罪を犯したことを認めないとわかってから、初めて、その人を訴えるのです。

主は、あの優しい、力強いほほえみを浮かべて、こう言われました。「覚えておきなさい。わたしはいつも、あなたたちといっしょにいる。あなたたちが二人、三人と集まるところでは、わたしはいつも耳を傾けている。あなたたちといっしょの部屋で、あなたたちの祈りを聞いている。」

ですから、わたしたちは、けっして独りぼっちではありません。目には見えなくても、イエスはいつもそばで、わたしたちを見守っておられます。

イエスは私たちに、「私たちの罪をお許しください。私たちも人を許します」と祈るように教えました。私たちは皆、他の人に悪いことをします。そして他の人々も私たちに悪いことをします。そのことについて話し、許し合うことが大切です。イエスは私たちが祈るとき、いつもそばにおられます。イエスは敵を許しました。そして私たちがお願いすれば、私たちの罪をすべて許されます。

マタイ 6:9-15、18:20、28:20b、ルカ 23:34

重いひふ病の患者を治される

ルカ 17 : 11〜16

イエスがある村にさしかかられると十人の重いひふ病の患者が待っていました。イエスがそこを通られると聞き、病気を治してもらいたいと思い、やって来たのでした。

重いひふ病なので、道路に近寄ることが許されていませんでした。それで、遠くから叫びました。「イエスさま！ 先生！ わたしたちをあわれんでください！」この人たちは、重いひふ病によるみにくい傷を人から見られないように頭にずきんをかぶり、顔はスカーフで隠していました。彼らは、イエスに、病気を治してください、と頼みました。

イエスは、村を指さして言われました。「行って、祭司に体を見せなさい。」これは、重いひふ病の人たちにとっては、病が治ったと言われたのと同じことでした。治った人だけが祭司のところに行くことになっていたからです。

病人たちは、言われたとおりにしましたが、祭司に会うために神殿に向かう途中、不思議なことを感じました。腕や足に血が流れるのを感じ、背中が不思議に温かくなりました。その中の一人がそでをくり上げてみると、肌がきれいになっていました。

その人は、「神をたたえよ！全能の神をほめたたえよ！ 治った、病気が治った！」と叫びました。

それから、向きを変え、できるだけ速く走って、イエスが説教をしておられる所に戻ると、イエスの足もとにひれふして、「ありがとうございました！ ありがとうございました！」と言いました。

最近までハンセン病を治す方法はありませんでした。死んでしまう伝染病でした。この病気にかかった人は、家族や友達から遠く離れていなければなりませんでした。イエスは彼らのただ一つの希望でした。十人のハンセン病患者は治ったことを知り、大喜びしました。今では、家族のいるわが家に帰ることができることになりました。イエスは、今でも世界にとってただ一つの希望です。

マタイ 5:14、10:8、11:5、ヨハネ 9:4-5

なぜ、ありがとうと言わないのか？

カ 17：17〜19

イエスは、神に感謝のことばを叫んでいる人を見と、「治ったのは十人ではなかったのか？　ほかの九人はどうしたのだ？」と言われました。それから、の人に「もう行きなさい。あなたの信仰があなたをい、病気を治したのだ」と言われました。

どうして一人しか戻って来なかったのでしょう?　ほの九人は、今日の人びとが神にお礼を言わないの同じ理由で、お礼を言いに戻って来なかったのかしれません。

もしかしたら、ある人は、ただお礼を言うのを忘れただけなのかもしれません。ほかの一人は気が小さく、ほかの一人は高まんだったのかもしれません。

もしかしたら、ある人は治ったことですっかり興奮してしまい、道に迷って、イエスのおられる所がわからなくなったのかもしれません。また、ほかの人は忙しかったのかもしれません。それまでにできなかったことで、やらなければならないことがたくさんあったのです。

重いひふ病の患者の一人は、祭司から、お礼を言いに行く必要はないと言われたのかもしれません。自分で考えないで、他人に言われたとおりにする人でしたから。七人目の人は、何が起きたのか理解できなかったので、お礼を言わなかったのかもしれません。八人目は、べつに行かなくてもいいと思ったのかもしれません。この人は、一度も他人にお礼を言ったことがありませんでした。

もしかしたら、最後の一人は、あまりうれしくて、自分がどこに行こうとしているのかわからなかったのかもしれません。

十人のうちの一人だけが、イエスが病気を治してくださったことを理解しました。よくあることですが、ほかの人たちは神がくださった贈り物をあたりまえのことと受け止めたのです。神は、わたしたちに必要なものを与えてくださいます。でも、わたしたちは、どれだけ神にお礼を言っているでしょうか?

私たちは、神からのとても多くの贈り物——食べ物、衣類、家、家族、友人、健康、教育、仕事などを当たり前に考えています。今日、世界の多くの人々は、決してこれらのものすべてを手に入れることはないでしょう。私たちに与えられているものを神に感謝することを忘れないようにしましょう。そして、これらの多くが手に入らない人々のために祈り、与えることを忘れないようにしましょう。

歴代上 16:34、エフェソ 5:20、フィリピ 4:6、一テサロニケ 5:18

二度目の機会

ヨハネ 8：1〜11

イエスはエルサレムに戻られると、神殿で説教をされました。ある朝、祭司や学者たちが女の人を引きずって連れてきました。その人は恐ろしさのあまり、泣いていました。人びとは、女の人をイエスの前に投げ出しました。

「先生、この女は、夫ではない男といっしょにいました。モーセの律法によれば、こういう女は石を投げて殺すことになっていますが、どう思われますか？」

女の人は、顔も上げませんでした。その女の人と、いっしょにいた男の人は、とても悪いことをしました。自分の妻でない人を愛することによって、自分たち自身の結婚も汚しました。

イエスはしゃがんで、地面に字を書き始められました。祭司たちは、「この女をどうしたらよいと思いますか？」と聞きました。

すると、イエスは立ち上がり、「今までに一度も罪を犯したことのない人がまず石を投げなさい」と答えられました。人を裁いてはいけない、ということを教えられたのです。

人びとは、互いに顔を見合わせました。みな、何か悪いことをしたことがあります。完全な人はいないのです。それで、人びとは次々に去っていきました。まず年をとった人たちが、それから若い人たちがいなくなりました。とうとう、祭司たちも向きを変え、歩き去りました。だれも、何も言いませんでした。最後には、イエスと女の人だけが残されました。女の人は、イエスの横にひざまずいていました。

「だれもあなたを罰しなかったのか？」と、イエは言われました。

その人は頭を上げて、周りを見ました。髪の毛もつれていました。「主よ、だれも……」と、女のはつぶやきました。

イエスは、「わたしもあなたを罰しない。もう二度罪を犯してはいけない。悔い改めなさい。そしてのところに戻り、やり直しなさい」と言われました。

女の人は泣き出しました。でも、今度の涙は、れの涙ではなく、喜びの涙でした。

> 人々はイエスが法律に違反するか見るために、その罪深い女の人を連れてきました。けれど、イエスは、その状況を利用して、自分は正しいと思っている人々に、彼らも罪人だと気づかせました。イエスはその女の人をとがめずに、罪深い暮らし方をやめるように言いました。イエスは罪を犯したことを認める人を救うために、やって来られたのです。
>
> *ルカ 6:37、11:39-41、ヨハネ 3:17、5:14b、ローマ 8:1*

良いサマリア人

ルカ 10：25～37

ある日、イエスが話をしておられると、一人の男の人が質問しました。この人は、長い間、神の法律を勉強してきた人でした。「先生、どうしたら天の国に行けるのでしょうか？」

イエスは、「神の法律には、何と書いてあるか。あなたはどう思うか？」と言われました。

その人は、「神と隣人を、自分と同じように愛することです」と答えました。イエスがそのとおりだと言われると、男の人は「でも、隣人とはだれのことですか？　わたしの隣人とは、だれですか？　わたしが愛すべきほかの人びととは、だれですか？」とたずねました。

イエスは、次の話で、説明されました。

「あるとき、一人の男の人がエルサレムからエリコへの道を歩いていた。男の人は一人だった。道石だらけで、くねくね曲がっていた。そのとき突泥棒が飛び出してきて、男を襲った！　泥棒たち男の人を打ちたたき、何から何まで、服までも盗でいった。

男の人は血を流し、死にそうになって道ばたにたわっていた。そこに、一人の祭司が通りかかっが、男の人を見ると、驚いて立ち止まり、見つめ男の人は、頭を上げて救いを求めることさえできないでいた。祭司はあとずさりして目をそらすと、急い行ってしまった。

男の人は泥にまみれて横たわり、苦しそうな声をしていた。今度は、宗教の専門家がやって来た。モーセの律法を説いていた人だ。その人は、男の人ほこりと血にまみれて、へんな声を出しているのをると、『ひどい姿だ、さわりたくないな。それに、

ぜん知らない人だ』と思った。それで、この人も通り過ぎてしまった。

そこへ、一人のサマリア人が歩いてきた。地面に横たわっていたのは、ユダヤ人だった。サマリア人とユダヤ人は、何百年もの間、ずっと敵同士だった。それでも、そのサマリア人は男の人のところに行き、優しく頭を抱きかかえ、口についた泥を払いのけた。目を洗い、水を飲ませてあげた。傷をぶどう酒で洗い、早く治るようにと油をつけた。そして、自分のロバに乗せて、町まで連れて行った。

町に着くと、宿の主人に「この人を清潔なベッドに寝かせてください。それから、元気になるまでの間、よく世話をするのに必要なだけ、これを使ってください』と言って、お金をわたした。

さて、この三人のうち、だれが泥棒にあった人のほんとうの隣人だっただろうか？」と、イエスはたずねられました。

ユダヤの法律の専門家は、すぐに答えがわかりました。「もちろん、助けてくれた人です。」

「それなら、あなたも同じようにしなさい」と、イエスは言われました。

この話を聞いた人びとは、イエスがだれを愛してほしいと言っているのか、よくわかりました。「隣人」とは、友達のことだけではないのです。イエスは、すべての人を、特に知らない人や困っている人を愛してほしいのです。

神を愛し、隣人を愛しなさい。この話の中で、二人の宗教の指導者たちは隣人を愛していませんでした。二人は関心を持たず、見て見ぬふりをしました。思いやりをもって被害者を助けたのは外国人でした。イエスには、地上に来て私たちを救うほどの思いやりがおありでした。私たちには、世界を救うことはできませんが、困っている人を助けることはできます。

マタイ 20:34、マルコ 1:41、ルカ 7:13、ヨハネ 3:16-17

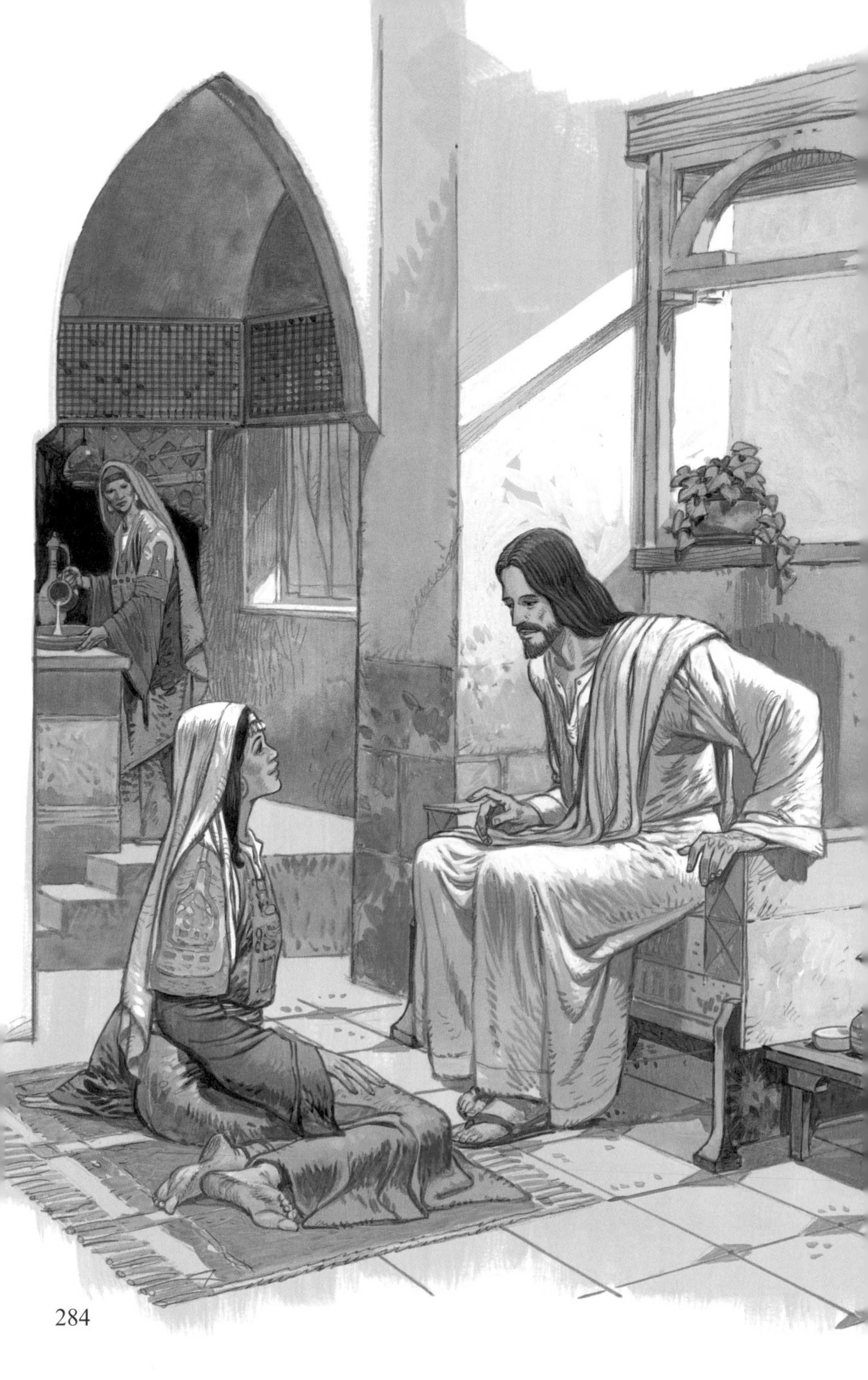

マルタとマリア

ルカ 10 : 38～42

イエスは、良い人にとっても悪い人にとっても、まだ知らない人にとっても、弟子たちにとってさえも、友達でありたいと考えておられます。イエスには、この世界におられたとき、弟子たちのほかに三人の親友がいました。マルタとマリア姉妹とその兄弟のラザロでした。三人はイエスを家に迎え、自分の家と同じに思ってください、と言いました。イエスは、旅行のときには、よくマルタたちの家に泊まられました。とても居心地がよく、人びとの群れを避けるのにたいへん適していました。

あるとき、マルタは、大切なことを学びました。イエスは客間で休んでおられ、そこでマリアと話をしていました。マルタは、イエスが来られたので、行き届かないことが何一つないよう、料理をしたり、掃除をしたり、忙しく働きました。

「今夜はすべて、完ぺきにしたい」とマルタは考えていました。でも、一つ問題がありました。ぜんぶを一人でやることはできませんでした。畑から野菜をとってきたり、掃除をしたり、料理をしたり、することがたくさんありました。

マルタが台所からのぞくと、マリアは何もしていませんでした。ただ、イエスの足もとに座って、お話を聞いているだけです。マルタは、「どうして、少しも手伝ってくれないの」と思いました。

ちょうどそのとき、イエスはマルタを見ると、立ち上がってそばに来られました。マルタは、「主よ、マリアが、わたしにばかり働かせているのを、何ともお思いになりませんか。どうか、少しは手伝うように言ってください」と言いました。

けれども、イエスは「マルタ、マルタ、あなたは多くのことを思い悩みすぎている。大切なことは一つだけだ。マリアは、わたしの教えを聞きたがっている。それは良いことで、だれもそのじゃまをしてはいけない。あなたも同じようにしたらどうだ。」

マルタは、イエスを見ました。急に気が楽になりました。今まで体をしばっていたものがゆるんだみたいでした。朝からずっと続けていた「しかめっ面」の代わりに、ほほえみを浮かべました。マルタはイエスについて行って、マリアのとなりに座りました。二人はいっしょに、イエスのことばに耳を傾けました。

それからは、マルタは、イエスのために働くことよりも、イエスをよく知ることのほうを第一に考えるようになりました。これは、イエスに従う人がいつも覚えておくべきことです。

> マルタは、イエスのために最善を尽くしたいと思いました。何をするにしても、いつも最善を尽くすべきです。そしてイエスのためにするかのようにするべきです。けれど、良いことをするのに忙しくなりすぎて、最も大切なことをおろそかにすることがあります。イエスと共にいる、ということです。マリアはイエスと共に時間を過ごすことを選びました。マリアのようになりましょう。
>
> *マタイ 25:40、一コリント 7:35、エフェソ 6:7-8、詩編 27:4*

良い羊飼い

ヨハネ 10：1～21

　多くの人が、「イエスとは、だれなのだろう？どこから来たのだろう？」と不思議に思い、この質問を繰り返しました。それに対して、イエスは次のように答えられました。

　「わたしは、良い羊飼いだ。」それから、なぜご自分のことを良い羊飼いだと言われたのか、たとえ話で説明されました。

　「わたしは、羊のための門だ。」羊飼いは、牧場の門のところに立って、自分の羊を門の中に入れ羊を傷つける猛獣を追い払います。

　「良い羊飼いは、全力を尽くして羊の世話をする羊を助けるためには、自分の命も惜しまない。オオカミが来ても逃げない。羊を放り出して死なせたりはしない。それは、雇われた人のすることだ。

わたしは、良い羊飼いだ。わたしは自分の羊を知っているし、わたしの羊もわたしを知っている。わたしは羊のために命を捨てる。ふたたび命を受けるために捨てる。これは、わたしの父のご命令なのだ。」

多くの人は、このイエスのことばを聞いて心が安らかになり、イエスは彼らのための良い羊飼いなのだと信じたくなりました。

羊には世話をする羊飼いが必要です。羊飼いはそれぞれの羊を名前で呼び、それぞれをよく知っています。夜になると、羊飼いは羊を囲いに集めます。昼間は一番良い牧草と水がある場所へ連れてゆきます。羊飼いがいなければ、羊たちは迷ったり、野生の動物に襲われたりするかもしれません。イエスは、私たちの世話をする良い羊飼いに似ています。

詩編 23:1-4、イザヤ 40:11、エレミヤ 23:4、ヨハネ 21:15-17

ラザロ、生き返る

ヨハネ 11 : 1〜46

しばらくして、イエスは、友人のラザロが重い病気にかかったと聞きました。

数日後、イエスが弟子たちといっしょにマルタとマリアの家を訪ねたときには、もう息を引き取ったあとでした。

「主よ、もしあなたがここにいてくださったなら、わたしの兄弟は死ななかったでしょう。今でも、あなたがお願いすれば、神は何でも聞き入れてくださるということを、わたしは信じています」とマルタは言いました。

イエスは、ラザロはふたたび立ち上がると言われましたが、マルタにはその意味がわかりませんでした。イエスは「わたしを信じる者は、けっして死なない」とも言われました。

マリアは、イエスを見ると、足もとにひれふし、「主よ、もしあなたがここにいてくださったなら、ラザロは死ななかったでしょう」と言って、泣き出しました。涙が地面に落ちました。

イエスは、みんなが悲しんでいるのを見て、涙を流されました。

「どこに葬ったのか」とイエスがたずねると、人びとは、閉じられた洞穴にイエスを連れていきました。

「石を取り除きなさい。」

洞穴が開かれると、イエスは神に感謝しました。それから大きな声で「ラザロ、出て来なさい!」と叫ばれました。

突然、布と包帯に被われた人が、洞穴から出てきました。イエスは、「解いてやって、行かせてあげなさい」と言われました。

マリアとマルタが走り出ました。二人とも、白い布の中のラザロが生きているとは、とても信じる勇気がありませんでした。二人が包帯を解くと、集まっていた人びとが歓声を上げました。みんな、前よりもっと泣きました。ほんとうにラザロでした。生きていました。三人は、イエスにお礼を言いました。

マルタとマリアは、二人がイエスに来てほしいと頼んだ時、なぜすぐに来られなかったのか理解できませんでした。けれどイエスは、友人を治療するよりもっと偉大な奇跡を行うことにしていたのです。それで、イエスはラザロが死ぬまで待たなければならなかったのです。私たちは、イエスに助けを求める時、なぜすぐに応えてくださらないのか理解できないことがあります。イエスは、もっと良い計画を立ててくださっているのかもしれません。

詩編 27:13-14、ヨハネ 13:7、ヘブライ 11:39-40

見失った羊となくした銀貨

ルカ 15：1〜10

イエスに従うことは、多くの犠牲を伴います。けれども、神の愛はその犠牲よりも大きなものです。神は、子どもたちも、男の人も、女の人も、一人一人を、宝物のように大切にしてくださいます。神は、それぞれの人が神を受け入れ、新しい生活を始めることを、何よりも願っておられます。

長老たちは、イエスに従う人びとがきらいでした。そこで、イエスは、ご自分に従う人びとが神にとってどれほど大切か、ということを教えるために、二つ話をされました。最初は、見失った羊のお話でした。

イエスは、人びとに質問しました。「あなたたちが羊を百匹飼っていて、もし一匹でも見失ったなら、それを探しに行かないだろうか？　そして、その羊が見つかったら、群れの中に連れ戻さないだろうか？

友達を集めて、『羊が見つかった』と、大きな声で知らせないだろうか?

同じように、天の国でも、『悪いことをしました』と悔い改める罪びと一人のほうが、自分たちは善人だから神の助けなどいらないと思っている九十九人の人よりも喜ばれるのだ。」天の国ではいつでも、だれかが神のもとに戻ると、天使の喜びの歌声が響き渡るのです。

もう一つは、銀貨を十枚ためていた女の人の話でした。この人が、銀貨を一枚なくしました。それは、丸一日仕事をしてかせいだお金と同じ金額でした。イエスは言われました。「もしこの人が銀貨を一枚なくしたら、見つかるまで家じゅうを掃き、ベッドの下やじゅうたんの下を探さないだろうか?」

そして、見つけたら、友達を集めて『いっしょに喜んでちょうだい！　やっと銀貨が見つかったわ』と言わないだろうか？

同じように、だれかが神を信じ、イエスの助けでもっと良い生き方をしたいと思えば、天使たちは、いつでも、喜び、歌うのだ。」

人びとは、イエスの話を聞いて驚きました。悪い人でも、特に悪い人が、天の国で歓迎されるというのです。悔い改めさえすれば、神はその人たちを喜んで迎え入れ、やり直す力を与えてくださるというのです。イエスは、神の国に入る道を示してくださいました。それは、神を愛し、ほかの人を愛する道です。

> 羊飼いは、一匹でも羊がいなくなればすぐに気づきます。羊飼いは群れを囲いの中に残して、迷っている羊が危害に遭う前に見つけようとします。女の人は、大切な硬貨が無いことに気づいたらすぐに、泥の中に埋もれたり盗まれたりしないうちに探そうとします。イエスは、イエスがいなくて迷っているすべての人を探しています。
>
> *エゼキエル 34:11-16、マタイ 18:14、ルカ 19:10*

愛情深い父親

ルカ 15：11〜19

イエスは、二人の息子がいる男の人の話をされました。「ある日、下の息子が父親に言った。『お父さん、あなたが死んだときにわたしがもらうはずのお金をください。きょう、ほしいのです。』

父親は、あまり良いことだとは思わなかったが、そのとおりにした。お金を受け取った息子は、数日後に家を出た。

息子は遠くの国まで旅をし、そこで酔っぱらったり遊んだりして、お金を使い果たした。お金がなくなると食べ物も買えなくなった。

息子は、家から家へと歩き回って、食べ物を恵ん

でもらう暮らしをしていたが、とうとう、農家で豚の世話をする仕事についた。おなかがすいて、豚のえさでも食べたいと思ったほどだった。

そのうち、この息子は『父の使用人のほうが、まだたくさん食べ物がある。それなのに、わたしは飢えて死にそうだ。家に戻って、父にあやまろう』と考えた。それで、そこを離れ、家に向かった。」

この男の子は、仕事をしないで楽しいことだけをする人生を求めていたので、家を出ました。けれど、彼はお金をすべて無くし、人生を台無しにしてしまいました。生きのびるために仕事を得て、つらい思いをして働かなければなりませんでした。それから父のもとへ戻ろうと決心しました。私たちが悪い決断をして、ひどい状況になったら、私たちの父である神のもとにまっすぐに帰りましょう。

出エジプト 20:12、マタイ 6:7-8、11:28、ルカ 6:36

帰って来た息子

ルカ 15：20～32

イエスが家出をした息子の話をされたのは、びとにこの話から学んでほしかつたからです。神だれでも、悔い改めれば許してくださいます。悔い改めの気持ちさえあれば、だれでもやり直すことがきます。

イエスは、話を続けられました。「息子は知らなかたが、父親は、息子が家を出てからずっと、道見張っていた。『きょうこそ、息子が帰って来ますよに』と、道を見つめながら祈っていた。

その日、息子がまだ遠くにいるのに、父親はその姿を見つけると、『息子が帰って来た！』と大声をあげ、走って行って息子を抱きしめた。

息子は頭をたれた。『お父さん、わたしは悪いことをしました。あなたの息子と呼ばれる資格はありません。わたしはお金を使い果たし……。』

しかし、父親は、息子に最後まで言わせなかった。
して、召し使いに命じた。『急いで、いちばんよい
を持ってきて着せなさい。指輪をはめ、きれいなく
をはかせなさい。祭りのために取っておいた子牛
殺して、宴会をしよう。息子は、死んでいたのに
き返った。いなくなっていたのに見つかったのだ。』

息子は、父親が自分を愛していると知って、うれ
さのあまり泣き出し、やっと安心した。やがて、大
会が開かれた。父親の召し使いも、友達も招か
た。

しかし、畑仕事から帰って来た兄は、気に入らな
った。音楽や笑い声が聞こえるので、召し使いに、
ぜ宴会が開かれているのかとたずねた。その理
を聞いた兄は、怒ってしまった。父親が説明しよう
したが、兄はそっぽを向いた。

兄は、『こんなことは、公平ではありません。わた
は、ずっと模範的な息子でした。わたしは、あな
のために、いっしょうけんめい働いています。でも、
なたは、わたしが友人と食事をするために、ヤギ
頭もくれなかったのに、弟があなたのお金をむだ
使いして帰ってきたら、何でもあげるのですね』と
言った。

父親は、『おまえも、わたしの息子だ。わたしのも
のは、すべておまえのものだ。わからないのか？
おまえの弟は死んでいたのに生き返ったのだ。いなく
なっていたのに見つかったのだ』と言った。」

男の子は父親の愛を手に入れたのではありません。父親はずっと息子を愛していて、彼が戻ったことを大喜びしたのです。罪人が悔い改めると、いつでも、天国には喜びがあふれます。イエスは、十字架で亡くなられたとき、私たちのすべての罪をあがないました。そして、復活して天国に戻った時、私たちの、神の子としての地位を確実なものにされました。

ヨハネ 1:12、ガラテヤ 4:6-7、エフェソ 1:4-5、一ヨハネ 3:1-3

お金を愛する人びと

ルカ 16 : 10〜14

長老たちは、イエスの愛と許しの教えが気に入りませんでした。この人たちは、権力とお金のことにばかり関心を持っていました。

イエスは言われました。「お金のために生きながら、同時に神を喜ばせることはできない。神より、物やお金を愛してはいけない。

お金のことに正直な人は、信用できる人だ。お金に対して正直な人には、もっと大切なこと、たとえば人の世話をすることなどを任せることができる。」

イエスは、ファリサイ派の人びとに対して、神とお金のどちらかを選ばなければならないことを教えられました。どちらが大切でしょうか？

> 神は、食物や衣服、住む所を得るのに十分な収入を得る能力を私たちに与えてくださいます。金持ちになる人がいても、彼らが正直で、財産を良い目的に使う限り、神はかまいません。良い目的とは、夫を亡くした人、孤児、難民、病人など、困っている人を助けることです。けれど、お金が私たちの主な関心事になると、それは嫌だと思われます。
>
> *申命 8:18、コヘレト 5:18-20、ヤコブ 1:27*

金持ちとラザロ

ルカ 16 : 19〜31

イエスはまた、正しい生き方について、別の話をされました。「あるとき、二人の男の人がいた。一人は金持ちだった。もう一人はたいへん貧しい人で、ラザロといった。ラザロはみにくく、赤いできものが体じゅうにできていた。ラザロは、地面に横たわって、金持ちの門の前で物乞いをするほかなかった。金持ちの食べ残しでもいいから、もらいたいと思っていた。犬が来て、ラザロのできものをなめたりしていた。

しかし金持ちは、ラザロのような貧しくてかわいそうな人には、関心はなかった。自分のことだけ考えて暮らし、高価な服を着て、お金をたくさん使い、宴会に行って、太っていた。

ラザロが死ぬと、天使が来てラザロを連れてい
アブラハムの腕の中に横たえた。ラザロはもう、痛
を感じることもなく、おなかがすくこともなかった。

一方、金持ちが死ぬと、悪い人びとが行く所に
られ、ひどく苦しんだ。金持ちには、遠くにいるア
ラハムと、そのとなりにいるラザロが見えた。

『父アブラハムよ！』と、金持ちは叫んだ。『お
いです、かわいそうだと思ってください。舌を冷や
ために、ほんの少しでいいですから、ラザロに水
持ってこさせてください。ここは、ほんとうにのどが
わくのです。』

しかし、アブラハムは言った。『覚えていないのか

生きている間、ラザロには何もなかったのに、あなたは良い物をたくさん持っていたではないか！
あなたは罰を受けているのだ。』

金持ちは言った。『わたしの五人の兄弟たちに注意をするために、ラザロを遣わしていただけませ
か？』

アブラハムは、『あの人たちは、自分で、注意されていることを読めばよい。モーセも預言者たち
そのことについて書いている』と言った。」

金持ちは、その機会があるうちに、神の言われることを聞いておけばよかったのです。でも、もう遅すぎました。

> 生きていた間、金持ちは、ラザロを助けることができていたのに、助けませんでした。二人が死んだ後、金持ちはラザロに助けてもらいたいと頼みました。けれどラザロは助けられませんでした。金持ちの、まだ生きている兄弟にどのように警告したらよいかとの質問に、アブラハムは、聖書を読み、それに従いさえすればよいのだと答えました。私たちの人生での選択は死後にも結果が及びます。正しい選択をしましょう。
>
> *マタイ 25:45、エフェソ 2:10、ヤコブ 2:14-17*

P. Montero

祈りについての教え

ルカ 18 : 1〜8

祈りは、神と話をすることです。イエスは、わたしたちに、何でも話してほしいと思っておられます。神は、いつでも、わたしたちの祈りを聞いてくださいます。

ときどき、わたしたちが神に祈っても、神が聞いておられないように感じることもあります。でも、神は、いつでも聞いておられます。ただし、ときどき、わたしたちの祈りに対する返事は「待ちなさい」ということです。そんなとき、祈り続けるのは難しいものです。けれども、それが、イエスのわたしたちに対する望みです。イエスは、弟子たちに、何かあっても望みを失わずに祈り続けることを教えるために、次の話をされました。

「あるとき、だれをも恐れない悪い裁判官がいた。ある日、貧しい女の人が、助けてほしいと頼みに来た。最初、その裁判官は無視した。しかし、その女の人は、繰り返し頼みに来た。

とうとう裁判官も、女の人の願いを聞き入れた。このように、悪い裁判官でさえそうなのだから、愛に満ち、いつも人びとを助けたいと思っておられる神なら、もっと願いを聞いてくださるはずだ。」

私たちはすべてのことについて、また何についてでも、祈ることができます。けれどイエスは特に、神の名が尊ばれるように、神の国が来るように、神の意志が地上でも天国でも行われるように、と祈るように言われました。イエスはまた、良い収穫があるように、労働者についても、また私たちの敵と私たちにひどいことをする人々のためにも、祈るように言われました。

マタイ 5:43-45、6:9-10、ルカ 10:2、フィリピ 4:4-7

離婚について

マタイ 19 : 3〜11、マルコ 10 : 2〜9

ときどき、夫と妻が家庭を壊すことがあります。二人が別れてしまうのです。これが離婚です。みんなが傷つきますが、子どもがいちばん傷つくのです。

父親か母親が家を出ると、子どもは自分のせいだと思うことがありますが、子どもには責任はありません。父親と母親が別々に住むことにすることもあります。その理由はさまざまですが、子どものせいでそうなることはありません。

イエスは、離婚が人を傷つけることをご存じです。また、夫と妻がいっしょに暮らしたくなくなることがあることも、ご存じです。あるとき、ファリサイ派の人がイエスにたずねました。「男の人は、何か理由があれば、妻と離婚してもよいのですか？」

イエスは、神が男と女を造られ、二人は結ばれて一体となるのだから、夫と妻は別れてはならない、と答えられました。

長老たちは、それならなぜ法律では離婚が許されているのか、とたずねました。

イエスは、「あなたたちの心が、がんこで冷たいからだ。しかし、それは神の望まれることではない。男と女が結婚を決めたら、死ぬまでいっしょにいるべきなのだ」と言われました。

これを聞くと、イエスの弟子たちが、「それでは、結婚しないほうがよいではないですか！」と言いました。

イエスは、「そのとおり。だれもが結婚しなければならないということではない。そして、一生続く結婚は、それこそほんとうに神からの贈り物なのだ」と答えられました。

イエスは、家庭を守ろうとされました。そして家庭を守ることによって、子どもたちも守ろうとされました。

神は離婚が嫌いです。離婚が、関わりのある人々、特に子どもたちを傷つけるからです。神は仲直りができるとよいと思っておられます。神は、私たちが、もっと利己的でなくなり、もっと寛大であってほしいと思っておられます。皆が、神が示される生き方を守れば、離婚はもっと少なくなるでしょう。結婚は、雑草が美しい花々を枯らせないように、手入れが必要な花園に似ています。

申命 24:1; 歴代下 7:14、マタイ 5:31、ヤコブ 4:5-10

子どもたちをわたしのところに来させなさい

マタイ 19 : 13～15、マルコ 10 : 13～16、ルカ 18 : 15～17

子どもたちにとって、イエスは特別の友達です。あるとき、イエスは弟子たちに、「小さい人たちの天使は、天の国でも、いつも神の近くにいる」と言われました。子どもは信じる気持ちがたいへん強いので、神にとって、特別に大切な人たちです。神は、一人一人の子どもを、特別な宝物と思っておられます。

イエスの話を聞いた親たちは、このことを知っていました。それで、ある日何人かの人たちが、小さな子どもを連れてきて、子どもの頭に手を置いて祈ってほしいと頼みました。

弟子たちは、「あっちに行きなさい。先生がお疲れなのがわかりませんか。時間をむだにしないでください。先生には子どもと遊ぶより、もっと大事なことがあるのですから」と言いました。

イエスは、怒って「その子たちを追い払ってはいけない。わたしのところに来させなさい」と言われました。

イエスは、弟子たちを見て、ご自分の王国について教えるために、子どものことを話されました。「天の国は、この子どもたちのように、神からの贈り物を信じ、受け入れる用意のある人のものである。わたしの国に入るのは、子どものように謙虚な人だけだ。」

それから、イエスは手をのばして、周りの赤ちゃんや小さな子どもたちの頭に触れられました。子どもを抱き上げ、その小さな耳に何かをささやき、子どもたちを笑わせました。

母親たちは、子どもたちが走って戻ってくると、いっしょに笑いました。弟子たちも、この楽しい輪に仲間入りし、いっしょにほほえみました。子どもたちは、イエスが「わたしのところに来なさい」と言われた意味を、だれよりもよくわかっていました。

イエスは、子どもたちを大変愛しておられます。イエスは子どもたちについて、そして一部の人たちの子どもたちの扱いたについて、言いたいことがたくさんおありです。イエスは、子どもたちが愛されていて安全だと感じる、愛情深い家庭で育つことを望んでおられます。悲しいことに、多くの子どもたちは、それとはまったく反対のことを経験します。子どもたちにイエスへの道を示してあげましょう。イエスは、子どもたちに希望と未来を与えることができます。

詩編 127:3、エレミヤ 29:11、マタイ 18:2-6;10

金持ちの青年

マタイ 19：16〜22、マルコ10：17〜23、ルカ18：18〜23

ある日、一人の人が、イエスにたずねました。「善い先生、どうしたら、神の国に入ることができますか？　わたしは永遠の命がほしいのです。」

イエスは、その青年がたいへんな金持ちだということ、そして、その人が長いこと宗教学者になるために勉強していたこともご存じでした。イエスは、その人がすでに知っていたことを言われました。「おきてを守りなさい。」

青年は、「わたしはおきてを守ってきました。でも、それ以上に何かしたいのです。」この人は、できるだけ神に近づきたいと思っていました。

それでイエスは、この青年の答えに感心しました。ただ、この人と神をへだてるものがありました。この青年は、富とお金が何よりも大切でした。神を愛していましたが、それよりももっと、金持ちでいることが大切でした。

そこで、イエスは言われました。「あなたは、一つ大切なことを忘れている。完全な生活をしたいなら、持ち物をぜんぶ売り払い、貧しい人にお金を与えなさい。そうすれば、天の国に宝を積むことになる。そして、わたしに従いなさい。」

これを聞くと、その青年はうなだれて、イエスに背を向けました。青年は、富をあきらめてイエスに従うことができませんでした。それで、非常に悲しくなり、歩き去ったのです。

この男の人は教えをすべて守っていました。永遠の命を手に入れるために、それ以上何ができたでしょう？　イエスは、必要なことを教えました。財産を手放す覚悟がなければ、イエスに従う準備はできていないということです。イエスに従うことが永遠の命なのです。私たちの死後、始まるのではありません。私たちの救い主イエスを信じたときに始まるのです。

マタイ 16:24-26、ヨハネ 3:16-17、6:47、17:3

だれがいちばん先になるか

マタイ19：23〜30、マルコ10：23〜31、ルカ18：24〜30

イエスの弟子たちは、今でも時々、神の愛はお金で買えると思っていました。人々が金持ちなのは神が褒美を与えたかったからだと思いました。でも、そうではありません。イエスは、「金持ちが、お金以上に神を愛することより、ラクダが針の穴を通るほうがやさしい」と言われました。

イエスは、神が人びとを救うための計画の一部なのです。イエスを通してだけ、人は天の国に入ることができるのです。お金持ちかどうかとか、善いことをしようと、どれだけ努力したかとか、そんなこととは関係ないのです。人は、天の国に入るためには多くのことをしなければならない、と思っています。ほんとうは、神がそれを可能にしてくださるのです。それを望む人への、神からの贈り物なのです。買ったり、何かに対する報酬として得られたりするものではありません。神だけが与えることができるものです。

イエスは言われました。「わたしに従うために、家も両親も友達も捨てることができる人は、その百倍の幸せを、この世でも、またきたるべき国でも得るであろう。きたるべき国とは、人びとが永遠に生きる場所のことだ。この世で先にいる多くの者は天の国ではあとになり、あとにいる者がわたしの国では先になる。」

幸せになる方法は、イエスを一番大事にすることです。二人の主人に同時に仕えることはできません。この世の富があるのなら、友達をイエスの信者にする、善いことをする、そして困っている人々を助けるなどのために使いましょう。寛大になり、分かち合いましょう。あなたが神の国を求める時、神は、あなたの必要を満たし、時が来たらご褒美を下さるでしょう。

マタイ6:33、ルカ16:9、二コリント9:6-15、一テモテ6:17-19

ぶどう園で働く人びと

マタイ 20 : 1〜16

イエスは、先になる者と、あとになる者について、弟子たちにもっとよく教えるために、次の話をされました。

「天の国は、ぶどう園の主人の話に似ている。主人は朝早く、働いてくれる人を探しに出かけ、一日の賃金を決めて人を雇った。数時間後、何もしないでいる人たちがほかにもいたので、主人はこの人たちにも賃金を約束し、その人たちをぶどう園に働きに行かせた。

主人は、お昼と午後にも出かけていって、もっと人を雇い、この人たちも、ぶどう園で働かせた。一日の終わりが近づいたころ、主人はまた何人かの人を見つけた。『あなたたちは、なぜ一日じゅう何もしないのか?』

『だれも仕事をくれなかったからです』と、その人たちは答えた。

主人は『わたしのところで働きなさい。ぶどう園に行って、収穫を手伝いなさい』と言った。

一時間後、主人は監督に言った。『働いてくれた人たちを集めて、最後に雇った人たちから、まず賃金を払いなさい。』　主人は、最後に雇った人たちに、最初に支払いをした。その人たちは一時間しか働かなかったが、一日分の賃金を払った。それから、あとから雇った人たちから順に支払いをし、すべての人に同じ額を払った。

最初に雇われた人たちは、不平を言った。『わたしたちは、あの人たちよりたくさんもらえるはずだ。最後の人たちは一時間しか働かなかった。わたしたちは、まる一日、暑い中で汗を流したのに。』

主人は『友よ、わたしは不当なことはしていない。あなたたちには、最初に約束した賃金を払っている。あなたたちより少ししか働かなかった人に、わたしがどれだけお金を与えようと、それはあなたたちとは関係ないことだ。あなたたちが、もっとほしいと要求する理由はない。わたしは、自分のお金を好きなように使う。お金を受け取って帰りなさい。』

イエスは、不思議そうな顔をしている弟子たちを見ました。『このように、最後の者が最初になり、最初の者が最後になる。』」

農夫たちは皆、一日分の賃金をもらいました。必要を満たすのに十分な金額です。最後に雇われた人びとも、ほかの人と同じように、働く気持ちはあったのです。同じように、わたしたちがイエスの所にどのような行き方をしても、イエスはいつでも許してくださいます。イエスは、わたしたちみんなに、同じように天の国の永遠の命を贈り物にしたいのです。よく働くことではなく、信仰によって、わたしたちは天の国に入ることができるのです。

旧約聖書では、イスラエルは神のぶどう園にたとえられます。この話の中では、ぶどう園は神の国、または教会の姿として描かれます。大事なことは、私たちがどれだけ長く神のぶどう園で働いたかということではなく、神が呼ばれた時に働きに行ったということなのです。ご褒美はすべての人に対して同じです。永遠に神と共にいる、ということです。

イザヤ 5:1-2、ゼカリヤ 8:11-13、マタイ 9:37-38、ヨハネ 15:1

木の上の小さな男の人

ルカ 19：1〜10

エリコに、ザアカイという金持ちがいました。この人は、その地域の徴税人の頭で、ローマ人のためにも自分のためにも、たくさんのお金をもうけていました。それで、ユダヤ人はザアカイを嫌い、裏切り者と呼んでいました。

イエスは、エルサレムに行くため、エリコを通りました。群衆が道に並んでイエスを迎え、歓声を上げるために待っていました。群衆の中にはザアカイもいましたが、背が低くて見ることができません。それで、木に登りました。

いちばん下の枝に飛びつき、さらに上の枝に登りました。人びとが笑っても気にしませんでした。イエスは徴税人に対しても優しい気持ちを持っていると聞いていたので、どうしても姿が見たかったのでした。

木の下で、人びとが歓声を上げ始めました。ほこりの立ちこめる道路を、男の人がやって来るのが見えました。ザアカイは、「ああ、あれがナザレのイエスだ！」と言いました。

ザアカイは、ほかの人びとといっしょに歓声を上げました。ところが突然、叫ぶのをやめました。イエスは、ザアカイのいる木の下を通りながら、ザアカイのほうをじっと見つめました。ザアカイは、ひと言も話すことができませんでした。

その代わり、イエスをじっと見つめました。イエスのような目をした人には、それまで会ったことがありませんでした。目をそらすこともできませんでした。イエスは「ザアカイ、急いで降りてきなさい。きょう、あなたの家に泊まりたい」と言われました。

ザアカイは、木から落ちそうになりました。ほんとうに驚きました。「何と光栄なことだろう」と思いました。木から転げ落ちるようにして降りると、イエスを家に案内しました。

途中ですれ違った人びとは、「イエスを見てごらん。また罪びとといっしょにいるよ」と、不平を言いました。

ザアカイは、イエスを家に迎え入れたあと、「今、ここで約束します。収入の半分は、貧しい人にあげます。また、今まで人から奪ったものがあれば、四倍にして返します」と言って、頭を下げました。ザアカイは、イエスがどなたか、わかっていました。イエスのために、生き方を変えるつもりでした。

イエスは、「きょう、あなたとあなたの家族は救われた。わたしは、失われた者や罪びとを救うために来たのだ」と言われました。

ザアカイには、お金はありましたが、友達はいませんでした。ローマ人のために働いていたので嫌われていて、また、背が低かったので笑いものになっていたかもしれません。イエスは、人生の最高の友です。ザアカイは、もう、お金のことも、笑いものになっていることもかまいませんでした。ザアカイはただ、友人を喜ばせたいだけでした。イエスはあなたとも友人になりたいと思っておられます。

歴代下 20:7、箴言 18:24、ルカ 7:34、ヨハネ 15:13-14

十人の召し使い

ルカ 19 : 11〜27

イエスは、また別の話をされました。「むかし、ある王が、長い旅に出かけた。家を出る前、十人の召し使いを呼んで、たくさんのお金をわたした。長い月日が過ぎて、王が帰ってきた。王は、十人の召し使いを呼んで、どのようにお金を使ったかをたずねた。彼らは賢かったのか、あるいはおろかだったのだろうか?

一人の召し使いのほかは、みな賢かった。おろかな召し使いは、お金を土にうめて、増やそうとしなかった。王さまは怒り、この男からお金を取り上げ、留守の間にお金を十倍に増やした人にわたした。」

イエスは、弟子たちに、この話が弟子たち自身についてのことだ、と理解してほしかったのでした。この人びとに、神の国について、ちょっとでも知ってほしかったのです。み国についてもっと知りたいと思う人は、報われます。しかし、イエスが示されたことに背を向ける人は、何も得られません。

神は、私たち一人ひとりを、さまざまな特別の能力、適性、そして才能を与えて、造られました。神は、それらの贈り物を私たちに最高に活用してほしいと願っておられます。自分を他の人と比較してはなりません。神はあなたにはあなた自身、私には私自身であってほしいと願っておられます。最も幸せな人々は才能がたくさんある人々ではありません。最も幸せな人々は与えられたものを最高に生かす人々です。

出エジプト 31:1-6、マタイ 10:8、13:12、25:21

マリアの愛の行い

ヨハネ 12:1〜8

イエスは、亡くなる前に、もう一度エルサレムに戻ることに決めておられました。そして、その前の晩ラザロ、マリア、そしてマルタと共に過ごされました。

その夜、マルタが食事を用意しているとき不思議なことが起こりました。いちばん最初からイエスを愛し、尊敬していたマリアが、特別のことをしました。マリアは、たいへん高価な香油を、イエスにかけたのです。

マリアは、まもなくイエスが去っていかれることがわかっていたので、イエスが王であるということを、こうして示したのです。マリアは、香油をイエスの頭にたらし、それからイエスの足にぬり、自分の髪の毛でふきました。

ほかの客は、だまって見ていました。だれも動きませんでした。豊かな香りが部屋に流れました。でも、マリアのしたことをよくないと思う人もいました。香油を売って、貧しい人にお金をあげたほうがよいと思ったのです。

しかし、イエスは言われました。

「この人のしたいようにさせておきなさい。わたしのために、良いことをしてくれた。貧しい人は、いつもあなたたちの周りにいる。いつでも助けてあげられる。でも、わたしは、いつまでもあなたたちといっしょにいるわけではない。

今夜、マリアがしたことは、繰り返し、語り継がれ

だろう。この行いによって、マリアはいつまでも忘られることはないだろう。」

マリアは、とてもイエスを愛していました。マリアは、イエスに、何か、心からのものをあげたいと願っていました。あの高価な香油をイエスの足に注いだ時、美しい香りが家を満たしました。弟子の中にはマリアを批判する人もいましたが、イエスはマリアの心の中を見られて、マリアの礼拝を歓迎しました。イエスは心からのものであれば、私たちの礼拝も歓迎なさいます。

出エジプト 20:3、詩編 29:2、95:6、ルカ 4:8

大行進

マタイ 21：1～7、マルコ 11：1～7、ルカ 19：29～35、ヨハネ 12：12～16

明るくかがやく朝が来ました。イエスは、弟子たちに「きょう、エルサレムに入る」と言われました。イエスが一行の先頭に立ってエルサレムの門に近づくと、びっくりすることが起きました。イエスを取り囲む群衆は、どんどん増えていきました。何百、何千という人が、町を出て、イエスを迎えました。人びとは歓声を上げ、大声で、イエスを「ダビデの子」と呼びました。王にふさわしい歓迎でした。

エルサレムのすぐ外に、オリーブ山と呼ばれる丘がありました。ここに着くと、イエスは、二人の弟子に、ロバを探しに行かせました。二人がロバを連れてくると、イエスはそれに乗って、エルサレムに入られました。

たくさんの人が、近くのシュロの木から枝をもぎ取り、イエスのために枝を振りました。人びとは、イエスを自分たちの王、ローマ人から自由にしてくれる人だと考えていました。

けれども、イエスはそのような王ではありませんでした。将軍が乗るような馬ではなく、ロバに乗って町に入られたのは、そのためでした。ご自分が平和のための使いであることを示したかったのです。イエスの王国の人びととは、この世で苦しんでいる人びとです。イエスのもとに、救いを求めて来る人びとです。

王が来る！ じゅうたんを広げなさい！ 預言者が予言したように、ロバに乗った王です。予言は、実現していました！ 人々は歓喜し、イエスをメシアとして歓迎し「ダビデの子、ホザンナ（救ってください）！」と叫びました。今日、イエスが来られたら、どのように迎えられるか想像してください。イエスが私たちの心に来られたら、私たちはどのように歓迎するでしょうか？

列王上 1:32-40、詩編 118:25-27、ゼカリヤ 9:9

エルサレム！ エルサレム！

マタイ 21：8～11、マルコ 11：8～11、ルカ 19：36～44、ヨハネ 12：17～19

イエスがエルサレムに入られたときは、町全体が叫んでいるようでした。「ホサナ！ ダビデの子！」

「神のみ名によって来られる方に祝福！」

ほかの人は、「これがガリラヤのナザレの預言者イエスだ！」と叫びました。

しかし長老たちはあまり喜びませんでした。「見なさい、今では全世界があの人について行く」と言いました。

この人たちは、人びとが「主のみ名によって来られる方に祝福！」と叫ぶと、特に腹を立てました。そして、「あなたのことをそう呼ぶのを、やめさせなさい」と、イエスに向かって叫びました。

イエスは振り返って、彼らをにらみつけ、こう言われました。「そうしたら、エルサレムの石が同じことを叫ぶだろう。この人たちをだまらせることはできない。」

それから、イエスは、エルサレムの町をながめられました。涙が、顔を伝って流れました。エルサレム、ダビデの町、神の町のために泣いておられたのです。「もしこの日、おまえが目にするものを信じることができさえすれば……。しかし、おまえは目が見えなくなり、おまえの敵に滅ぼされるのだ。」

イエスは、歓声を上げているこの人びとが、やがてイエスを裏切ることを、知っておられました。この人びとの間違った選択がもたらす不幸を思って、泣かれたのでした。「イエスを殺せ！」と叫ぶことになる人びとに対する愛の心で、涙を流されたのです。

イエスは、人々がイエスを拒否することはご存じでした。人々は、イエスが救い主として神から送られたのだということを信じようとしませんでした。イスラエル人たちは信じなかったので、四十年の間砂漠をさまよいました。ユダヤ人は、イエスが彼らのメシア、救い主であると認めるまでに、もっと長い間さまようでしょう。イエスは、人々がどれほど苦しむことになるかご存じでした。それで、涙を流されたのです。彼らをとても愛しておられたのです。

詩編 95:8-11、マタイ 21:16、ルカ 21:5-6

神殿の大掃除

マタイ 21 : 12 ; マルコ 11 : 15〜16 ; ルカ 19 : 45

エルサレムに到着すると、イエスは、神殿に入られました。神殿は神の家です。イエスは、「父の家」と言われました。

イエスは神殿に入られ、そこで見たものが気に入りませんでした。二年前、イエスは、さわがしくて欲張りな人びとを、神殿から追い出しましたが、その人たちが、また戻って来ていました。

両替人は、いけにえをささげるために買わなければならない動物を、高い値段で売りつけていました。貧しい人びとは、神殿に祈りに行くたびに、もっと貧しくなりました。神は、貧しい人びとがそうなることを望んでおられませんでした。

イエスは、そのことを知っておられました。神殿の中を見回して、非常に怒りました。「何をしているんだ！ これはわたしの父の家だ。こんなことをするんじゃない！」そう叫ぶと、イエスは走って行って、両替人の台をひっくり返しました。お金が地面に散らばり、人びとは悲鳴を上げて走り回りました。鳥がかごから逃げ出し、窓から飛び立ちました、イエスは、神殿のすみからすみまで回って、欲張りな人たちを追い払われました。

神殿は、人々が神を礼拝するために来る場所でした。神殿を商売の場所にした指導者たちがいたので、イエスはとても怒りました。イエスを信じる時、私たちの心は、イエスのための神殿になります。私たちの心に、多くのものが、いっぱいになり、神の場所を占領してしまうことがあります。私たちにとって、何もイエスより大切にならないようにしましょう。

詩編 51:12-14、エレミヤ 7:11、二コリント 6:16、エフェソ 3:16-19

神殿での治療

マタイ 21 : 13〜16、マルコ 11 : 17〜18、ルカ 19 : 46〜48

イエスは、神殿の端から端へと走りながら、「神は、ここは祈りの家だと言われた。それなのに、おまえたちは泥棒の巣にしてしまった！」と、両替人に向かって叫ばれました。

最後に、イエスは、周りを見回しました。神殿はからっぽでした。残っていたのは、弟子たちと何人かの不機嫌な長老たちだけでした。盲人や体の不自由な人たちが、ゆっくりと、また神殿に入ってきました。イエスに治してもらいたかったのです。イエスは、何度でも手を差しのべて、病気の人を治されました。

これを見た子どもたちは、イエスを囲んでおどり出しました。神殿の壁に、子どもたちの声が響き渡りました。「ホサナ、ダビデの子！」神殿は、泥棒の巣から喜びの場所に変わりました。

ファリサイ派の人びとは、神殿が変わったことを喜ばず、「あの、おろかな子どもたちの声を聞きなさい」と言って、指をさしました。それに対して、イエスは「小さな子どもや赤ちゃんが神を賛美する、と書いてあるのを読んでいないのか？」と言われました。その日、イエスが神殿で教えられるのを聞いた人は皆、イエスの賢さに驚きました。

ほこりが治まると、目の見えない人々と足が不自由な人々がイエスのもとに連れてこられ、イエスは彼らを皆、治しました。いつも大勢の子どもが周りに居ました。子どもたちは「ダビデの子、ホザンナ（救ってください）」と叫び続けていました。長老たちとファリサイ派の人々は、イエスに、子どもたちが叫ぶのをやめさせてほしいと言いました。けれど、イエスは子どもたちを弁護しました。イエスは子どもちに賛美れるのが大好きです。イエスはあなたと私にも賛美してほしいと思っておられます。

詩編 8:3、118:25-27、マタイ 18:3、19:14

いちばん多く与えたのはだれか

マルコ 12 : 41〜44 ; ルカ 21 : 1〜4

イエスは、神殿の宝物殿と呼ばれる場所に行かれました。人びとが、特別の箱にお金を入れに来る所でした。お金を入れるのは、神がくださったお恵みに対するお礼のしかたの一つでした。少なくとも、そのはずでした。しかし、宗教家たちは、そこを貧しい人びとをもっと貧しくする場所にしてしまいました。金持ちは、たくさんお金を出すので、とても信心深く見えました。でも、そのお金は、その人たちにとっては、どうでもよいお金でした。

イエスは二人の弟子といっしょに座っておられました。そこへ、夫を亡くした貧しい女の人がやって来ました。お金もほとんど持っていませんでした。その人は、金持ちの人びとのように、たくさんのお金を出すことはできなかったので、小さな銅貨を二枚、箱に入れました。

「あれを見たか？」イエスは、弟子たちにたずねられました。「あの貧しい人は、ほかの人びとが出した金額ぜんぶより、もっとたくさん出したことになる。

ほかの人は、あまったお金の中から少し出しただけだ。楽に出せる金額を出したのだ。あの女の人は、持っているすべてを出した。あの二枚の銅貨を出したとき、あの人は、全財産を出したのだ。」

貧しい女の人は、愛の心で、お金を出したのです。神が自分の贈り物を喜んでくださると信じていました。手もとには何も残らなくても、神が助けてくださるとわかっていたのです。その人は、最後のお金まで差し出すほどに、神を信じ愛していました。このような信頼は、世界じゅうのお金ぜんぶより、もっと価値があります。

神の民は、収入の10分の1を治める税金が義務でした。つまり収入の10パーセントを神に差し出すのです。これは、祭司に支払うためでした。他に、神殿を維持するための年間の手数料や寄付金がありました。けれど、神は、寄付金の額よりも寄贈者の心をよく見られます。神は、お金よりも私たちの心を求めておられます。

マラキ *3:10*、マタイ *5:23*、*6:2-4*、*23:23*

五人のおろかな娘たち

マタイ 25 : 1〜13

世の終わりが来たときには、準備ができていなければなりません。このことを弟子たちに示すために、イエスは、一つの話をされました。「あるとき、十人の娘たちがいた。娘たちは、花むこを迎えるための準備をしていた。それは、結婚式の一部だった。

娘たちのうちの五人は賢く、五人はおろかだった。十人の娘たちは、花むこが来たときに並んで出迎え、花むこが通る道をランプで照らすことになっていた。

五人のおろかな娘たちは、余分な油が必要になることを知っていなければいけなかったのに、ランプを一回満たす分しか油を買っていなかった。しかし、賢い娘たちは、油を余分に買っておいた。

娘たちは、夕方からずっと待ち続けたが、花むこは来なかった。あまり遅くなったので、みな、眠ってしまった。そこへ突然、『花むこが来られた。ランプに灯をつけなさい！』という声がした。

賢い娘たちはランプに灯をつけたが、おろかな娘たちは油を使い果たしていた。

そこで、『油を分けてもらえないかしら？』と、賢い娘たちに頼んだ。

『そうしたら、わたしたちの分が足りなくなってしまうわ。お店に行って買っていらっしゃい』と、賢い娘たちは首を振って言った。おろかな娘たちは油を買いに走った。しかし、出かけている間に花むこが到着した。

準備のできていた娘たちは、家に入って結婚式の祝いの席についた。ドアにはカギがかけられた。おろかな娘たちが店から帰ってきたときは、もう遅すぎた。

娘たちは、『ドアを開けてください！ 中に入れてください！』と叫んだ。

しかし、花むこは『わたしは、あなたたちを知らない』と言った。」

「このことを、よく覚えておきなさい」と、イエスは弟子たちに言われました。

イエスは、いつの日か終わりの時が来ることを教えられたのです。だれも、「あす、わたしは変わる」と言っているひまはないのです。時間は、人から借りられるものではありません。何かをするのに、あまり時間を置きすぎると、間に合わなくなります。イエスに従うかどうかを決めるのは、今です。あすまで待ってはいけません。

その時が来たら、イエスはイエスを待っている人々のために地上に戻って来られます。天国では神の子羊イエスとイエスの花嫁である教会の結婚式が行われることになっています。世界中の信者たちがアブラハム、イサク、そしてヤコブたちと共にこの神の国のお祝いの席に着きます。あなたは準備ができていますか?

マタイ 8:11-12、24:36-39、一テサロニケ 4:14-17、黙示録 19:6-9

ユダ

マタイ 26：1〜5. 14〜16. マルコ 14：1〜2. 10〜11. ルカ 22：1〜6

イエスは、捕らえられる前の数日間は、弟子たちといっしょに多くの時間を過ごされました。ご自分がしなければならないことを弟子たちに理解させるために努力されました。何年も前に、預言者たちがイエスについて預言したことが、すべて真実となるときが来ていました。

イエスの死の準備をしていたのは、イエスご自身だけではありませんでした。祭司長や長老たちは、それ以外のことは考えられませんでした。彼らは「だれにも気づかれないように捕まえるのだ」と、互いに言い合いました。

この人たちは、また、互いに注意し合いました。「過越の祭りの間は、実行しないようにしなければならない。イエスがメシアだと思っている人も、たくさんいる。イエスが捕まったら、大さわぎになるかもしれない。」過越の祭りの日までは、まだ二日ありました。

長老たちは、どうやってイエスを捕らえるか、計画を立てました。そこへ、イスカリオテのユダという男が、会いに来ました。長老たちは驚きました。「ユダは、イエスの十二人の弟子の一人だ。」

ほかの長老の一人が、「それだけではない。ユダは、弟子の中でも、お金の責任者だ」と言いました。

ユダは、「イエスを引きわたしたら、いくらくれますか？」とたずねました。

祭司長たちは大喜びで、もみ手をしながらほほえみました。「銀貨を三十枚あげましょう。」これが、イエスを裏切って敵にわたすことの値段でした。

その日から、ユダは、イエスをわなにかける機会をねらっていました。長く待つ必要はありませんでした。

イエスは、ユダが何をしようとしているか初めからご存じでしたが、それでも彼に心を入れ替える機会を与えられました。ユダは、他の弟子たちと同じことをすべて経験していました。けれど、ユダは心に悪い考えが入り込むすきを許し、その考えはどうしようもなく強くなったのです。悪い考えにすきを与えないようにしましょう。イエスは私たちが打ち明ければ、助けてくださいます。

イザヤ 55:6-7、マタイ 26:24、ルカ 6:12-16、ローマ 8:5-8

最後の過越の準備

マタイ 26：17〜19、マルコ 14：12〜16、ルカ 22：7〜13

ユダが祭司長たちと取り引きをしてから二日ののち、過越の祭りが始まりました。そのために、何千人もの人が、エルサレムにやって来ました。

木曜日になると、イエスは、ペトロとヨハネに言われました。「過越の祭りの準備をしなさい。」

「でも先生、どこで準備したらよろしいでしょうか？」

「町に行きなさい。そこで水の入ったかめを持った人に出会うだろう。そうしたら、その人の入った家の主人に『先生が、その時が来たので、過越の祭りを弟子たちといっしょにお宅で祝いたいと言っておられます』と言いなさい。」

ペトロとヨハネは、言われたとおりにしました。家の主人のところに行くと、主人はイエスが来られることが前からわかっていたかのようでした。弟子たちは、いっしょに食べ物の用意をしました。

案内された二階の大きな部屋には、低くて大きなテーブルがありました。イエスと弟子たちは、だれにもじゃまされずに、過越の食事をすることができました。それは、歴史に残る特別の食事となりました。

毎年過ぎ越しの祭りの時、ユダヤ人は、エジプトでの奴隷生活から救われたことを祝います。子羊と種無しパン、葡萄酒、苦菜などの食事を分かち合い、その時の話を暗唱します。イエスが弟子たちと祝ったのも、そのような過ぎ越しの祭りでした。けれど、イエスは、神の子羊として、過ぎ越しに新しい意味を与えられました。

ヨハネ *1:29*、ローマ *3:23-26*、*5:9-10*、ヘブライ *9:12*

いちばん偉大なのはだれか

ルカ 22 : 14 ; 24〜30

その夜、イエスと十二人の弟子たちは、過越のパンを食べ、ワインを飲み、神がどのようにしてイスラエルの民をエジプトから救い出されたかを思い出しました。

イエスは、テーブルの端に、静かに座っておられました。弟子たちは、頭を近づけて話し合っていました。突然、言い合いが始まりました。「わたしだ!」「違う、わたしだ!」だれがいちばん偉くて重要な弟子か、言い争っていたのです。ペトロだと言う者と、ヨハネだと言う者がいました。

イエスは、顔をしかめて「王や支配者は、権力争いをする。しかし、あなたたちは、そうであってはいけない。あなたたちの場合、いちばん奉仕をする人が指導者になるべきだ」と言われました。

「テーブルに座って食事をしている人と、食事を配る人では、どちらが重要か？　あなたたちの場合食事を配る人だ。わたしを見なさい。わたしは、あなたたちに仕えている。あなたたちも、そうでなければならない。あなたたちは、わたしといっしょにいたすべてが終わったら、あなたたちは、父のみ国のわたしのもとに来る。そして、玉座に座って、イスラエルの十二の部族を治めることになる。」

弟子たちは、神の国では物事はこの世とは違うということをまだ理解していませんでした。この世では、偉大さは力と特権を与えます。けれど、神の国で偉大でありたければ、謙遜でなければなりません。他の人に仕えることを学ばなければなりません!　イエスご自身も、奉仕するために来られました。奉仕されるためではありません。

ルカ 22:24-27、二コリント 12:10、フィリピ 2:5-11

みんなに仕える王

ヨハネ 13 : 1〜9

イエスは、もっとも親しい十二人の友達を見つめました。この人たちは、イエスが天の国に戻られたあと、仕事を引き継ぐ人たちです。イエスは、この人たちをはじめから愛しておられ、そして最後まで愛しておられました。

イエスは、神が選択の自由を与えてくださったことを、ご存じでした。すべての人と同じように、人の子も、神の立てられた計画に従って生きることを選ぶことも、それに背いて好きなようにすることもできました。イエスは、神のもとから来られたので、神のもとに戻りたいと願っていました。いつも、神の横におられることになるのです。イエスは、弟子たちを見ると、立ち上がりました。

弟子たちは話をやめて、イエスがたらいに水をくむのを見ていました。イエスはみんなを見回し、こう言われました。

「友よ、だれも、あなたたちの足を洗っていない。」イエスは、一人一人のところに行ってひざをつき、くつを脱がせて足を洗い、腰に巻かれた手ぬぐいでふかれました。

イエスは、この人たちの先生であり、指導者でした。そのイエスが、ご自分の手とたらいの水で、ゆっくりと、弟子たちの足のほこりと砂を洗われたのです。

ペトロはがまんできなくなり、叫びました。「主よ、何をされるのです？　主よ、わたしの足も洗われるのですか？　それは奴隷の仕事です！」

「今は、わたしのしていることが理解できないかもしれない。しかし、いつかわかるときが来る。」

「いいえ！　絶対にそんなときは来ません。あなたがわたしの足を洗われるなるなんて！」ペトロは、みんなの王であるイエスが奴隷のようなことをされるのが、がまんできませんでした。

「ペトロ、わたしがあなたを洗わなければ、あなたは、わたしと何のかかわりもないことになる。」

これを聞くと、ペトロは「主よ、それでは足だけでなく、手も頭も洗ってください」と言いました。ペトロでさえ、イエスが何をしているのか、なぜそうするのか、十分にはわかっていませんでした。

イエスが弟子たちの汚れた足を洗ったのは、ただ足をきれいにするためではなく、どのようにして人に仕える人になるかを教えるためでした。これらの足は、やがて神の良い知らせを国々に告げながら、世界中を歩くのです。弟子たちにとって、イエスが彼らの足を洗われたのだと記憶していれば、励ましとなるでしょう。「イエスは私に奉仕された。今度は私がイエスに奉仕します。」

マタイ 20:26-28、23:11-12、マルコ 9:35、ヨハネ 12:26

弟子たちの足を洗われた理由

ヨハネ 13：12～18

イエスは、弟子たちの足を洗い終わると、服を着ました。それから、ご自分が奴隷のようなことをされた理由を、弟子たちに話されました。

「わたしがしたことがわかるか。あなたたちは、わたしのことを先生とか主とか呼ぶ。それは正しい。あなたたちの主であるわたしがみんなの足を洗ったのだから、あなたたちは、互いに何をすればよいのだろうか？」

弟子たちは、だれがいちばん偉いか、と言って、けんかをしていました。イエスは言われました。「わたしは、あなたたちに模範を示した。ほんとうに偉大であるためには、このように行動しなさい。

わたしのことばを信じる者は、わたしを信じるだけではなく、わたしを遣わされたわたしの父を信じている。」イエスの模範に従うということは、神のお望みに従うことにもなります。

イエスは、弟子たちがそのあとに来る数日を乗り切るためには、助けが必要だということを知っておられました。暗い日々が、みんなを待ち受けていました。

弟子たちは、イエスが言われたことをいつでも理解し、記憶していたわけではありません。イエスがそれを行って見せるのを見るほうが弟子たちには、簡単でした。イエスは、弟子たちにも私たちにも奉仕の意味を教えたかったのです。私たちは、イエスが弟子たちに行われたのと同じように互いにするべきです。「あなたたちが愛し合えば、すべての人にあなたたちがわたしの弟子であるとわかるだろう。」

ヨハネ 13:34-35、ローマ 15:7、ヘブライ 10:24、一ペトロ 5:5

主の晩餐

マタイ 26：20〜29、マルコ 14：17〜25、ルカ 22：14〜23、ヨハネ 13：18〜27

過越の食事のとき、イエスは弟子たちに言われました。「あなたたちの一人がわたしを裏切ろうとしている。」

弟子たちは息を飲みました。だれが先生を敵の手にわたすのでしょうか？　みんな、お互いを疑いました。「この人だろうか？」

イエスは「わたしはこのパンを鉢に浸すが、わたしといっしょに浸す人が、その人だ」と言って、パンを浸しました。

イスカリオテのユダが、同じようにしました。そのとき悪魔がユダの中に入りました。イエスは言われました「行って、するべきことをしなさい。」

ユダは立ち上がり、部屋を出て行きました。ほかの弟子たちは、食べ物を買いにでも行ったのだろうと思いましたが、ユダは、イエスの敵のところに行ったのでした。

イエスは、パンを取り、いくつかに裂いて、みんなに配られました。そして、神に感謝の祈りをささげ、「食べなさい。これはわたしの体だ。これを行うとき、わたしのことを思い出しなさい」と言われました。

それから杯を取り、もう一度神に感謝の祈りをささげ、「これは罪を清めるわたしの血だ。みな、これを飲みなさい。わたしは、いつもあなたたちといっしょにいる。わたしは、あなたたちといっしょにわたしの父のみ国で飲むときまで、もう、これを飲まない」と言われました。

イエスは、やがて「この世の罪を取り除く神の子羊」となり、亡くなることをご存じでした。パンと葡萄酒はイエスの神聖な体と血の象徴なりました。「これはあなたたちのために裂かれた私の体だ。これはあなたたちのために注がれた私の血だ。」イエスの死のおかげで私たちの罪は許されます。イエスが、私たちが自由になるために犠牲となってくださったことを決して忘れないようにしましょう。

出エジプト 12:1-20、ヨハネ 1:29、一コリント 11:23-32、エフェソ 5:1-2

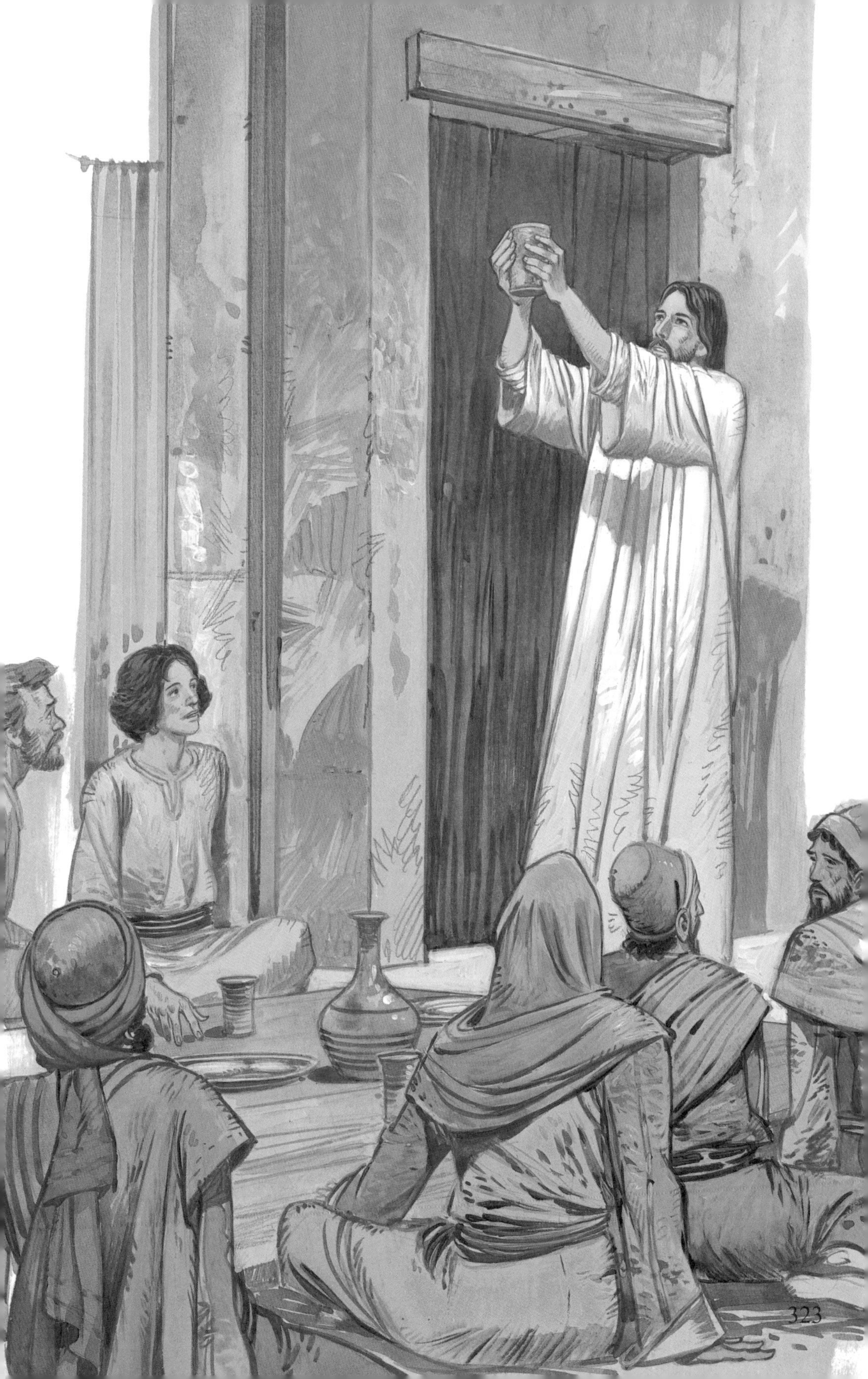

にわとりが鳴くとき

マタイ 26：30〜35、マルコ 14：26〜31、ルカ 22：31〜34、ヨハネ 13：31〜38

イエスは、過越の祭りを「主の晩さん」とされました。これは、イエスのこの世で最後の食事でした。最後の晩さんは、イエスに従う人にとって、イエスを思い出すための特別な方法となりました。

食事がすむと、イエスと弟子たちは、立ち上がって神を賛美する古い歌を歌ったあと、オリーブ山に向かいました。その山は、古い木の多い静かな場所で、休み、考え、祈る場所でした。待つ場所でもありました。

イエスと弟子たちは山を登り、ゲツセマネの園という所に行きました。歩きながら、イエスは、弟子たちに言われました。「今夜、あなたたちは逃げ出すだろうが、何が起きても、あとでわたしがあなたたちをガリラヤで待っていることを忘れてはいけない。」

ペトロは、「ほかの人はあなたを置き去りにするかもしれませんが、わたしはけっして逃げません」と言いました。

「ペトロよ、今夜のうちに、あなたはまさに、そうするだろう。明け方、にわとりが鳴く前に、あなたは三度、わたしのことを知らないと言うだろう。」

「いいえ！ そんなことをするぐらいなら、死んだほうがましです！」と、ペトロは叫びました。

同じように、ほかの弟子たちも「けっして逃げたりしません！」と言いました。

イエスと弟子たちは、エルサレムでは、しばしばゲッセマネで夜を過ごしました。イエスは、その夜、弟子たちが皆、イエスを見捨てるとわかっておられました。ペトロは、イエスを知っていることまで否定することになります。日が照り、人々が治療され、幸せなときにイエスに従うのは易しいことです。けれど、暗くなり、危険になると、勇気と信仰が必要になります。

マルコ 14:38、ローマ 12:11-12、二コリント 4:8-9、黙示録 3:8

天の国の家

ヨハネ 14：1〜6

弟子たちは心配になり、イエスを追いかけて、イエスの言われたことの意味を教えてもらおうとしました。

「今夜はずっと、裏切られるとか、死ぬとか、そんなことばかり言っておられる。いったい、どうしたんだろう？」

「食事の間ずっと、先生はおかしかったよ。ほんとうに、すぐに亡くなられるのだろうか？」

「わからない。そんなことが起こるとは思えない。」

「先生がいなくなったら、どうなるのだろう？　そうなったら、どうしよう？」

イエスは言われました。「聞きなさい。こわがることはない。今まで神を信頼してきたのだから、今度はわたしを信頼しなさい。わたしは、死んだら父のところに戻るのだ。天の国には、すべての人のために場所が用意されている。わたしは戻ってきて、みんなを天の国に連れていく。そうすれば、わたしたちはいつまでもいっしょにいられる。」

弟子の一人のトマスが、「でも、先生、あなたがどこに行かれるのか、わかりません。どうすれば、そこに行けるでしょうか？」と言いました。

イエスは、「わたしは道であり、真理であり、命である。父のもとへ行く道は、わたしを信じることだ」と言われました。イエスは、神のもとへ行く道を示してくださるだけでなく、道そのものなのです。

イエスは、空や宇宙の外ではなく、天国にある父の家について話されました。神の国は神が治める超自然の世界です。神は、天国と地上で、神を受け入れた人々を統治されます。イエスは神への道です。イエスは、自らの死によって、私たちの罪を除き、私たちが直接神と話せるようにしてくださいました。

マタイ 5:11-12、6:9-10、ヨハネ 14:6-7、ヘブライ 10:19-23

人びとのために祈られるイエス

マタイ 26 : 36〜46、マルコ 14 : 32〜42、ルカ 22 : 39〜46、ヨハネ 17 : 1〜18 : 1

ゲッセマネの園への道で、イエスは立ち止まりました。最後に、弟子たちといっしょに祈りたかったのです。

「父よ、時が来ました。あなたはわたしに、この人たちをくださいました。この人たちは、わたしのことばを聞き、あなたがわたしを遣わされたことを信じました。わたしが去ったあと、この人たちを守ってください。わたしは、地上にいた間、この人たちを守りました。今、わたしは、この人たちが夢にも思わなかった幸せをこの人たちにもたらすためにあなたのもとに行きます。

世は、この人たちを迫害するでしょう。でも、あなたとわたしは、この人たちを愛しています。この人たちを、わたしたちのように一つにまとめてください。この人たちが世に出ていくとき、共にいてあげてください、わたしにしてくださったように。あなたがわたしにくださった愛を、この人たちの心の中に燃え上がらせてください。」

イエスは、ご自分に従うすべての人のために、神に祈られました。あなたやわたしのような人のために祈られたのです。祈り終わると、イエスは、弟子たちを園の中に連れて行きました。

そこで、ペトロとヤコブとヨハネを連れて、離れた所に行かれました。イエスは、たいへん悲しんでおられました。「わたしは、悲しみのあまり、胸が痛くて死にそうだ。ここで見守っていてほしい。」イエスは、神と話をしようとしておられたのです。それから、「今夜、心が弱くならないように祈りなさい」と言われると、一人で祈るために、離れた所に行かれました。

イエスは地面に倒れ、「父よ!」と叫びました。「できれば、この苦しみを味わわせないでください。父よ、他に方法はないのですか?　この苦しみに、あわなければいけないのですか?」イエスは、神がイエスに、何かを強制しているのではないとご存じでした。イエスが、ご自分で神に従うことを決められたのです。この方法によるからこそ、神は奇跡を起こすことができるのです。イエスは、すべての時代のすべての人々に、やり直し、清い心で神のみ前に出る、機会を与えることができるのです。

イエスは星を見上げて、「お望みどおりにいたします」と言われました。

そのとき、天から天使が降りてきて、イエスを力づけました。イエスは祈り続けました。顔を流れる汗は血のようで、一粒一粒が地面に落ちて跡をつけました。

やがて、イエスは立ち上がり、弟子たちの所に戻られました。弟子たちは眠り込んでいました。「ペトロ眠ってしまったのか？　ほんの一時間さえ、見守っていることができないのか？　わたしといっしょに起きていて、今夜、誘惑に負けないように祈りなさい。」

同じことが、あと二回ありました。イエスがおん父に祈り、戻ってみると、そのたびに、弟子たちは眠り込んでいました。三度目に戻られたとき、「まだ眠っているのか。よろしい、とうとうその時が来た。さあ行こう!　見なさい、わたしを裏切る者がいる!」と言われました。

地上での生活の間、イエスは多くの時間を祈りに使いました。イエスは、特に、弟子たちと弟子たちの言葉によって神を信じた人々のために、祈りました。あなたと私もその中に含まれています。天国でも、イエスは、私たちのために今でも、祈ってくださっています。イエスの祈りをもう一度読んで、あなたの名前を入れてみましょう。そのようにしてイエスは、今も、あなたのために祈っていらっしゃいます。

マルコ 1:35、ルカ 22:31-32、ローマ 8:34、ヘブライ 7:25

裏切りの口づけ

マタイ 26：47〜50、マルコ 14：43〜46、ルカ 22：47〜48、ヨハネ 18：2〜9

イエスは、ペトロとヤコブとヨハネに注意をしました。そのとき、園の反対側から声が聞こえてきました。弟子たちは、明かりが近づいてくるのを見ると、急に恐ろしくなりました。

ペトロは、長老たちが棒や刀を持っているのに気づきました。「イエスさまの敵だ！」ペトロは息が止まりそうになりました。そして、ヨハネにささやきました。「見ろ！」

ユダがいました！　ペトロは「ユダが敵と話しているなんて、なぜだろう？」と言いましたが、もう答えはわかっていました。

そのとき、ユダはちょうど「わたしが　口づけする人を逮捕しなさい。今からわたしが教える」と言ったところでした。ユダは、イエスの所に行って、「先生！」と呼びかけました。

イエスは、「ユダよ、おまえは口づけで人の子を裏切るのか？」と言われました。ユダはイエスの目を見ることができませんでした。ユダは、自分にとって先生であり、友達でもあり、神であり、すべてであった人を抱きしめ、振り返らずに去って行きました。

祭司長と長老たちは、すばやくイエスを捕らえました。イエスは逆らいませんでした。「あなたたちが探しているのはわたしだ。ほかの人たちは行かせなさい。」イエスは、弟子たちのことを言われたのでした。

イエスは、その真っ暗な夜、独りぼっちでした。

神は、この世を造られる前にすでに、私たちを救う計画を立てられました。イエスは、私たちの罪のために亡くなることになっていました。神の敵は、計画が何か知りませんでした！敵は、イエスを殺させることで神の計画をすべて台無しにできると思い、そして、ユダは、その仲間になろうと思いました。けれど、神の良い計画が台無しにされることはありません。神は、あなたにも私にも良い計画を立てておられます。

詩編 33:11、エレミヤ 29:11、ルカ 22:22、一コリント 2:7-8

ペトロの反撃

マタイ 26：51〜56、マルコ 14：47〜50、ルカ 22：49〜53、ヨハネ 18：10〜12

ペトロは、イエスが連れ去られるのが信じられず、敵の集団に向かって刀を振り上げ、「先生を放せ！」と叫びました。

ペトロがいちばん近くにいた人に向かって刀を振り降ろすと、刀は奴隷の耳を切り落としました。それは、祭司長の奴隷でした。ペトロは、耳を見つめました。

「やめなさい！」イエスが叫びました。「刀をしまいなさい。他人を傷つける者は、自分自身を傷つけるのだ。」イエスは、奴隷の耳にさわって治されました。

イエスは、ペトロに「もしわたしが反撃したければ、こに頼んで何千もの天使を送ってもらうことができるのだ。しかし、それをしたら、父のお望みを果たさいことになる。わからないのか？　もしあの人たち戦ったら、わたしは目的を果たせなくなる」と言わました。

それから、敵に向かって言われました。

「こんなふうに、棒や刀を持って、わたしを捕まえに来ることはなかったのだ。わたしは毎日、神殿で教えていた。あそこで、簡単に捕まえることができたはずではないか。」

兵隊たちがやって来ると、ペトロとほかの弟子たちは逃げ出し、隠れました。捕まるのがこわかったのです。

イエスを救うために、ペトロは自分の命を危険にさらすことができる、と証明したいと思っていました。けれどイエスは、ペトロの助けは望まず、必要でもありませんでした。イエスは、天国の軍隊を助けに呼ぶこともできました。けれどもイエスは、御父、神の計画に従い、イエスだけができることをしようと決められました。神の子羊となり、全世界の罪を取り除くことです。あなたと私の罪も。

イザヤ 53:10、ヨハネ 1:29、13:36-38

イエス、逮捕される

マタイ 26 : 57、マルコ 14 : 53、ルカ 22 : 54、ヨハネ 18 : 13〜14

ペトロとほかの弟子たちが逃げ去ると、イエスは、敵の中に一人だけ残されました。敵が、イエスに戦うつもりがないとわかるまで、しばらくかかりました。それから、イエスは押され、引きずられて、園から連れ出されました。

イエスは大祭司のところに連れていかれました。そこにはイエスの敵が全員、集まっていました。イエスは、裁判にかけられました。イエスの敵は、イエスの逮捕を手伝わせるために、ユダにお金を払っていました。今や、イエスに死んでほしかったのです。

カイアファは、宗教評議会に「一国が滅ぼされるより、一人の人が、人々のために死ぬほうがよい」と言いました。カイアファは、イエスが国のために亡くなるのだということを、そうとは気づかずに予言していたのです。イエスはユダヤ人だけでなく、この世に生きたすべての人のために亡くなりました。ということは、あなたと私のためにも、亡くなられたのです。

ヨハネ 3:16-17、11:49-50、ローマ 3:23-24、8:38

ペトロの重大なあやまち

マタイ 26 : 58 ; 69〜75、マルコ *14 : 54 ; 66〜72*、ルカ *22 : 54〜62*、ヨハネ *18 : 15〜18 ; 25〜27*

ペトロは、イエスを捕らえた群衆のうしろから、そっとついて行きました。イエスが大祭司の家に連れて行かれるのを見て、外で待つことにしました、中庭にはたくさんの兵士がいて、体を温めるために、たき火をしていました。

ペトロがたき火のそばに座ると、召し使いの女の人がやって来て、ペトロを見つめて言いました。「この人は、囚人の仲間の一人だわ。」ペトロは、だれかに聞かれてはいけないと思い、「違う、違う！」と大声で言いました。「何のことを言っているのかわからないよ！」

それから、ペトロが門のほうへ行くと別の女の人が「この人はナザレのイエスといっしょにいたわ」と言いました。

「違う、違うよ！　だれか別の人と間違えているんだよ。あんな人は知らないよ！」しばらくして、数人の男の人がそこに来ました。その中の一人が、ペトロに耳を切られた人を知っていました。「おまえは、イエスの弟子の一人だな。さっき、オリーブ山でいっしょにいるのを見たぞ！」

「そうだ、そうだ。こいつはガリラヤの出身だ。なまりがあるからわかるよ」と、別の人が言いました。

ペトロは心臓が止まりそうで、大声で「あんな人は知らない！」と叫びました 。

ペトロがそう言ったとたん、にわとりが鳴くのが聞こえました。そのとき、イエスが振り向き、まっすぐにペトロを見つめました。ペトロは、イエスの言われたことを思い出しました。「 にわとりが鳴く前に、あなたは三度、わたしのことを知らないと言うだろう。」ペトロは、外に出て、激しく泣きました。

ペトロは、イエスに何が起きたのかどうしても見たいと思い、中庭の焚火のそばにたどり着きました。ペトロは、気がつかないうちに、イエスを知っていることを否定していました——三回。鶏が鳴いた時、ペトロは、イエスが言われたことを思い出し、激しく泣きました！　あー、ダメだ、ダメだ！　私はなんということをしたのだろう！　私はどうしてこんなに弱いのだ！　イエスは、私を許してくださるだろうか？

マタイ 18:21-22、*ルカ 22:31-32*、*コロサイ 3:13*

イエスとピラト

マタイ 26 : 59〜68 ; 27 : 1〜2 ; 11〜14、マルコ 14 : 55〜65 ; 15 : 1〜5、ルカ 22 : 63〜23 : 5、ヨハネ 18 : 19〜24 ; 28〜38

長老たちは、イエスが法を犯した、とでっちあげようとしていました。人を雇って、うその証言までさせました。

大祭司は、「生きている神の名において、おま が神の子キリストなのか、言いなさい」と言いまし

イエスは、「そのとおりだ。いつの日か、あなた ちは、わたしが神のとなりの玉座に座っているのを見るだろう」と答えられました。

「この男は、自分が神だと言っている。法律違反だ。」

「殺せ！　殺せ！」人びとは、イエスを打ちました。それから、顔につばをかけ、兵士たちといっしょに、さんざん打ちたたきました。

太陽が昇ると、長老たちは、イエスをポンティオ・ピラトという名の総督のところに連れて行きました。ピラトは、長老たちにたずねました。「この男が何をしたというのか？」

長老たちは、「この男は、ユダヤ人たちをローマ人に敵対させています。そして、自分のことを王だと言っています」と、うそをつきました。

ピラトは、「おまえは、ユダヤ人の王なのか?」とたずねました。

イエスは、「それは、あなたが言っていることです」と答えられ、続けて「わたしの王国は、この世のものではない。もしこの世のものなら、わたしの部下がわたしのために戦うだろう。たしかに、わたしは王だ。この世界に真理を伝えるためにやって来た。真理を愛する者は、わたしに従うだろう」と言われました。

これを聞くと、ピラトは考えさせられました「人びとがあなたについてうわさしているひどいことを知らないのか?」と言いました。イエスは何も答えられませんでした。ピラトは驚いて、「この男を殺す理由は見つからない。罪を犯してはいない」と言いました。

長老たちは、「この男は、わざわざガリラヤからさわぎを起こすためにやって来たのです」と言いました。

長老たちは、イエスが長老たちの偽善を明らかにして、そして人々に人気があり過ぎるイエスを殺したいと思いました。長老たちはピラトに、イエスがローマに逆らい、自分自身を王と呼んでいると告げました。イエスは、「私の王国はこの世のものではない」と説明されました。イエスの王国はイエスが治める超自然の世界です。その国はイエスを受け入れた人々の心の中とその人々の中にあります。

マタイ 2:2-6、ヨハネ 1:12、14:6

イエスとヘロデ

ルカ 23 : 6〜12

「何と言った？　この男はガリラヤから来たのか？

それなら、ヘロデが裁判を行うべきだ。ヘロデが、ガリラヤの責任者だから」と、ピラトは言いました。

ピラトは、イエスとかかわりたくなかったのです。「あの男は、何も悪いことをしてはいない」と心の中で思いながら、兵士がイエスをヘロデのところに連れて行くのをながめていました。

ちょうどそのとき、ヘロデはエルサレムに過越の祭りを見に来ていました。ヘロデは、イエスを見て喜びました。みんながうわさしている不思議な人に会いたいと、前から思っていたからです。「何か奇跡を起こすかもしれない。」

ヘロデは、がっかりしました。イエスにいろいろ質問をしましたが、イエスは何も答えられませんでした。長老たちは、その間、ずっと叫び続けていました。

「あれは危険な犯罪者だ！」

「自分がメシアだと言っている。」

「殺してしまえ！」

ヘロデは、イエスが何も言われないので、うんざりして、長老たちに味方しました。イエスに長い着物を着せ、「なかなかりっぱな王さまだよな！」と言ってからかいました。

ヘロデは、「このおろか者を、ピラトのところへ連れて行け！」と命令しました。「わたしの時間をむだにするな。」

それで、イエスはピラトのもとに戻されました。不思議なことでした。その日まで、ピラトとヘロデは敵対していて、権力争いをしていました。しかし、イエスに会ってからは、親友になったのです。

このヘロデは、洗礼者ヨハネを殺しました。ヘロデはイエスのことを知りたいと思っていました。今、二人は面と向き合っていました。ヘロデはまるでイエスが魔法使いか芸人であるかのようにイエスに奇跡を行うように言いました。けれど、イエスはヘロデのためには、奇跡を行いませんでした。イエスが奇跡を行ったのはイエスが人々を愛していて、病気が治り、イエスを信じてほしかったからです。

イザヤ 53:7、マタイ 12:38-40、16:4

ピラト、イエスを釈放しようとする

マタイ 27：15〜18、マルコ 15：6〜11、ルカ 23：13〜17、ヨハネ 18:39

兵士たちがイエスを連れて帰ってきたのを見て、ピラトは不機嫌になりました。

イエスが罪を犯していないことは、わかっていました。長老たちは、イエスに人気があるのをねたんでいたのです。ピラトはさんざん考えて、よいことを思いつきました。イエスを救う方法が一つありました。うまくいくかもしれません。

過越の祭りのときには、総督は一人の囚人を釈放することができました。どの囚人を釈放するかは、人びとが選びます。ピラトは、イエスが選ばれるだろうと期待しました。

そのとき、もう一人、バラバという囚人がいました。とても悪い殺人犯でした。ピラトは、群衆に向かってたずねました。「バラバとイエスのどちらを釈放してほしいか？」

> ピラトは、イエスを殺したかったのは、イエスに嫉妬した長老たちだと知っていました。ほとんどの人は、イエスが好きでした。イエスは病人たちを治療し、多くの奇跡を行いました。それで、ピラトはイエスを救おうとしました。けれど、ピラトにとっては、正しいことをするより長老たちの意見のほうが大事でした。私たちについての他の人の意見を恐れると、私たちは間違った選択をすることがあります。
>
> *箴言 29:25、イザヤ 53:8、使徒言行録 2:23、3:14-15*

死刑の判決

マタイ 27：19〜26、マルコ 15：12〜15、ルカ 23：18〜25、ヨハネ 18：40

ピラトが群衆の決断を待っていると、ピラトの妻から伝言が届きました。「気をつけてください。イエスを殺させてはいけません。昨夜、悪い夢を見ました。」

長老たちは、群衆の中に仲間をまぎれ込ませて、「バラバと言いなさい。総督に、イエスを殺せと言いなさい」と群衆をあおり立てました。

ピラトは、イエスとバラバを群衆の前に立たせ、「どちらの男を釈放してほしいか？」と聞きました。

「バラバ！」と、群衆は叫びました。

ピラトは驚きました。「イエスは、どうしてほしいのか？」

「十字架につけろ！」

「この男が何をしたというのだ？」

群衆は、ますます大きな声で、「十字架につけろ！」と叫びました。

ピラトは三度、群衆を説得して、イエスを救おうとしました。「この男を殺す理由はないではないか。わたしがこの男に罰を与える。それでどうか？」

群衆はさらに、大声で「十字架につけろ！」と叫び、今にも暴動が起きそうでした。ピラトは、たらいに入れた水を持ってこさせると、手を洗い、「わたし

は、この男の血と何の関わりもない。これはぜんぶ、おまえたちがすることだ！」と言いました。

ピラトはバラバを釈放し、イエスをむちで打たせ、群衆に引きわたしました。

ピラトは、人々がバラバを選んだので驚きました。ユダヤ人は、彼らの国を占領し、高い税金を取り立て、彼らを厳しく扱っていたローマ人が嫌いでした。彼らにとって、バラバは、ローマ人に対して暴力をふるったので、自由の戦士、ある種の国家的英雄だったのです。イエスは、人々を罪から救うために来られたのであって、ローマ人から救うためではありませんでした。

マタイ 1:21、ルカ 5:32、19:10、ヨハネ 12:47

イエスをからかう人々

マタイ 27:27〜31；マルコ 15:16〜20；ヨハネ 19:1〜16

群衆は、ピラトに、イエスを殺してほしいと言いました。ピラトは、イエスを宮殿の中に連れて行かせました。

兵士たちがイエスの周りを取り囲み、こづき回しました。そして服を脱がせ、王が着る、赤むらさき色の服を着せました。からかうために、そうしたのです。

「見てみろ、ちっとも王さまらしくないぞ！」

「王さまなら、冠をかぶらなくちゃ。」

兵士たちは、いばらで冠を編んで、無理やりイエスの頭にかぶせ、右手に棒を持たせました。一人の兵士がイエスの前にひざまずくと、みんな笑いました。

兵士たちは、「ユダヤ人の王、ばんざい！」と悪ふざけをし、つばをかけました。棒を取り上げ、イエスの頭を何度もたたきました。その間ずっと、イエスは逆らおうとはされませんでした。

兵士たちは、イエスをピラトのところに連れ戻しました。ピラトはもう一度、長老たちに、イエスを殺す理由がないと言いました。けれども、長老や祭司長たちは、イエスを見るとすぐに、「十字架につけろ！」と叫び出しました。

「あなたたちが十字架につけなさい。わたしには、この人を殺す理由がわからない。」

「『神の子だ』と言っている。ユダヤの律法によれば、死刑に当たる」と、長老たちは答えました。

ピラトは、また宮殿に戻り、イエスに「ほんとうはどこから来たのか？」とたずねました。イエスは、何も答えられませんでした。ピラトは「わたしには、おまえを自由にする力があるのだぞ」と言いました。

イエスは首を振り、「あなたには、わたしをどうする力もない。神が支配しておられるのだ」と言われました。

ピラトは、もう一度イエスを釈放しようとしましたが、群衆は承知しませんでした。

イエスを殺したかったのは長老たちで、人々ではありませんでした。長老たちは群衆に、どんどん大きい声で叫ぶようにけしかけました。「十字架にかけろ!」ピラトは諦め、自分は関わり合いになりたくないということを示すために、手を洗いました。イエスは、自分が救うために来られたその人たちに拒絶され、たった一人で、その場に立っておられました。けれど、御父の計画を実現しているのだ、とご存じでした。

イザヤ 53:3;7、詩編 40:7-8、ヨハネ 19:11

泣く女の人たち

マタイ 27 : 32〜33 ; マルコ 15 : 21〜22 ; ルカ 23 : 26〜31 ; ヨハネ 19 : 17

兵士たちは、イエスに重い木の十字架をかつがせました。山を登るとき、イエスはつまずいて倒れました。兵士たちは、シモンという男の人に、イエスの代わりに十字架をかつがせました。

数人の女の人が、イエスのあとに続き、イエスのために泣いていました。イエスは振り返って、「わたしのために泣くことはない。エルサレムのために泣きなさい」と言われました。

一行は、処刑の場所へ向かう途中、アレキサンデルとルポスの父親、シレネ人のシモンに出会いました。兵士たちは、シモンに無理やりイエスの十字架を運ぶように命じました。シモンはイエスのことばに文字どおり従いました。「あなたたちの中にわたしの弟子になりたい者がいたら、わたしの十字架を持ってわたしについて来なさい。」シモンの家族は確かに、後にイエスの弟子になりました。

マタイ 10:38、16:25、ローマ 16:13

十字架の上のイエス

マタイ 27 : 34、マルコ 15 : 23、ルカ 23 : 36

イエスは、非常に弱っていました。むごいむち打ちで背中に大きな傷口が開き、いばらの冠で顔から血が流れていました。

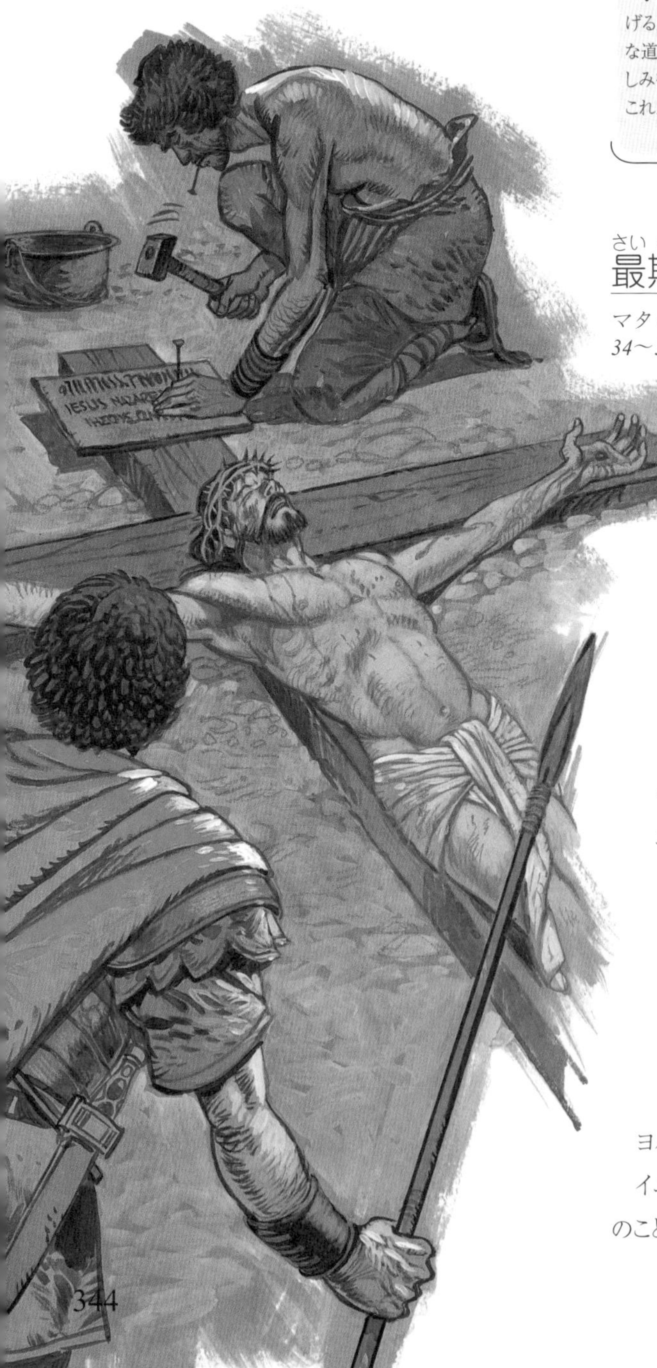

一人の兵士が、痛みを和らげる薬の入ったぶどう酒を飲ませようとしました。イエスは、少しなめると首を振りました。

それから、兵士たちはイエスを十字架に横たえ手を釘付けにしました。

> 十字架の磔は最もひどい死に方です。犠牲者は息をすることが難しく、ゆっくりと窒息します。イエスは、苦しみを和らげることができたはずの薬入りの葡萄酒を飲みませんでした。楽な道はとられませんでした。イエスは、この世のすべての罪と苦しみを、すべての人々とすべての時代のために背負われました。これ以上の愛はありません。
>
> *イザヤ 53:4-5、ヨハネ 10:14-15;17-18、15:12-14*

最期の時

マタイ 27 : 35〜43、マルコ 15 : 24〜32、ルカ 23 : 34〜38、ヨハネ 19 : 18〜27

兵士たちは、イエスを十字架につけると、頭の上に「ユダヤ人の王」と書いた板を打ち付けました。

そうして、兵士たちはイエスをからかいました。イエスを十字架につけたあと、兵士たちは、くじ引きをして、イエスの服を分けました。

「ほんとうに神の子なら、十字架から降りてみろ！」と叫ぶ者もいました。

十字架の回りには、イエスを傷つけたいと思う人ばかりがいたわけではありませんでした。イエスの母のマリアとあと二人のマリア、それにマグダラのマリアがいました。イエスは、母の横にヨハネが立っているのを見ると、「お母さん、これからは、この人があなたの息子です」と言われました。

それから、ヨハネに「これからは、この方があなたの母だ」と言われました。その日から、ヨハネは、イエスの母、マリアのお世話をしました。

イエスは、最期の時まで、ご自分を愛する人びとのことを心配されたのです。

イエスは、最期まで、人々のことを気にかけておられました。イエスは弟子のヨハネに母親の世話をするように頼みました。ヨハネは自分のことを「イエスが愛した弟子」と呼びました。イエスにはお気に入りはいませんでした。けれど、ヨハネはイエスの愛を大変深く理解し、そのために、彼の人生が永遠に変わるほどでした。あなたは自分のことを「イエスが愛する弟子」と呼べますか?

ヨハネ 13:23、21:7;20、15:9

イエスの死

マタイ 27：44〜50、マルコ 15：33〜37、ルカ 23：39〜46、ヨハネ 19：28〜30

イエスのほかにも、二人の男の人が十字架にかけられていました。二人は泥棒でした。一人がイエスをばかにして、「おれたちと自分自身を助けろよ。キリストなんだろ！」と言いました。

もう一人は、「おまえは神を恐れないのか。この人は何も悪いことはしていない」と言いました。そして、「イエスよ、み国においでになるとき、わたしのことを思い出してください」と言いました。

イエスは「約束する。きょう、あなたは、わたしといっしょに天の国にいるだろう」と言われました。

六時間ほどたったころ、イエスは「父よ、父よ、なぜわたしをお見捨てになったのですか？」と叫ばれました。

十字架の上で、イエスは、人びとを神に取り次がれました。イエスを通して、だれもが神に近づくことができるのです。

午後になると、地上は真っ暗になりました。町も田舎も暗やみにおおわれました。

JESUS NAZARENO

イエスも、やみの中におられました。生まれて初めて、そして唯一この時、神はイエスに背を向けられたかのようでした。イエスは、この世のすべての罪を一身に引き受け、ほんとうに苦しまれました。

イエスは長い間、何も言われませんでした。ひどく苦しまれ、ゆっくりと死に近づいておられました。「父よ、わたしの霊をお受け取りください！」イエスは、十分苦しまれました。贖いは果たされました。神への道は開かれたのです。

それから、イエスは、ふたたび大きな声で叫ばれました。「成し遂げられた！」それは、戦いの勝利の叫びでした。イエスは頭をたれ、息を引き取られました。イエスは亡くなられたのです。

泥棒の一人は、イエスに罪を許すように頼み、十字架の上で、その場で救われました。イエスは、イエスを裏切り、非難し、苦しめ、殺した人々も許されました。イエスは、すべての場所のすべての時代のすべての人々の罪を担われました。これが福音です。あの一つの完全な犠牲が、私たちのために、御父への道を開くのに、十分だったのです。

ヨエル 2:32、マタイ 5:43-48、6:14、ローマ 10:9-11

引き裂かれた神殿のたれ幕

マタイ 27：51〜54、マルコ 15：38〜39、ルカ 23：45；47〜49

イエスは、叫ばれたときに、ご自身の霊を天に委ねられました。そのとき、神殿のたれ幕が二つに裂けました。それは、神殿の中のいちばん神聖な場所の前にかかっている幕でした。普通の人にとっては、これ以上神に近づいてはいけない場所のしるしなので、大祭司だけが、それも年に一度だけ、入ることが許されていました。

たれ幕が二つに裂けたとき、特別なことが起こりました。イエスが亡くなったそのときから、人びとは大祭司に祈ってもらわなくてもよくなったのです。イエスは、すべての人のために亡くなられて、神に近づく道を開かれたのです。もう、たれ幕は必要なくなりました。イエスのおかげで、だれでも直接神に近づくこができるようになりました。

イエスは亡くなりました。空は暗くなり、ゴーゴーという大きな音がして、地面が揺れました。巨大な岩が割れ、山から転がり落ちました。イエスが亡くなったその晩、不思議なことがたくさん起きました。

人びとは、「どうしてこんなに暗いのだろう？」と、悲鳴を上げました。

「世の終わりが来たのだ。わたしたちは罰を受けているのだ！」

男の人も女の人も、恐ろしくて泣き叫び、走り回りました。町全体が大きな恐怖に陥りました。墓が割れて開きました。死んだ人が生き返りました。この人たちは、まるで死んだのがうそのように、エルサレムの町を歩き回りました。

イエスが「成し遂げられた！」と叫ばれたその瞬間、世界の歴史は永遠に変わりました。神殿のたれ幕は、上から下まで引き裂かれました。これは神がなさったことだと示すためでした。神は、神の民が直接神に近づけるようにしたいと思われたのです。イエスは天国への扉、神のみもとへの扉を開けたのでした。これで、私たちはいつでも神のみもとへ行き、ただで神の慈悲を受けることができます。

ヨハネ 14:6、ヘブライ 4:14-16、6:19-20、10:19-20

墓に葬られる

マタイ 27：54〜60、マルコ 15：39〜46、ルカ 23：49〜54、ヨハネ 19：38

ローマ人の百人隊長や兵士たちは、見たことが信じられませんでした。風が吹き荒れていました。隊長は、イエスが息を引き取られるのを見ていました。普通の人の死に方とは違っていました。隊長は太陽を探しましたが見えません。それから、こう言いました。「間違いない。この方は神の子だった！　こんな死に方をする人は見たことがない。」

十字架にかけられて六時間後に、イエスは亡くなられました。数人の女の人が、アリマタヤ出身のヨセフという金持ちを手伝って、イエスの遺体を十字架から降ろしました。安息日が数時間後にせまっていました。安息日には働くことが許されていませんから、遺体を葬ることができなくなってしまいます。

それで、ヨセフは遺体を降ろし、きれいな布で包みました。マグダラのマリアともう一人のマリアも、そしてほかの女の人たちも手伝って、ヨセフが自分のために買ってあった墓まで、ゆっくりとイエスを運びました。岩に掘った墓が、イエスの墓になりました。

ヨセフは、宗教評議会の議員の一人で、イエスの秘密の弟子の一人でした。ニコデモはイエスを信じていたもう一人の指導者でした。彼らはイエスが復活なさることは知らず、イエスをヨセフの墓に埋葬しながら、皆、深い悲しみに沈んでいました。けれど、私たちはイエスが復活したことを、そしてイエスが、すべての望みが失われたと思われる時でも、私たちと共にいると約束されたことを知っています。

イザヤ 53:9、マタイ 27:57-60、ヨハネ 3:1-15、9:38-42

墓を見張る兵士たち

マタイ 27：61〜66、マルコ 15：47、ルカ 23：55〜56、ヨハネ 19：39〜42

アリマタヤのヨセフは、イエスの遺体を墓に横たえました。イエスの友人たちは、ヨセフといっしょに、イエスを麻布に包みました。それから、布の折り目に香料をそえました。女の人たちは、香油をイエスの体にぬりたいと思いましたが、時間がありませんでした。日が沈んだら、そこを去らなければならなかったからです。みんな、泣いていました。悲しみで心が重くなっていました。イエスは亡くなったのです。

イエスの遺体は、墓の中に安置されていましたが、長老たちはピラトのところに行き、「閣下、イエスは、自分は死んで三日目に生き返る、と言っていました。墓に封印をして、番兵に見張らせてください。そうしないと、弟子たちがやって来て、遺体を盗むかもしれません。そして、人びとに『ほら、見なさい。イエスは死者の中から復活した』と言うにちがいありません。これは、今までのどんなうそよりも害があります」と言いました。

長老たちは、墓を閉じ、ローマ人の番兵に見張らせました。それから、墓の入り口の岩を封印しました。長老たちは、「こうしておけば、死体を盗まれないし、死者の中から復活したなどと言いふらされる心配もない」と思いました。ところがこの人たちは、たいへん驚くことになるのです。

墓はしっかりと封印され、ローマの兵士たちが番をしていました。弟子たちは怖がり、扉を閉めきって隠れていました。彼らの夢はイエスと共に死んだのでした。ユダは許されるという望みを諦め、自殺しました。恐れていた最も悪い状況になった時、私たちは望みを失いますか？　神は、私たちが避難することのできる岩であると言われました。そしてイエスは、決して私たちを置き去りにしない、と約束されました。

マタイ 27:3-5、ルカ 24:20、使徒言行録 13:29

空の墓

マタイ 28：1〜8、マルコ 16：1〜8、ルカ 24：1〜10、ヨハネ 20：1

安息日の次の朝のことです。女の人たちは、明け方になると、墓に向かいました。マグダラのマリアとほかの女の人たちは、この時を待っていたのでした。やっと、墓に行って、イエスの体に油を塗ることができるのです。

道々、一人の女の人が、マグダラのマリアに「でも、あの大きな石をどうやって動かすことができるでしょう？　どうすれば、お墓の中に入れるでしょうか？」とたずねました。

「わかりません。でも、何とかして入りましょう。何とかしなければ……」とマグダラのマリアは答えました。

ちょうど太陽が昇り始めたころ、女の人たちは墓のすぐ近くまで来ていました。それぞれ香料のびんと高価な香油を持っていました。女の人たちは、墓に近づいていきました。

突然、大地が揺れました。ピラトの兵士たちは地面に投げ出されました。

そのとき、主の天使が、天から降りてきました。天使は墓に近づいて、入り口をふさいでいる石をころがすと、その上に座りました。

天使は稲妻のようにかがやいていて、服は雪のように真っ白でした。

「驚くことはない！」と天使は言いました。「イエスを探しているのでしょうが、ここにはおられません前から言っておられたように、復活された

のです。墓に入って、イエスのお体のあった場所を見なさい。」天使は、腕を差しのべて、女の人たちを墓の中へ誘い入れました。

マグダラのマリアは、香油を地面に置いて立ち上がりました 。「行きましょう。とにかく、中に入ってみないと……。」

そして、墓の中に入ったマグダラのマリアは、イエスの遺体が置いてあった場所を見ましたが、そこにはイエスはおられませんでした。

天使は言いました、「イエスさまは生きておられます。そうです。死者の中から復活されたのです！さあ、急いで行って、イエスさまがガリラヤで待っておられる、と弟子たちに伝えなさい。特に、ペトロにはかならず伝えるように。」

女の人たちは、大急ぎで墓をあとにし、いろいろな方角に行きました 。こんなにうれしくて、また、恐ろしかったことは初めてでした。

神の敵と長老たちは、これですべてが終わるだろう、と思いました。しかし、これはすべての始まりにすぎませんでした。イエスは、死に打ち勝ち、新しい体で復活なさいました。神の恐ろしいほどの力と、目をくらますような天使の光は、番兵たちを完全に打ち倒しました。「イエスは生きておられます。」天使は女の人たちに教えました。今度は、私たちが世界に教えなければなりません。

使徒言行録 2:22-24、17:2-3、一コリント 2:8

マグダラのマリア、イエスに会う

マルコ 16：9〜11、ルカ 24：12、ヨハネ 20：3〜18

マグダラのマリアは、ペトロとほかの弟子たちのところに走って行き、この出来事を知らせました。ペトロとヨハネは、マリアといっしょに墓に行きました。マリアが言ったように、墓は空でした。

マリアは、二人が墓の中に入って行くのを見ていました。弟子たちは、おそるおそる入って行き、興奮して出てきました。何が何だかわからない、という顔をしていました。

弟子たちがイエスを待つために家に帰ったあと、マリアは墓に残り、墓の外で立って泣いていました。彼女はとても恐ろしく感じました。天使からの知らせはほんとうだったのでしょうか？　彼女は、だれかがご遺体を盗んだのかもしれない、と思いました。マリア・マグダレナは何が起きているのかまったく理解できませんでした。

イエスは亡くなりました。けれど、今、ご遺体は墓から無くなりました。一体どういうことなのでしょう？

マリア・マグダレナは泣きながら、身をかがめて墓をのぞきました。突然、彼女は、光りかがやく白い服を着た二人の男の人がイエスのご遺体のあった場所に座っているのを見たのです！　二人は彼女にたずねました。「あなたは、なぜ泣いているのですか？」

彼女は「だれかがわたしの主を取り去ったので泣いているのです。主がどこに置かれているのかわからないのです。」

そのとき、彼女が振り向くと、後ろにイエスが立っておられました。

けれど、彼女はそれがイエスだとわかりませんでした。その人はどこか違っていました。その人は言いました。「あなたは、なぜ泣いているのか、だれを探しているのか？」

マリア・マグダレナは彼女の前に立っているのは園丁だろうと思いました。「あなたが、あの方を運び去ったのなら、ご遺体をどこに置いたのか教えてください。わたしがあの方を引き取ります。」

イエスはあの優しく力強い声で、「マリア！」と呼びかけました。名前を呼ばれて、マリアは急いで振り返りました。その時、彼女はその人がだれだかわかりました。マリアの名前をそのように呼ぶのは、イエスだけでした。

マグダラのマリアは、イエスをとても愛していました。イエスは、マリアを頭の中の恐ろしい考えや声から自由にし、新しい生命を与えていました。マリアはただ、イエスのそばにいたいと思っていました。マリアは、天使の言葉を聞きましたが、それでも、イエスを探しました。イエスは理解し、墓のすぐ横でマリアに会いました。イエスは、私たちがイエスを必要とするとき、近くにおられます。

マタイ 28:1、マルコ 15:47、ルカ 8:1-3、ヨハネ 19:25

弟子たち、イエスに会う

マルコ 16：14〜16、ルカ 24：36〜48、ヨハネ 20：19〜21

それからまもなくして、イエスは、弟子たちのところにお現れになりました。そのとき、弟子たちは、家の中に隠れていましたが、イエスは、どこからともなく入ってこられました。

イエスは、「あなたたちに平和があるように！」と言われました。弟子たちは、恐ろしくなりました。扉にはカギがかかっていて、だれも入れないはずでしたから、イエスを幽霊だと思ったのです。イエスは、マグダラのマリアの話を信じるべきだった、と言われました。イエスは、ご自分が復活されたことを弟子たちが信じていなかったので、失望されました。

イエスは言われました。「なぜ、そんなに恐れるのか？　心の中にあることを、なぜ疑うのか？　わたしの手と足を見なさい。わたしに触りなさい。幽霊には、このように肉と骨はない！」それから、何か食べ物がほしい、と言われました。幽霊ではないことを証明しようとされたのです。

イエスは、今、起こっていることはすべて、むかしから書かれているとおりのことだと言われました。預言者も書いているし、モーセもダビデ王も、こうなると言っていました。

「あなたたちは、これらすべてのことを見た。さあ、世界じゅうに出かけて行って、起こったことを人びとに話しなさい。それが、あなたたちのいちばん大切な仕事だ。」

イエスは、部屋を出て行かれました。弟子たちは驚いて、お互いに顔を見合わせました。信じられないことでしたが、ほんとうの出来事でした。イエスは、死者の中から復活されたのでした。イエスは、また、みんなといっしょにおられたのです。

イエスは変わっていました。イエスはどこからともなく突然弟子のところに現れることができました。姿を消すことができました。閉まったままの扉を通りぬけました。けれど幽霊ではありませんでした。触ればしっかりしていました。食事もしました。イエスの体は復活の体でした。イエスを信じる私たちのためにイエスが地上に戻られるとき、私たちも復活の体を与えられます。

ヨハネ 20:19、ローマ 8:10-11、一コリント 15:35-58

トマスの話

ヨハネ 20：24〜29

イエスが弟子たちにお現れになったとき、一人だけ、その場にいなかった弟子がいました。トマスです

イエスが部屋を出られたあと、トマスは戻ってきました。トマスが入ってくると、弟子たちは「トマス、トマス、わたしたちはイエスさまを見た！　イエスさまは生きておられる！」と言いました。

トマスは、「いや、手の釘のあとを見なければ釘のあとにこの指を入れてみなければ、信じられな

いね。あの方のわき腹にわたしの手を入れることができたら、信じるよ」と言いました。

八日後、イエスは、また弟子たちを訪ねられました。今度はトマスもいました。イエスは、カギのかかった戸を通り抜けて部屋に入ってこられ、「あなたたちに平和があるように」と言われました。

それから、トマスのほうを向いて、こう言われました。「トマス、ここに来て、わたしの手を見なさい。わたしの手の傷に触り、わたしのわき腹に手を入れなさい。疑うのをやめて、信じなさい。」

トマスは、はずかしくなりました。うなだれて、「わたしの主、わたしの神よ！」と言いました。

イエスは、「わたしを見たから信じたのか？見ないで信じることができる人たちも、たくさんいる。その人たちは幸いだ」と言われました。

イエスは、あなたやわたしのような人のことを言われたのです。あなたは信じますか？　それとも、トマスのように疑いますか？

トマスは、他の弟子たちの証言を信じなかったので、「疑い深いトマス」というあだ名がつけられました。トマスはイエスが生きておられるのを自分の目で見たいと思っていました。信じる前に、見たいと思う人々がいます。聞いたことをなんでも信じる人もいます。イエスは真理について私たちを確信させるのは聖霊だと言われました。

マタイ 16:17、ルカ 24:32、使徒言行録 5:32、ヨハネ 1:1-3

岸辺の朝食

ヨハネ 21 : 1〜14

イエスは、ガリラヤ湖のほとりで、弟子たちにお現れになったことがありました。ある晩、ペトロは、六人の弟子に言いました。「これから漁に出かける。」

「わたしたちもいっしょに行きます。」

弟子たちは、夜の間じゅう、漁をしました。舟の片側から網を投げ、だめだと、反対側からも投げてみました。どこで投げても、網を引き上げてみるといつも空でした。とうとう何も獲れないまま、朝が来ました。太陽が昇りはじめたので、弟子たちは岸に戻ることにしました。

岸に近づくと、一人の男の人が手を振っているのが見えました。その人は「おーい！」と呼びかけました。「魚は獲れたかね？」

「一匹も獲れなかった！」と、弟子たちは返事をしました。

「もう一度、やってごらん！　船の右側から網を投げてみなさい。そうしたら獲れるよ！」弟子たちは、言われたとおりにしました。すると、どうでしょう！　網は魚でいっぱいで、舟に引き上げられないほどでした。

ヨハネは岸のほうを見て、息を飲みました。「主だ！」これを聞くと、ペトロは水に飛び込み、いっしょうけんめい、岸に向かって泳ぎました。ほかの弟子たちは、網を引きずりながら、舟を岸に向けました。岸に近づくと、もう、イエスがたき火をして待っておられるのが見えました。みんなのために、魚を焼き、パンを温めておられました。

イエスは、「今、獲った魚を、少し持ってきなさい」

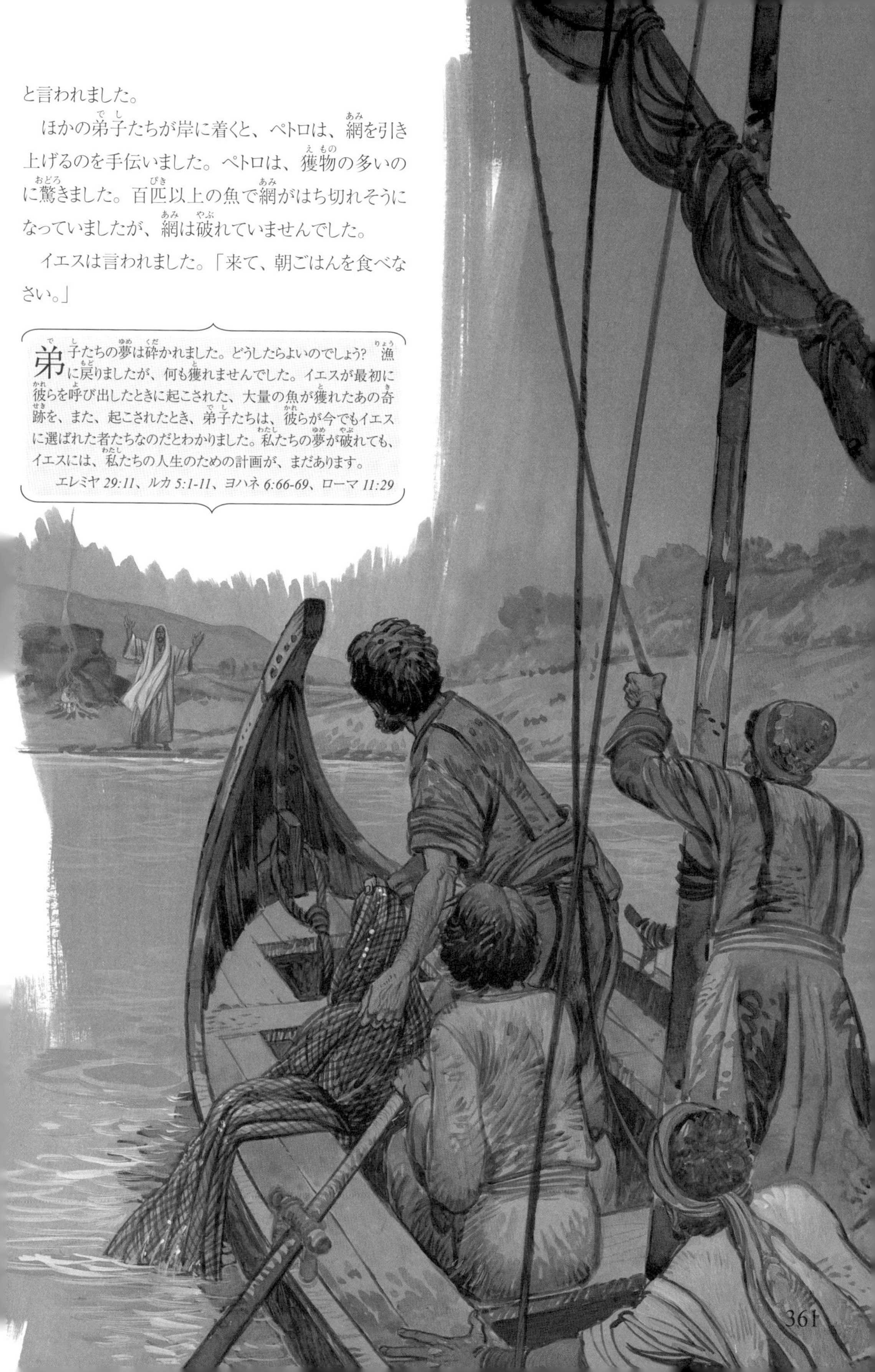

と言われました。

ほかの弟子たちが岸に着くと、ペトロは、網を引き上げるのを手伝いました。ペトロは、獲物の多いのに驚きました。百匹以上の魚で網がはち切れそうになっていましたが、網は破れていませんでした。

イエスは言われました。「来て、朝ごはんを食べなさい。」

弟子たちの夢は砕かれました。どうしたらよいのでしょう？ 漁に戻りましたが、何も獲れませんでした。イエスが最初に彼らを呼び出したときに起こされた、大量の魚が獲れたあの奇跡を、また、起こされたとき、弟子たちは、彼らが今でもイエスに選ばれた者たちなのだとわかりました。私たちの夢が破れても、イエスには、私たちの人生のための計画が、まだあります。

エレミヤ 29:11、ルカ 5:1-11、ヨハネ 6:66-69、ローマ 11:29

わたしをほんとうに愛しているか

ヨハネ 21：15～19

その朝、イエスは、弟子たちが魚を獲るのを手伝われました。食事のあと、イエスは弟子たちと話をされました。

イエスは、ペトロをそばに呼び、「ペトロよ、あなたはほんとうにわたしを愛しているか？　ほかの人たちより、わたしを愛しているか？」と、たずねられました。

ペトロは、「はい、わたしがあなたを愛していることを、あなたはご存じです」と答えました。

すると、イエスは「わたしの小羊を飼いなさい」と言われました。そして、また同じ質問をされました。

「ペトロ、わたしを愛しているか？」

「はい。あなたは、わたしがあなたを愛していることをご存じです。」

「わたしの羊の世話をしなさい。」

イエスは、三度目も、また同じことを聞かれました。

「ペトロ、わたしを愛しているか？」

ペトロは、イエスが同じ質問を三度もされたので、悲しくなりました。イエスが逮捕された、あのつらい

夜のことは、はっきりと覚えていました。三度という回数は、ペトロがイエスのことなど知らないと言った回数でした。ペトロはため息をついて、「主よ、あなたは何でもご存じです。わたしがあなたを愛していることもご存じです」と言いました。

イエスの答えは「わたしの羊の世話をしなさい」でした。イエスの弟子たちを導くのは、ペトロの役目でした。将来、ペトロは指導者の一人となるのでした。

ペトロは岩のように強くても、時々弱くなることがありました。ペトロには、聖霊の力が必要でした。イエスは、ペトロの心の中を見られました。イエスは、ペトロがどんなに後悔していて、どれほど許されたいと願っているかをご存じでした。イエスは、私たちが弱い時をご存じです。そして私たちを助け、許す用意があります。ちょうどペトロをお許しになったように。

ルカ 22:31-34、ヨハネ 6:68-69、10:11-13、15:12-14

父のもとへ

マルコ 16 : 19〜20、ルカ 24 : 50〜53、ヨハネ 14 : 1〜2、使徒言行録 1 : 3〜11

イエスは、復活後、何度か弟子の前に現れて、奇跡を行われました。弟子たちに、それまでに習ったことを行動に移すよう、教えられました。十字架にかけられて亡くなり、死から復活されて四十日後に、イエスはこの世を去り、天の国に昇られました。

イエスは、弟子たちをエルサレムの外にあるベタニアに連れて行かれました。そこは、ラザロとマルタとマリアが住んでいた所です。イエスの周りには、弟子たちがいました。イエスは手を上げて彼らを祝福され、エルサレムに戻るように命じられました。神が約束されたことが起こるのをエルサレムで待つように、と言われたのでした。

イエスは言われました。「ヨハネは水で洗礼を授けた。あなたたちは、近いうちに聖霊によって洗礼を受ける。聖霊があなたたちの上に降りたとき、あなたたちは特別の力を得ることになる。あなたたちは、ここでも、また世界の果てまでも、わたしの証人となるのだ。」

そのあと、びっくりすることが起きました。イエスが天に昇られたのです。イエスは、高く高く昇られ、とうとう雲の中に消えてしまいました。弟子たちは、顔を見合わせました。それまでにも、いろいろな奇跡を見ていましたが、これこそ、もっとも重大な奇跡でした。イエスは十字架の死から復活されましたが、今や、天の国の父のもとに昇られたのです。

弟子たちは空を見つめていました。そのとき、白い服を着た二人の男の人がそばに来て、こう言いました。「ガリラヤ人のみなさん、なぜ空を見上げているのですか？　イエスは、あなたたちを離れ、天に昇られたのです。あの方は、今あなたたちが見たのと同じように、また戻ってこられます。」

弟子たちは喜びに満たされて、エルサレムに戻りました。それから、まっすぐに神殿に行き、神を賛美する歌を歌いました。イエスが行かれた天の国について考える者もいましたが、イエスが「心配することはない。神のことを信じ、わたしを信じなさい。わたしの父の家には部屋がたくさんある。わたしが先に行って、あなたたちのために準備をしておく」と言われたのを思い出しました。イエスは、そのために、天に帰られたのです。

「イエスは、去られたときと同じように、戻って来られる。」イエスを信じる私たちは、空中でイエスに追いつかれ、イエスに出会うでしょう。死んだ人はよみがえり、新しい生命を得、私たちは変わるでしょう。私たちは、スペース・シャトルではなく、私たちの新しい復活の体で、月や火星よりもっと遠くに行くでしょう。

―コリント 15:12-28、―テサロニケ 4:13-18、黙示録 1:7

待つとき

ヨハネ 15 : 26 ; 16 : 7、使徒言行録 2 : 1

イエスが弟子たちを訪れたとき、「あなたたちに助けを送ろう。それは、父のもとから来る真理の霊だ。あなたたちが、わたしの計画を信じるのを助けてくれる方だ」と言われました。

また、イエスは、「あなたたちにとって、わたしがいなくなるほうがよいのだ。わたしがここにいたら、その方は来ない。わたしは、あなたたちに助けを送ることを約束する」とも言われました。

イエスが言われた「わたしはいなくなる」という意味は、父のもとに戻ることだったのです。今、イエスは、父のところに戻られました。弟子たちは聖霊を待っていました。イエスは、聖霊が来ることを約束されました。

弟子たちは、逮捕されることを恐れていました。長老たちが、きっと何かを引き起こすことでしょう。彼らは、イエスを十字架につける方法を見つけたのですから、弟子たちに危害を加える方法も、考え出すかもしれません。

弟子たちは待ちました。十日間、じっと待ちました。待ちながら、あの約束はどうなったのだろうと思いました。弟子たちを助けてくれるお方は、何をしてくれるのでしょう？　ほんとうは、だれなのでしょうか？

イエスの弟子のほとんどは、ガリラヤ出身でした。しかしイエスは彼らに、エルサレムにとどまり、聖霊を待つように言われました。彼らは長老たちを恐れているかぎり、何もできないでしょう。聖霊は彼らに、イエスについて人々に話すための勇気を与えることになります。イエスはお願いするすべての人に聖霊をお与えになります。

使徒言行録 1:4-51:4-5

助けてくださるお方

使徒言行録 2 : 1〜13

ある日、弟子たちが家の中に隠れていると、激しい風の音が聞こえ、その音は家じゅうに広がりました。そのとき突然、空中に小さな炎が現れました。炎は、一人一人の弟子の上にとどまりました。

弟子たちは、聖霊で満たされていました。待つときは終わったのです。弟子たちは、口を開くと、それまで習ったことも、話したこともなかったことばを話し始めました。これは聖霊の贈り物でした。

こうして、どこの国の人でも、イエスについての話を聞くことができるようになりました。

そのころ、エルサレムには、いろいろな国から、たくさんの人が来ていました。アフリカやヨーロッパから来た人びとが、いろいろなことばを話していました。弟子たちが外に出てみると、人びとはびっくりしていました。「あの不思議な音は、いったい何だったんだろう？」

「強い風のような音だった。」

「あの人たちが話している言葉を聞いたか？」

「ガリラヤから来たはずなのに、わたしたちの国の言葉を話している。」

聖霊は、弟子たちの中にあった恐れを、取り除きました。今では、屋根うら部屋で寄りそって震える代わりに、外へ出て笑い、話していました。イエスを信じていることを隠そうとはしないで、出会う人にはだれにでも、イエスについて話しました。

毎年、聖霊降臨祭の日に、ユダヤ人たちは神が神の法律を石の板に書かれたことを祝います。けれど、今では聖霊降臨祭は別の意味を持ちました。神は弟子たちに神の霊を与えて、弟子たちの心に神の法律を書き込まれたのです。神は、イエスについて人々に話して聞かせることができる力を、弟子たちに与えられました。そして多くの人がイエスを信じるようになりました。神は、今日、私たちにも同じ力を与えたいと思っておられます。

使徒言行録 4:29-30、一コリント 1:22-25、ヘブライ 8:10-12

いやしと教え

使徒言行録 2 : 43 ; 3 : 1〜10

聖霊の助けで、使徒たちは奇跡を行いました。イエスを信じる人が増え、教会も、日に日に大きくなりました。ある日、ペトロは、生まれたときから歩けなかった人を治しました。

ペトロとヨハネは、神殿の階段で、その人に出会ったのでした。その人は「お金をください」と言いましたが、二人はもっと良いものをあげたいと思いました。

ペトロは言いました。「お金はありませんが、わたしが持っているものをあげましょう。ナザレのイエス・キリストのみ名において、歩きなさい！」ペトロはその人の手を取って、立ち上がるのを助けました。その人は、すぐに足が強くなるのを感じ、自力で立ち上がりました。

その人は、「歩ける！　歩ける！　イスラエルの神はたたえられますように！」と叫び、飛びはねながら、ペトロとヨハネのあとから神殿の中に入りました。

物乞いをするのに一番良いのは、何百人もの人が行き来する神殿の門のように、人通りの多い所です。一度も、歩いたり走ったり、他の子どもたちのように遊んだことがなく、いつでもだれかに抱きかかえてもらわなければならないということを想像してみてください。そして、ある日これらのことができるようになったことを。イエスの名において、奇跡は起こり得ます——今日でも。

マルコ 16:17-20、ヨハネ 14:12-14、20:21-22

ペトロとヨハネの危機

使徒言行録 3：11〜4：22

神殿の中にいた人びとは、入り口のところで物乞いをしていた人が、飛びはねているのを見て、びっくりしました。

ペトロには、人びとが不思議に思っているのがわかりました。それで、「この人を治したのは、わたしではありません。イエスです。わたしは、イエスのみ名によって治しただけです。あなたたちは、イエスを殺しましたが、神はイエスを復活させました。イエスはメシアです。この人は、イエスを信じたので治ったのです。」

これを聞いた長老たちは、たいへん怒りました。だれかがイエスについて話すのが気に入りませんでした。それで、番兵を呼んで、ペトロとヨハネを逮捕させました。長老たちは、「こうすれば、イエスの復活について話すのをやめるだろう」と言い合いました。その晩、ペトロとヨハネは牢に入れられましたが、イエスを信じる人は増えていきました。

次の日、長老たちはペトロとヨハネを呼び、歩けない人をどのようにして治したのかとたずねました。ペトロは、聖霊に満たされていたので、賢く答えました。

長老たちは、「この人たちは、学校に行ったこともない、ガリラヤから来た、ごく普通の人だ。どうしてこんなにりっぱな受け答えができるのだろう？」と思いました。それから、使徒たちに「イエスについて話さない、と約束すれば、釈放する」と言いました。

ペトロは言いました。「どちらが正しいと思いますか？　神の望まれることをするのと、自分がしたいことをするのと。あなたは、あなたの言うことと、神の言われることのどちらに従うことを、神は望んでおられると思いますか？　わたしたちは、見て聞いたことを話さないわけにはいきません。」ペトロとヨハネは、長老たちを恐れませんでした。祭司たちにできることは、何もありませんでした。ペトロが治した人が、目の前にいたからです。それで、長老たちは、ペトロとヨハネを釈放しました。

> だれでも、その足の悪い物乞いを知っていました。今や、彼は跳び上がったり、踊ったりしていました。奇跡でした。しかし、ペトロとヨハネがイエスの名を言うと、長老たちは大変怒り、二人を逮捕しました。イエスは弟子たちに、こういうことが起きると話しておられました。多くの場所で、人々はイエスを信じているために迫害されています。それでもイエスを信じる人々は増えています。
>
> *ルカ 21:12-19、ローマ 12:9-21*

天使、使徒たちを逃がす

使徒言行録 5 : 12〜20

使徒たちは、毎日、神殿の門の前に集まり、群衆にイエスについて話しました。大勢の人が信じて、キリスト信者になりました。一方、面倒なことになるのを恐れる人もいました。その人たちは近寄りませんでしたが、それでも遠くから話を聞いていました。

長老たちは、ますます腹を立てました。くやしかったのです。イエスのことは聞きたくないのに、イエスを信じる人びとは増えるばかりです。どうしてなのでしょう?

とうとう、長老たちは、使徒たちを牢に入れました。しかし、夜になると、神から遣わされた天使が、牢の戸を開けました。「行きなさい。あなたたちは自由の身です。神殿に戻り、イエスを信じる新しい生きかたについて、人びとに伝えなさい。

大勢の人の病気が治りました。そして大勢の人がイエスを信じました。信じる人の数は増えましたが、長老たちの怒りも大きくなりました。使徒たちは、また逮捕されました。しかし、神が送られた天使が彼らを自由にしました。そして、彼らはすぐに神殿に戻り、人々にイエスのことを伝え続けました。聖霊は、私たちにも同じような勇気を与えてくれます。

詩編 34:7、91:11、ヘブライ 1:14

使徒たち、質問される

使徒言行録 5 : 21〜42

使徒たちは、天使の言われたとおりに神殿に戻りました。朝になって、祭司長たちは使徒たちが逃げたことを知り、たいへん心配になりました。

ある人が、守衛長に「あなたたちが探している人たちは、神殿で話をしていますよ」と教えました。それで、守衛長は使徒たちを祭司たちのところに連れて行きました。使徒たちは尋問されました。

「イエスについて、もう教えてはいけないと言ったではないか!」

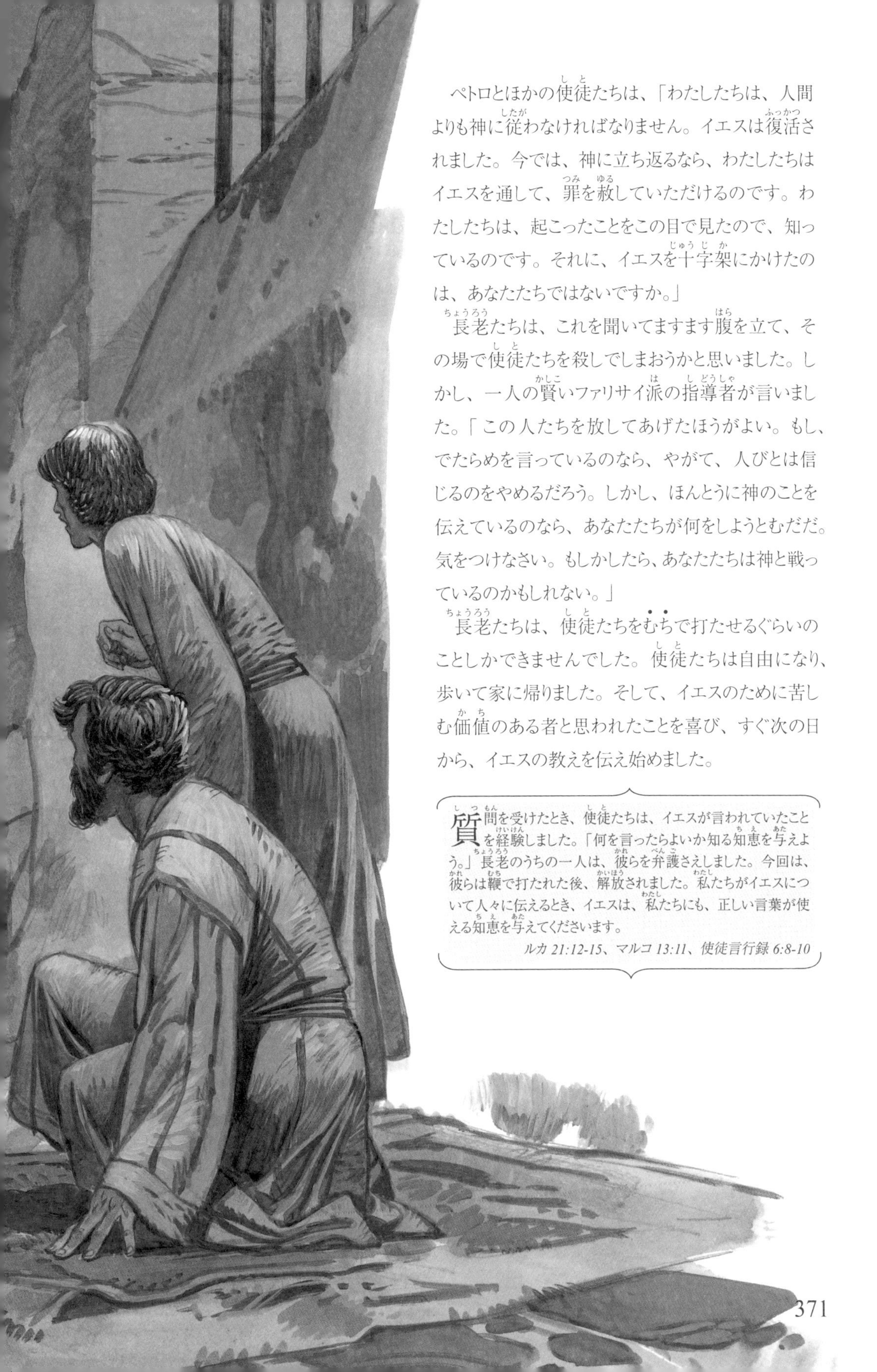

ペトロとほかの使徒たちは、「わたしたちは、人間よりも神に従わなければなりません。イエスは復活されました。今では、神に立ち返るなら、わたしたちはイエスを通して、罪を赦していただけるのです。わたしたちは、起こったことをこの目で見たので、知っているのです。それに、イエスを十字架にかけたのは、あなたたちではないですか。」

長老たちは、これを聞いてますます腹を立て、その場で使徒たちを殺してしまおうかと思いました。しかし、一人の賢いファリサイ派の指導者が言いました。「この人たちを放してあげたほうがよい。もし、でたらめを言っているのなら、やがて、人びとは信じるのをやめるだろう。しかし、ほんとうに神のことを伝えているのなら、あなたたちが何をしようとむだだ。気をつけなさい。もしかしたら、あなたたちは神と戦っているのかもしれない。」

長老たちは、使徒たちをむちで打たせるぐらいのことしかできませんでした。使徒たちは自由になり、歩いて家に帰りました。そして、イエスのために苦しむ価値のある者と思われたことを喜び、すぐ次の日から、イエスの教えを伝え始めました。

質問を受けたとき、使徒たちは、イエスが言われていたことを経験しました。「何を言ったらよいか知る知恵を与えよう。」長老のうちの一人は、彼らを弁護さえしました。今回は、彼らは鞭で打たれた後、解放されました。私たちがイエスについて人々に伝えるとき、イエスは、私たちにも、正しい言葉が使える知恵を与えてくださいます。

ルカ 21:12-15、マルコ 13:11、使徒言行録 6:8-10

ステファノは恐れない

使徒言行録 6 : 1〜7 : 60

使徒たちの教えを信じる人びとは、ますます増えていきました。人びとはイエスに従うことを選び、もっとイエスについて知りたいと思いました。この人たちにとって、イエスはいちばん大切な方でした。信者が増えると、日常のことでいろいろな問題が起きてきました。その一つが、食料の分配の問題でした。

使徒たちは、食事の世話をするために、七人の男の人を選びました。これで、使徒たちは、イエスの教えを広めることに専念することができました。七人の選ばれた人たちはみな、信心深くて、聖霊に満たされていました。その中の一人は、ステファノといいました。たいへん神に近い人で、与えられた仕事をよく果たし、神はこの人を通じて奇跡を行われました。

ステファノと議論をしようとした人たちがいましたが、とてもかないませんでした。彼らが神の霊にかなうはずがなかったからです。それで、この人たちは、ステファノについての悪いうわさを広めました。

「ステファノは、モーセと神について、よくないことを言っている。」やがて、たくさんの人たちが長老たちの仲間になり、ステファノを逮捕させました。

ステファノは裁判にかけられました。

しかし、まったく心配していませんでした。ステファノの顔は、天使のようにかがやいていました。長老たちは、ステファノがほんとうに悪いことをしたかどうかは、どうでもよかったのです。ステファノを陥れるために、あらゆることをしました。人を使って、うその証言をさせました。これは、イエスを裁判にかけたときと同じやり方です。ステファノがイエスについて言ったことを、ねじ曲げました。もちろん、これはとても悪いことです。

しかし、ステファノは聖霊で満たされていました。神の霊のおかげで、いつ何を言ったらよいかがわかり、すべての質問に賢く答えました。最後に、ステファノは「あなたたちは、神の望まれることを聞こうとしません。あなたたちの父親たちは、預言者を殺そうとしました。あなたたちはどうですか？　あなたたちは、メシアを殺しました。あの方は、あなたたちを救うために来られたのに！」と言いました。

長老たちは激しく怒りました。ステファノが見上げると天の国で、神の横にイエスが座っておられるのが見えました。ステファノは、「ほら、天が開くのが見える！　あそこに人の子がおられる！」と言いながら、空を指さしました。

これを聞いた群衆は、がまんできなくなり、ステファノを町の外に追い出しました。そして、石を投げつけました。ステファノはひざまずき、こう叫びました。「主イエスよ、わたしの霊をお受け取りください。主よ、この罪を、この人たちに負わせないでください！」ステファノは死にました。イエスのための英雄として、勇気ある賢い人として……。

イエスについて説教をし、奇跡を行ったのは使徒たちだけではありませんでした。他にも聖霊に満たされ、イエスが与えられる新しい生命について、話していた人々がいます。ステファノは、イエスについて人々に話している時に殺された最初の人で、そのために記憶に留められています。イエスと同じように、ステファノは彼を殺した人々を許しました。

マタイ 6:14-15、ルカ 23:34、ヨハネ 20:23

ダマスコへの道

使徒言行録 8 : 1〜4、9 : 1〜8 ; 22 : 4〜11 ; 26 : 9〜18

ステファノが死んで喜んだ人びとの中に、サウロという人がいました。サウロは、長老たちのだれにも負けないほど、ステファノの死を望んでいました。ステファノの死は、イエスに従う人たちの苦しみの時の始まりでした。それはまた、神の民が偉大な勇気を示した時でもありました。人びとは、信じることのためには死さえも選び、イエスに背こうとはしませんでした。多くの信者たちは、家を出て、命からがら逃げ回らなければなりませんでした。

イエスの敵たちは、イエスに従う人たちをみんな殺そうとしましたが、それは、かえって信者たちを強くしただけでした。信者たちが各地に逃げていくにつれて、信者の数は増えていきました。サウロのような悪い人たちから逃げる道の途中で、信者たちは、イエスに生涯をかけるだけの価値があること、そして彼のために死ぬだけの価値があることを、人びとに伝えました。

サウロは、イエスに従う人たちを殺そうと計画していました。サウロは、イエスと少しでもかかわりのある人は、みんなきらっていました。

サウロは、祭司長のところに行き、国じゅうのイエスに従う人たちを探し出す許可をもらいました。見つけたら、逮捕してエルサレムに連れ戻り、男の人でも女の人でも、かまわず殺すつもりでした。

サウロが出発したことは、すぐに知れわたりました。信者たちは皆、お互いのために祈りました。サウロがほかのだれよりも残酷で恐ろしいことは、みんな知っていました。

サウロは、まず、ダマスコに向かいました。「イエスの信者なら、だれでも逮捕してよい」という手紙を持ち、武装した兵士も連れていました。

ところが、サウロがダマスコに近づいたとき、驚くべきことが起こりました。突然、天からの光がサウロの周りを照らし、サウロを馬から突き落としたのです。

サウロは、地面に倒れました。そして、声が聞こえました。「サウロ、サウロ、なぜ、わたしを迫害するのか？」

「主よ、あなたはどなたですか？」

「わたしは、ナザレのイエスだ。あなたはわたしの信者を逮捕するとき、わたしを逮捕しているのだ。また、あの人たちを牢に入れるとき、わたしを牢に入れているのだ。あなたは、繰り返し、わたしを殺しているのだ。さあ、起きて町に入りなさい。」

サウロといっしょにいた人たちには、声は聞こえましたが、その姿は見えませんでした。サウロは、言われたとおりにしました。ただ、目を開いても、何も見えませんでした。それでサウロは、兵士に手を引いてもらってイエスに言われた場所に行き、やみの中で待ちました。

> 神はアナニアに、サウロのところに行き、また目が見えるようになるように、彼の上に手をのせなさい、と言われました。アナニアは恐れましたが、言われたとおりにしました。その日、サウロは、水と聖霊で洗礼を受けました。イエスは私たちに、敵のために祈るよう言われました。そうすることによって、私たちは、神が彼らの命に触れるための道を準備するのです。
>
> *マタイ 5:43-48、ルカ 6:27-36*

動物がいっぱい入った布

使徒言行録 10 : 1〜16

イエスの福音は広まっていきました。聞こうとしない人もたくさんいましたが、多くの人は、命がけで信じました。福音が、ユダヤ人以外の人にも、伝わるときが来ました。

ユダヤ教の歴史では、たびたび、神は預言者を通して話されました。神は、ユダヤの民の中から光が来る、と言われました。光とは、イエスでした。この光は世界を救うはずでした。イエスでさえ、最初はイエスの教えはユダヤ人のためだと言われましたが、あとでは全世界のすべての人のものとなりまし

た。長老たちがイエスを大変嫌った理由の一つがこれでした。神から選ばれた唯一の民でありたかったのです。今や、すべてが変わるときが来ていました。神はこのことを、二人の人によって明らかにされました。ペトロとコルネリウスです。

コルネリウスは、ユダヤ人ではありませんでした。ローマの百人隊長、つまり軍隊の将校で、百人以上の兵隊の責任者でした。この人は、ただ一人の神を信じ、いつも神に祈り、かわいそうな人にはいろいろな物をあげていました。

ある日、コルネリウスは、祈っているときに、まぼろしを見ました。天使が現れ、「コルネリウス！」と呼びかけたのです。

「主よ、何でしょうか？」コルネリウスは天使を見つめました。彼は恐ろしくなりました。

「神は、あなたの祈りを聞き入れられました。あなたが貧しい人に贈り物をするのを、喜んでおられます。それで神は、あなたの祈りにこたえられます。ヤッファに人を送り、ペトロという人を見つけるように、言いなさい。海岸にある、皮なめし職人のシモンの家にいるはずです。」コルネリウスは、天使に言われたとおり、三人の兵士を送りました。

そのとき、ペトロに不思議なことが起こっていました。ペトロは、海岸の家の屋根の上に座って、祈っていました。そのとき、ペトロもまぼろしを見たのです。

天が開き、大きな布が降ろされました。中には、あらゆる種類の動物や鳥が入っていました。「ペトロ、起きて、この獣を食べなさい」という声が聞こえました。

ペトロは答えました。「とんでもないことです。清くないものは、何一つ食べたことはありません。それは、わたしたちの法律では許されないことです。」

すると、「神が清めたものを、清くないと言ってはいけない」と言う声が聞こえました。これが二度、三度と繰り返されたあと、布は天に引き上げられました。

ペトロが祈っている間、神は、まぼろしの中でペトロに話しかけられました。モーセの法律では食べ物には汚れていて食べてはいけないものがあるとされています。しかし、神は言われました「わたしがきれいだ、と言ったものを汚いと言ってはいけない。」ペトロは、そのまぼろしは神から伝えられたのだと信じました。神は、私たちが、古い習慣を捨てることになっても、神に従うことを期待しておられます。

レビ 11:1-25、マタイ 16:17

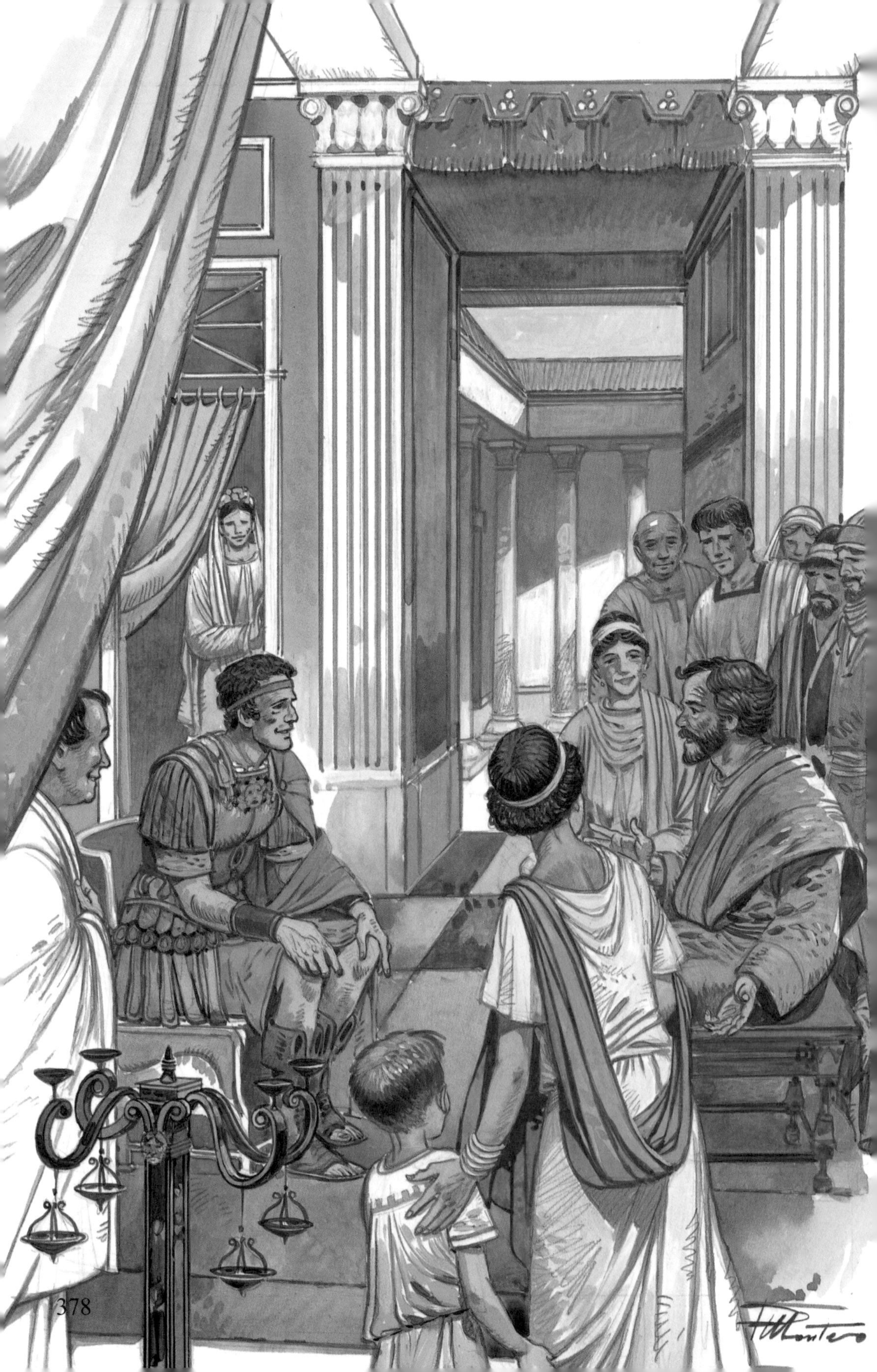

ペトロ、百人隊長を訪ねる

使徒言行録 10 : 17〜48

ペトロは不思議に思いました。「これには、どんな意味があるのだろう？」すると、聖霊が「さあ、立って、下に行きなさい。あなたを探している人たちが来ています」と言いました。

ペトロが下に行くと、三人の兵士が、天使がコルネリウスに、ペトロを呼ぶようにと告げたことを話しました。次の日、ペトロは出発しました。数人の信者もいっしょでした。ペトロが到着すると、コルネリウスはペトロの足もとにひれふしました。ペトロは「どうぞ、立ち上がってください。わたしは、あなたと同じ、ただの人間です」と言いました。

その部屋には大勢の人がいましたが、ほとんどがユダヤ人ではありませんでした。ペトロは言いました。「わたしがあなたたちのところに来ることは、ユダヤの律法違反です。しかし、神は、すべての人を同じように愛されます。ところで、なぜわたしを呼び寄せたのですか？」

コルネリウスは、「わたしは、まぼろしの中で、あなたをお呼びするようにと言われたのです。神は、あなたを通して、わたしに何かを伝えたいのでしょう。何かお告げがありましたか?」と言って、天使が話したことを伝えました。ペトロはうなずきました。

「はい、ありました。神は、すべての人を同じように扱われます。違いはありません。神は、信じるすべての人を歓迎されます。今、それがよくわかります。」

ペトロが説明していると、突然、聖霊が部屋の中を通って、聞いているすべての人の上にくだりました。みな、神をたたえることばを話し始めました。

ペトロが連れてきたユダヤ人の信者たちは、驚きました。聖霊がユダヤ人以外の人の上に降りるのは、見たことがなかったからです。

「人々が神を信じさえすれば、イエスは彼らの罪を許される。」これらの言葉をペトロが言ったとき、驚くべきことが起きました。聞いていた人々すべての上に聖霊が降りてきたのです。そして彼らは神を称えて、さまざまな言葉で話しました。聖霊降臨祭の日と全く同じでした。このことは、イエスの福音がすべての人のためであることを証明しました。

マタイ 18:19-20、使徒言行録 1:8、2:4

すべての人のための福音

使徒言行録 11 : 1〜26

その出来事は、すぐに、ほかの使徒たちに報告されました。ユダヤ人以外の人びと、つまり異邦人も、神のみことばを受けたというのです！ 使徒たちの中には、この事実を受け入れたくない人もいました。その人たちは、ペトロが、ユダヤ人以外の人と付き合ってはいけない、という古くからのユダヤの律法に背いたとして、ペトロがエルサレムに戻るとすぐに、彼を非難しました。

ペトロは、それまでのことを、くわしく説明しました。ペトロが見たままのこと、それにコルネリウスのもとに現れた天使のことを話しました。

これを聞くと、使徒たちは非難するのをやめて、神を賛美しました。「神は、すべての人に、神を信じ、イエスと共に新しい生き方を始める機会を与えてくださったのだ。」

このころから、信者が「キリスト者」と呼ばれるようになりました。「キリスト者」というのは、「キリストに従う者」という意味です。

他の使徒たちは、ペトロがユダヤの法律を破った、と思いました。そのことについて彼らが祈った後、聖霊は、彼らにイエスのことばを思い出させました。聖書の中のことばと福音は、ユダヤ人であろうがなかろうが、すべての人のためのものである、ということを確認したことばです。すべての国のすべての人は、神がすべての人を愛しておられることを知るべきです。

アモス 9:11-12、マタイ 28:18-20、使徒言行録 2:39

ペトロ、牢から逃げ出す

使徒言行録 12 : 1〜17

使徒たちのことばに耳を傾ける人びとは、どんどん増えていきました。悪い王ヘロデは危険を感じ、キリスト信者はみんな殺してしまおうと思いました。

キリスト信者たちは逃げました。洞穴の中に住んで、ひそかに集まっていましたが、捕まる人もいました。ペトロもヘロデに捕まり、牢に入れられました。ヘロデは、番兵に見張りを命じ、「過越の祭りが終わったら、裁判にかけよう」と言いました。しかし、神は別のことを考えておられました。

ペトロは、独りぼっちではありませんでした。大勢の人が、ペトロのために祈っていました。ペトロは、恐ろしくはありませんでした。イエスがいつも「恐れることはない」と言っておられたのを覚えていました。裁判の前夜、ペトロはこのことを考えていました。ペトロは二人の兵士に鎖でつながれていました。戸の前には、さらに番兵がいました。

そのとき、突然、牢の中が主の天使の光で満たされました。天使は、ペトロをゆさぶり、「早く立ちなさい」と言いました。ペトロが立ち上がると、鎖が解けて落ちました。「上着を来て、わたしについて来なさい」と、天使が言いました。

ペトロは言われたとおりにしましたが、とても信じられませんでした。「夢を見ているにちがいない。」二人は、一人ずつ番兵の前を通りましたが、だれも二人に気づきませんでした。町の門まで来ると、門はひとりでに開き、ペトロが外に出ると、天使は消えました。

ペトロは、キリスト信者が集会を開いている家に向かいました。その家の戸をたたくと、召し使いが返事をしました。ペトロの声だとわかると、大喜びでみんなのところに知らせに行きましたが、戸を開けるのを忘れていました。「外にペトロがいます！」

ほかの人たちは、「天使だったんじゃないの？」などと言いました。

その間じゅう、ペトロは戸をたたき続けていました。やっと戸が開かれると、みんなが、一度に話し始めました。

ペトロは、みんなを静め、主が牢から出してくださったことを話しました。

ヨハネの兄弟の十二使徒のヤコブは、イエスの後、一年足らずで逮捕され、殺されました。次に、ペトロが牢屋に入れられました。裁判の前の晩、ペトロは天使によって解放されました。どうして一人は殺され、もう一人は殺されなかったのか、私たちには理解できません。私たちが知っているのは、神の子どもの一人一人のために、神が立てておられる計画は、良いものであるということだけです。

詩編 34:7、エレミヤ 29:11、ローマ 8:28

説教者パウロ

使徒言行録 9 : 10〜25 ; 14 : 1〜22

サウロは、ダマスコに着いたときには、目が見えませんでした。しかし、ダマスコを去るときには、ふたたび見えるようになっていました。目も、そして心も。サウロは、イエスのもっとも強力な信者となりました。名前も、パウロと呼ばれるようになりました。

パウロは、村から村へと旅をし、自分の体験を話しました。パウロは、キリスト信者を殺そうとした指導者の一人でしたが、神に出会って変わったのです。パウロは、イエスによってどれほど人生が変わるかを人びとに伝えたいと思っていました。

あるとき、パウロは、友人のバルナバと旅をしていました。町から町へと、イエスの教えを広めて回りました。彼らの話を聞いて、親しくなる人も、敵になる人もいました。

ある場所で、生まれてからずっと歩けなかった人に出会いました。この人は、熱心にパウロの話を聞きました。パウロが「立ちなさい！」と言うと、その人は飛び上がって歩き出しました。あまりうれしくて、おどり始めたほどでした。

その後、アンティオキアのユダヤ人たちが、パウロは悪人だと言いふらしました。この人たちは、パウロが倒れるまで石を投げつけ、死んだと思って町の外に引きずり出しました。弟子たちがパウロの周りを取り囲んでいると、パウロは起き上がって町に戻り、何ごともなかったかのように、また話し始めました。

パウロは、とても熱心に説教をしたいと思っていましたが、キリスト教徒は、彼を恐れていました。パウロが変わったということが信じられなかったのです。使徒たちは、パウロにしばらく目立たないようにしているように頼みました。後に、バルナバがパウロをアンティオキアに連れて行き、教会でいっしょに働きました。彼らはそこから最初の伝道の旅に送られました。

使徒言行録 11:19-26、12:25、13:1-3

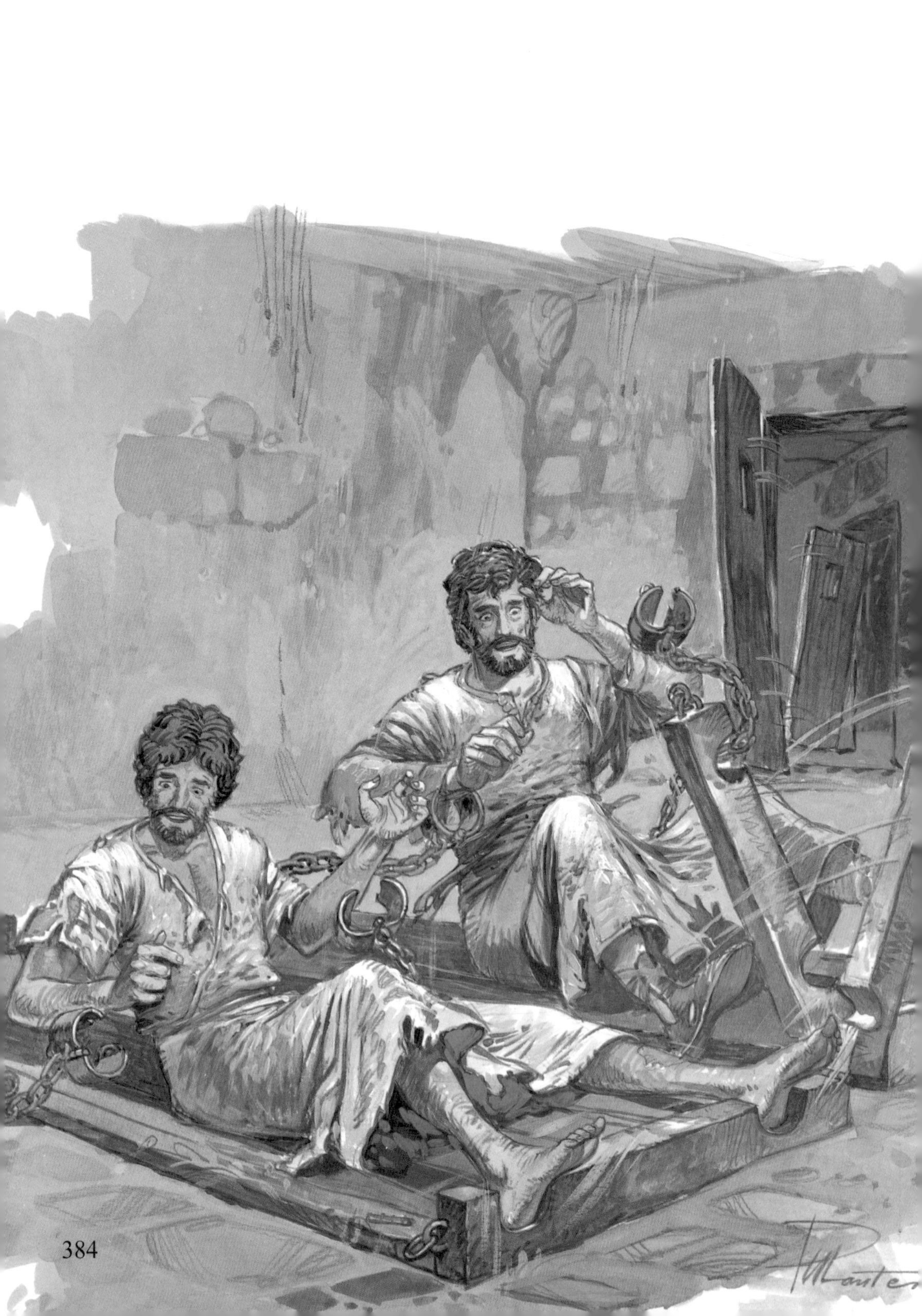

牢の中の歌声

使徒言行録 16：16～34

ある日、パウロと友人たちは、悪霊に取りつかれた奴隷の女の子を治しました。その子は、悪霊のおかげで占いができたので、その子の主人は、占いをさせて金もうけをしていました。でも、パウロが悪霊を追い払ったので、金もうけができなくなってしまいました。それで、怒った主人は、パウロとシラスを捕まえ、役人のところに連れて行きました。

主人は、仲間といっしょにうその証言をして、パウロとシラスは反逆者だと言い、二人を牢に入れてしまいました。二人は、重い木の足かせをはめられ、鎖でつながれ、厳重に見張られました。

二人は、体を動かせないように、鎖でつながれていました。背中はむちで打たれたために痛み、絶望的な状況でした。

パウロとシラスは、あきらめませんでした。不平も言いませんでした。その代わり、歌を歌いました。真夜中、二人は神を称えて歌い、祈りました。

ほかの囚人たちは、耳を傾けました。そのとき、突然、大きな地震が襲いました。戸が開き、囚人たちの鎖が解けました。

牢番は目を覚まし、戸が開いたままになっているのを見ると、刀をぬいて自殺しようとしました。囚人たちが逃げたと思ったからです。ひどい罰を受けることがわかっていました。そのとき、「やめなさい！　わたしたちはまだ、みんなここにいますよ」と、パウロが叫びました。

牢番は明かりを持ってこさせ、恐ろしさで震えながら、パウロたちのところに来てひれふしました。それから、二人を牢の外に導き、「教えてください。どうすれば神さまの信者になれますか？」とたずねました。

パウロとシラスが「主イエスを信じなさい。そうすれば救われます」と言うと、牢番はうなずきました。

牢番は、パウロとシラスを自分の家に連れて行き、二人の傷を洗いました。家族の人たちも、パウロがイエスについて話すのを聞き、キリスト信者になろうと思いました。牢番とその家族は、その場で洗礼を受け、それから、使徒たちに食事を出しました。皆、喜びにあふれていました。神を信じることの意味が、よくわかったからです。

パウロは、二度目の伝道の旅に、シラスと共に行きました。フィリッピで二人は悪霊に取りつかれた娘を解放し、牢屋に入れられました。二人が神を賛美する歌を歌っていると、神は地震を起こしました。結果的に、牢番とその家族と何人かの囚人が、神を信じ、洗礼を受けました。神は、神の力が自然より、悪より強いことを証明なさいました。

フィリピ 1:3-11、4:4-7、一テサロニケ 5:16-18

パウロ、警告を受ける

使徒言行録 20：17～38

パウロは、エルサレムに戻ろうとしていました。できるだけ多くの場所で、教えを広めようとしていました。ダマスコへの道で目が見えなくなってから、長い年月が過ぎていました。今は、古い友人を訪ね、新しい友人を作り、直接会いに行けない友人には手紙を書きました。

友人たちは、エルサレムが危険な場所になっていて、もう戻ってこれなくなると警告しましたが、パウロは、なるべく早く行きたいと思っていました。パウロは、「どうしてもエルサレムに行かなければ。神から与えられた仕事を終わらせなければならないのです。わたしがいない間、気をつけてください。わたしたちの苦労をだいなしにしようとしている人たちがいますから。ここの教会を守り、神から与えられた仕事を続けてください」と言いました。

友人たちは、繰り返し、パウロを殺そうとしている人びとがいると警告しました。エルサレムは、イエスにとっていちばん危険な町でしたが、パウロにとっても同じはずです。パウロは、牢に入れられるにちがいありません。それはパウロもわかっていましたが、かまいませんでした。神が望まれるなら、どこへでも行かなければなりません。

パウロは、このことをすべて、友人への手紙に書きました。みな、手紙を読んで心配しました。エルサレムでは、何がパウロを待ち受けているのでしょうか？

パウロは、危険を冒さないことができました。あるいは、危険であっても彼が行うことを神が望んでおられる、とわかっていることをすることもできました。それはパウロの選択でした。パウロは、神のみ旨に従うことを選びました。パウロは、それが最も安楽なことでないとしても、常に最も良いことだと経験から知っていました。このことで、パウロは私たちすべての人々の模範となりました。

使徒言行録 21:8-14、一コリント 11:1、コロサイ 3:17

パウロ、群衆に話す

使徒言行録 21：27〜23：11

エルサレムは、たしかに、パウロにとって危険な町でした。長老たちは、群衆をあおり立てて、パウロを殺そうとしました。しかし、あぶないところでローマの兵隊が来て、群衆に殺されないようにと、パウロを逮捕しました。

群衆は、パウロがだれで、何をしたのか、知りませんでした。パウロは、ローマの兵隊に群衆に話をしてもいいかとたずね、許しをもらいました。

パウロは、人びとに聞いてほしいと頼み、自分のことを話しました。キリスト信者の敵であったパウロを、イエスがキリスト信者の指導者の一人に変えられたこと、ダマスコへの道でイエスに出会ったこと、それから、神がユダヤ人と同じく異邦人にも教えを広めるよう、パウロを遣わされたことを話しました。

これを聞くと、群衆は叫び始めました。「殺せ！この男を殺せ！」そこで、ローマ兵の隊長はパウロを兵営に入れ、何をしたのか話させるためにむちで打とうとしました。

パウロは言いました。「ちょっと待ってください。公正な裁判をしないで、ローマ市民をむちで打ってもよいのですか？」正しい理由もなしにパウロを傷つければ、問題になるかもしれません。そこで、隊長は群衆の中にいる長老たちと話をし、次の日にパウロを裁判にかけることにしました。

裁判のとき、パウロは、もう一度話そうとしましたが、だれも耳を貸しませんでした。大さわぎになり、兵士たちは、パウロに乱暴しないように群衆を抑えなければなりませんでした。その夜、牢の中で、主がパウロの横に立たれました。「パウロ、勇気を出しなさい。あなたは正しいことをしている。このエルサレムで、わたしのことを話したように、ローマの人びとにも話しなさい。」

パウロはあらゆる機会に、イエスがどのように彼の人生を変えたかを話しました。そして、人々は注意深く耳を傾けました。しかし、パウロが神の外国人に対する関心を話すと、腹を立てました。彼らは神の選ばれた民、という自分たちの地位が危ういものになると思ったのです。人々はイエスが私たちに個人的に何をしてくださったかを話すと耳を傾けます。その後、人々を納得させるのは聖霊の仕事です。

ヨハネ 16:8、使徒言行録 1:8、2:37a

パウロは死ななければならない

使徒言行録 25：1〜26：32

ローマ市民のパウロは、公正な裁判を受けられるはずでしたが、裁判を受けられないまま、二年もの間、牢に入れられていました。

ローマ総督フェストゥスは、「カイサリアで裁判を受けるべきだ」と言いました。そこで、パウロ

は四回目の裁判にかけられました。パウロの敵たちは、さまざまな理由でパウロを訴えましたが、何も証拠がありませんでした。フェストゥスは、長老たちとのいざこざは避けたいと思っていました。

パウロは、フェストゥスに言いました。

「総督はあなたです。もしあなたが判決を下せないのなら、わたしを敵の手にわたさないでください。わたしは皇帝にうったえます。」

パウロは、ローマ市民の権利として、皇帝ネロに直接裁いてもらうことを主張したのです。それは、長老たちに引きわたされることはないということでしたが、逆に、ネロに会うまでは釈放されないということでもありました。

困ったフェストゥスは、パウロをローマに行かせるよりほかありませんでした。しかし、フェストゥスはパウロをローマに行かせる前に、アグリッパ王の意見を聞くことにしました。

パウロは、今度は、ヘロデ王の息子と多くの重臣たちの前で、それまでのことを話さなければなりませんでした。パウロの話を聞き終わると、アグリッパ王は「わたしがそんなに簡単に説得されて、キリスト信者になると思うか？」と言い、それからフェストゥスに言いました。「この男は、何も悪いことはしていない。ある意味では、皇帝にうったえたのは残念だな。今となっては、ローマに行かせないわけにはいかない。」

神はパウロに、彼が王たちの前で話すためローマに行くであろうと伝えておられました。カイサリアでは、彼は総督のフェリックスとフェストゥス、そしてアグリッパ王の前でも証言しました。パウロが皇帝に訴えると、ローマへ行く無料の片道切符と、彼の証言をさらに多くの人に聞いてもらえる機会を与えられました。神は、パウロの進む道を準備されていたのでした。

ルカ 21:12-15、使徒言行録 9:15、エフェソ 2:10、一テモテ 2:2

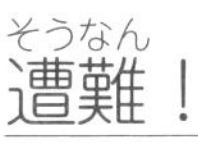

遭難！

使徒言行録 27 : 1〜26

パウロは、いよいよローマに向かうことになりました。でも、望んでいたような旅行ではありませんでした、自由に友人を訪ねるのではなく、囚人として、ローマ兵に付きそわれて、皇帝ネロに会いに行くのでした。

パウロに付いていた番兵はユリウスと言いましたが、パウロが危険な人でないとわかると、とても親切になりました。パウロがローマに向かう船に乗せられるとき、ルカやパウロのほかの友人たちもいっしょに乗せてくれました。一行は、港から港へと船を乗り継ぎました。何度も悪い天候にみまわれましたが、とうとう、ひどいあらしのために、ほとんど進めなくなりました。パウロの乗った小さな船は、クレタ島の港に着きました。パウロは、「ここで冬を越したほうがいい。そうしないと、荷物だけでなく、わたしたちの命まで失うことになる」と言いました。しかし、急いでいた船長は、パウロの言うことに耳を貸しませんでした。それで、一行は旅を続けました。

やがて、船は激しい風に捕まりました。どうすることもできません。あらしは一日じゅう、船をゆさぶりました。波で甲板は水浸しになり、船が沈みそうになったので、船員たちは荷物を海に投げ捨てました。

何日もの間、空は真っ暗でした。船長には、月も星も見えません。海の上で迷子になってしまいました。みんな、船酔いで、何も食べられません。パウロが言いました。「勇気を出しなさい。死にはしません。昨晩、神の天使が現れ、わたしは皇帝に会うと言いました。島にたどり着きます。」

地中海の旅は危険でした。船は季節風に頼っていたので、冬の間は、旅行はほとんど不可能でした。船長はパウロの警告を聞きませんでしたが、パウロは怖くありませんでした。パウロには、神が彼を安全にローマに行かせてくださる、とわかっていました。危険のさなかにパウロは、船客と船員たちを励ますことさえできました。

使徒言行録 23:11、27:23-26

無事にマルタ島に着く

使徒言行録 27 : 27〜28 : 10

突然、激しい音がしました。船が岩の上に乗り上げ、壊れ始めたのです！「飛び降りろ！」

波が砕け散っていました。それでも、全員が岸に泳ぎ着きました。それだけが重要でした。その後、着いたところがマルタ島だとわかりました。結局、イタリアのそばまで来ていたのです。島の人びとはたいへん親切でした。パウロは、無事、ローマに行けることになりました。

難破はいつも災害です。しかし、神はそれを良いものに変えられました。マルタの人々が、パウロの人生を変えたイエスについて聞く機会になりました。神が、どのようにして予期しない状況を使って、私たちや私たちの周囲の人々に、神のことをより明らかにされるか、よく気をつけて見ていましょう。

マタイ 10:8、マルコ 16:17-18、ガラテヤ 6:10、エフェソ 5:15-16

ローマに到着する

使徒言行録 28 ： 11～31

パウロは、とうとうローマに着きました。地域一帯の信者たちが、そろって、パウロとルカの一行に会いに来ました。これを見て、パウロは神に感謝し、ふたたび勇気を取り戻しました。

ローマ人たちは、今度はパウロを牢に入れませんでした。番兵がつきましたが、どこに行くのも自由でした。パウロは、ユダヤ人の宗教指導者たち

に会いに行き、それまでのことを話しました。その人たちは、「エルサレムのユダヤ人からは、何も聞いていません。もっと話してください」と言いました。

パウロは、ダマスコへの道でイエスに出会ったこと、今まであちこちに旅をしてイエスのことを話してきたこと、イエスによって人生がどのように変わっていくか、神がどのようにしてユダヤ人のためにも、それ以外の人のためにも、おん子イエスを遣(つか)わされたかを説明し、「わたしは何も悪いことはしていません」と言って、話を終わりました。

ユダヤ人たちは、どう考えたらよいかわかりませんでした。パウロを信じる人もいれば、そうでない人もいました。それからの二年間、ユダヤ人たちはパウロのことで争い続け、パウロは、皇帝(こうてい)の裁判(さいばん)を待ちました。その間、パウロは、番兵さえついていれば、自由にどこへでも行けました。パウロはこの時を利用して教えを広めました。だれとでも喜んで会い、じゃまをする人もいませんでした。

この二年間は、パウロが自由に教えることのできた最後の機会でした。パウロは、スペインとギリシャにも教えを広めに行ったと思われます。その後、パウロはふたたび捕(と)らえられ、牢(ろう)に入れられました。牢(ろう)で、それまでに会った人たちに手紙を書き、最後に、皇帝(こうてい)ネロによって殺されました。

パウロは最後の一息まで、あらゆる機会に、人々にイエスのことを伝え、信者たちを励(はげ)ましました。パウロはエフェソとフィリピ、そしてコロサイにある教会と、パウロが教育したテモテとテトスに手紙を書きました。「私(わたし)はよい戦いをりっぱに戦いぬき、競争を走り切り、最後まで誠実(せいじつ)であり続けた。あなたたちも私(わたし)に倣(なら)う者になりなさい。」

一コリント 4:16-17、フィリピ 1:6、二テモテ 1:6-7、4:7

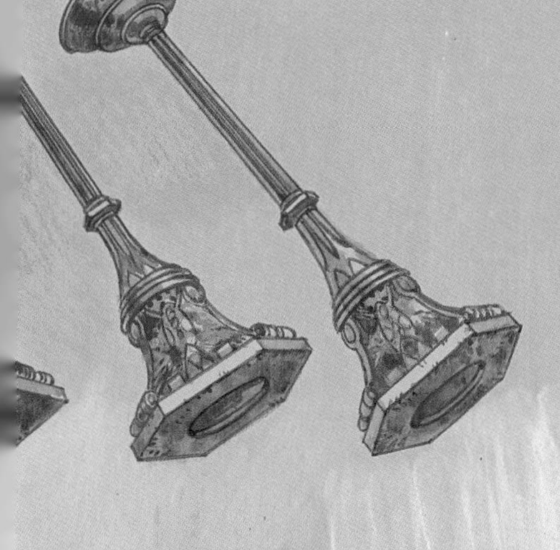

特別なお告げ

ヨハネの黙示録 1：1〜3：22

使徒ヨハネは、たいへん年をとってから、まぼろしを見ました。まるで、偉大な夢のようでした。イエスはヨハネに、それを記録するよう頼まれました。

ヨハネは、立っているイエスの前にある、七つの金のしょく台を見ました。イエスの目は燃えさかる炎、声は大水のとどろき、顔は晴天の日にかがやく太陽のようでした。

イエスはヨハネに、キリスト信者に警告するようにと言われました。何が大切なのかを忘れている人がいます。「あなたたちは、今では、以前のようにわたしを愛していない。」貧しい教会のほうが、愛に満ちています。キリストのために苦しむ人は、天の国で報いを受けます。

イエスはまた、教会にも警告されました。それらの教会は、自分たちの問題が見えなくなっていました。「自分で問題が解決できると思っているなら、それはおろかなことだ。神に頼らず、あなたたち自身に頼るほうがよいと思うなら、それは間違いだ。」

イエスはヨハネに、このことを繰り返しキリスト信者たちに思い出させるようにと告げられました。キリスト信者は、愛し、与え、神に頼り、深い信仰を持っていなければなりません。

「イエスが愛した弟子」ヨハネは愛の使徒とも呼ばれています。ヨハネは教会をとても気遣っていました。教会に警告を与え、励ますための手紙を書きました。イエスは私たちを畏敬させる神であり、最後には、神に反対するすべての人々と権力を征服なさるでしょう。イエスに誠実であり続ける人々、特にイエスに仕えて命を落とす人々は、祝福されます。

マタイ 16:24-25、26:64、ルカ 18:8b、ヨハネ 21:7